教員採用試験

2026年度版

一般教養 新ランナー

東京教友会

TAC出版
TAC PUBLISHING Group

はじめに

この度，ランナーシリーズ刊行の出版社が，いわば，第1期の一ツ橋書店（1987年初版－2022年度版）から，時宜と縁とを得て，第2期のTAC出版（2023年度版（過渡期版で2022年度版とほぼ同じ），2024年度版〜）にかわった。

2024年度版において，TAC出版編集部の英断で「キーワードに絞り込んだ」大改訂がなされ，「簡潔」化が企図され結果的に直読直解が工夫され見やすくなった。そもそもランナーシリーズ誕生の背景は，直近の2023年度版の「まえがき」に詳しいが，今版が初見だという読者のために少し解説する。

教師を目指し，明日を見つめて今をひたすらに勉学するひたむきな学生のつぶやきがあった駒澤大学の筆者の研究室で（1987年当時），教育職員免許法等に定める教職課程等の正規の授業科目履修上での学びの内容（理想・理論）と，地方教育行政等が実施する教員採用候補者選考試験内容（現実・実践）とのギャップを埋め架橋する演習課題・問題作成・解答・解説プレゼンの演習ノート蓄積がなされ，それを基盤として刊行が実現した。

演習課題は，例えば，次である。すなわち「教育で重要用語の「目的」と「目標」との意味の構造と，それをうける動詞の用法構造とが，「法は風土の産物」（モンテスキュー『法の精神』）といわれる法規定文脈でいかに語られているかを検索し整理して用語の目的・目標を集約整理するサブノートを作成しなさい」との筆者提示のプリント作成課題にチャレンジする。これは資料自身の文脈・構文等により資料自身自らを語らしめて定義を得るという意味論的手法である。浮上するのは，目的は「最終到達点」，動詞は「実現」でうける。目標は，目的に到達するためにクリアすべき通過条件を意味し，動詞は達成でうけることが文脈上に浮上することが判明する。同じく，例えば課題では，教育観（スズメの学校の教師像―メダカの学校の教師像，注入主義―開発主義，伝達観―助成観，教師中心―学習者中心），また，一般教養では，鉄道唱歌で全国を綴る地理教育・歴史教育，郵便番号で綴る47都道府県庁所在地に関する整理等の演習ノート等も提示されてきたが，本版では割愛した。出版編集業務・書店業務に詳しく，明日を見つめて今をひたすらに勉学に勤しむゼミ有縁の人材の機を得て刊行が発起され，刊行後も「ランナー」への愛顧が継続されてきた。

ランナーシリーズには，大きい版のランナー（以下 親ラン）と，親ランを要約した小さい版のポケットランナー（以下ポケラン。ただし幼稚園は除く）とがあるのは周知事であろう。今般，名称変更があり，例えば，親ランでは，教職教養新ランナーの如く「新」が加筆された。

朱熹作と伝わる漢詩『偶成』「少年易老學難成　一寸光陰不可輕　未覺池塘春草夢　階前梧葉已秋聲」は周知事である。換言すれば「只今日今時ばかりと思ふて時光をうしなはず，学道に心をいるべきなり。」（正法眼蔵随聞記）という「今でしょう！」である。いつでも，どこでも，寸暇を惜しんでポケットから取り出して，脳に忘れる暇を与えないように要点を注入・擦り込んでいくことの便を図ったのが要点確認用の新ポケランである。新ポケットランナーで要点・概要を把握する。新ランナーで内容確認をするという道程である。ポケランの記が親ランを補填する例もある。新ランナーと新ポケットランナーとの相互活用便で是非合格を！

東京教友会代表　責任編集
小山一乗

本書の活用法

▶本書は教員採用試験「一般教養」で問われる主要分野とその要点について，書き込みとシート消しによる暗記の二重学習ができる対策本です。
▶テーマごとに1chapter 見開き2ページにすっきりまとめ，効率的な学習が可能でありながら，書き込み学習によりさらなる知識の定着が図れます。

chapter の学習をするにあたってのポイントや，その知識が実際の教育現場にどうつながるのかといった多角的な視点などについて，導入センテンスを付記しています。

分野分けの表示

穴埋め箇所は 1 chapter 最大25箇所。穴埋め箇所以外にも，漢字の chapter や，chapter によっては，図や表中において，**消える色字**を設定しています。シートで消しつつ本文を何度も読み込むことで，知識の定着が図れます。

穴埋め以外の留意したい語句について**強調色字**で表記しています。

ゆとりのマス目メモ欄

chapter 58 ［政治］

公正な裁判で国民の権利を守り社会の秩序を維持

裁判所は日本における三権分立のうち司法を担当する。裁判の種類や，正しい裁判実現のための三審制度，国民が司法に参加する裁判員制度について理解しよう。

裁判所

重要な条文

すべて 1. 司法権 は，最高裁判所及び法律の定めるところにより設置する**下級裁判所**に属する。……憲法第76条①

すべて 2. 裁判官 は，その**良心**に従い独立してその職権を行い，この憲法及び法律にのみ**拘束**される。……憲法第76条③

【司法権の意味と独立】
事件などを法を適用して裁く権利。立法・行政から**独立**してこれを行う。

【裁判官の指名】
A　最高裁判所
長官　……3. 内閣 が指名し 4. 天皇 が任命する
他の裁判官……5. 内閣 が任命する
B　下級裁判所
最高裁判所の指名した名簿にもとづき 6. 内閣 が任命する

【裁判所の種類】
A　7. 簡易裁判所 ……軽い訴訟を扱う裁判所。**民事事件**は訴額140万円を超えない請求事件，**刑事事件**では罰金以下の比較的軽い罪の訴訟事件等について，第一審裁判権。
B　8. 家庭裁判所 ……家庭事件の審判・調停，**非行のある少年**の事件について審判。
C　9. 地方裁判所 ……通常の民事・刑事事件の**第一審**と，簡易裁判所における民事事件の**控訴審**を行う。
D　10. 高等裁判所 ……下級裁判所のうち最上位。おもに**第二審**を扱う。
E　11. 最高裁判所 ……憲法によって設置された唯一にして最高の裁判所。**司法裁判権**を持つ。
※2005年より 12. 知的財産 高等裁判所を設置。

【三審制度】（一般的な例）
最高裁判所 ← **高等裁判所** ← **地方裁判所**
13. 上告　14. 控訴

116

▶穴埋め問題をシートで消しながら答えを書き込めるスペースを，見開きページ内に2回分配置しています。
▶また，その他にも各 chapter での学習から派生した，確認したいことや覚え書きなどができるスペースを複数用意しています。学習を通して習得したこと・考えたこと・感じたことなどは全て，教員採用試験に向けた筆記対策だけにとどまらない，自身の貴重な気づきに繋がるものと思われます。どんどん書き込んでいこう！

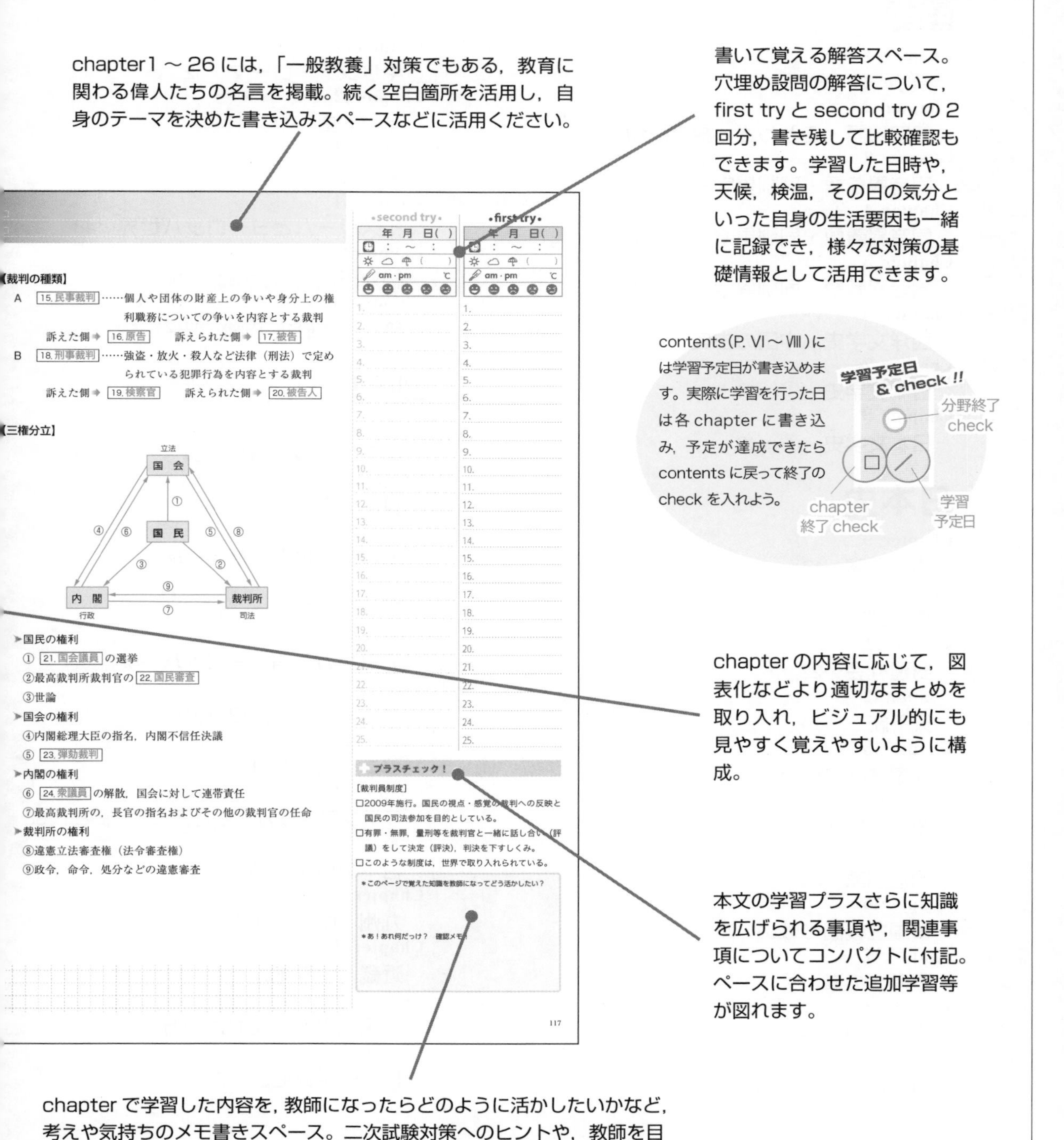

一般教養 新ランナー
contents + my study schedule

学習予定日 & check !!

人文科学

国語

日本史

世界史

地理

倫理

芸術

英語

社会科学

政治

経済

社会・労働

自然科学

数学

一般教養 新ランナー
contents + my study schedule

学習予定日 & check !!

物理

化学

生物

地学

教　採　試　験　対　策
年間ひとことスケジュール

月	
7月	
8月	
9月	
10月	
11月	
12月	
1月	
2月	
3月	
4月	
5月	
6月	

わたしは, ＿＿＿＿＿＿＿県・市・(＿＿＿＿＿)の,

学校種＿＿＿＿＿＿＿＿, 専門教科(科目)＿＿＿＿＿＿(＿＿＿＿＿)の

教員採用試験合格を目指します。　＿＿年＿＿月＿＿日

わたしが教師を
目指す理由はこれです！

わたしの良さは
教師になったらこう活かせます！

こんな教師に
なりたい！

子供たちに
こんな言葉を伝えたい！

わたしの「一般教養」の習得,
学習到達目標は？

Chapter 1～89

chapter 1 ［国語］

人類の認識構造そのものでもある象徴・記号・結晶

教師は文化伝達の役割をもつ。1字1字，表記の正確性を心がけていきたい。漢字の発生や成り立ちを鑑みると，国語，社会，歴史，芸術など教科横断的な知識にもつながっていく。

漢字

【難読語】

あいろ	あくび	あつれき	いかく	いしょく
隘路	欠伸	軋轢	威嚇	1. 委嘱
いんぎん	うかつ	えいごう	えこう	えんきょく
慇懃	迂闊	永劫	回向	婉曲
えんざい	えんせい	おえつ	くぐつ	かげろう
冤罪	厭世	嗚咽	傀儡	陽炎
かしゃく	かたびら	かんすい	ぎえん	ききょう
呵責	帷子	2. 完遂	義捐	桔梗
きたん	きっすい	ささい	くどく	くろうと
忌憚	生粋	些細	功徳	玄人
けんこん	こうてつ	こち	ごんぎょう	ごんぐ
乾坤	更迭	東風	勤行	欣求
こんぽう	さいぎ	しかん	しさ	しっこく
梱包	猜疑	弛緩	3. 示唆	桎梏
しょうすい	しんちょく	すいこう	ずさん	ぜんじ
4. 憔悴	5. 進捗	推敲	杜撰	漸次
そんたく	たんでき	ちゅうちょ	ちょうらく	てんさく
忖度	耽溺	躊躇	凋落	添削
てんまつ	なだれ	なついん	はんらん	ひじゅん
顛末	雪崩	6. 捺印	7. 氾濫	8. 批准
ふえん	ぼくとつ	めんつ	らつわん	りさい
敷衍	朴訥	面子	辣腕	罹災

□「労働が恥ではない。怠惰こそ恥である」ヘシオドス
□

【基本的反対語・対立語】

哀悼—祝賀
安心—心配
安定—変動
遺失—9. 拾得
異説—通説
依存—自立
一般—特殊
栄達—零落
栄転—左遷
鋭敏—鈍感
演繹—10. 帰納
応答—質疑
11. 穏健—過激
開放—閉鎖
解放—12. 束縛
革新—保守
獲得—13. 喪失
過剰—不足
14. 寡黙—多弁
歓喜—悲哀
簡潔—冗漫
干渉—放任
簡素—豪華

陥没—15. 隆起
寛容—厳格
記憶—忘却
起工—竣工
擬似—真性
安堵—16. 憂慮
既知—未知
起点—終点
17. 却下—受理
急進—18. 漸進
急性—慢性
急騰—急落
強健—虚弱
凝固—融解
強制—任意
虚偽—真実
拒否—承諾
緊張—19. 弛緩
勤勉—怠惰
空虚—充実
空前—絶後
屈服—抵抗
傑作—駄作

現象—本質
公示—内示
強情—従順
傲慢—20. 謙虚
巧妙—拙劣
根幹—枝葉
酸化—還元
時間—空間
実質—形式
随時—定時
絶対—相対
創造—21. 模倣
22. 妥結—決裂
秩序—混乱
莫大—23. 僅少
不易—流行
24. 矛盾—合理
無理—道理
25. 野蛮—文明
抑制—促進
利得—損失
理論—実践
類似—相違

プラスチェック！

□隘路…狭い道のこと。支障。困難。
□軋轢…仲が悪くなること。
□忌憚…遠慮すること。はばかること。
□漸次…しだいに。
□忖度…他人の心中を推察すること。
□辣腕…物事を処理する能力が優れていること。

＊このページで覚えた知識を教師になってどう活かしたい？

＊あ！あれ何だっけ？　確認メモ！

生活体験から伝えられてきた共通知識

役立つ知識や教訓を含むことわざなどは，簡潔でありながらも真に言い当てていると思えるものが多い。伝える力として，指導力として，生きる知恵として，多くの成句を習得しよう。

四字熟語・ことわざ・故事成句

かんこつだったい
換骨奪胎
先人の詩文などを利用して，独自の作品を生み出すこと。

けんぼうじゅっすう
権謀術数
色々なはかりごとで人を巧みにだますこと。

あびきょうかん
阿鼻叫喚
はなはだしい惨状。

いちようらいふく
一陽来復
逆境が続いた後によい方に向かうこと。

1.けんこんいってき
乾坤一擲
全力を尽くし運を天にまかせ物事を行うこと。

たいぜんじじゃく
泰然自若
落ちついていて物事に動じない様子。

2.けんどちょうらい
捲土重来
一度敗れた者が再び勢いを盛り返すこと。

いっきかせい
一気呵成
文章を一気に書き上げる，物事を一息に仕上げる。

おんこちしん
温故知新
昔の物事を研究して新しい知識や道理を得ること。

いいだくだく
唯唯諾諾
他人の言うことに逆らわずに従う様子。

ごりむちゅう
3.五里霧中
迷って思案がまとまらないこと。

すいせいむし
酔生夢死
何もせずにいたずらに一生を終えること。

ちょくじょうけいこう
直情径行
まわりを気にせず自分の思うように実行すること。

しんきいってん
4.心機一転
心持ちががらりと変わること。

がいじゅうないごう
外柔内剛
外には柔和で内側はしっかりしていること。

きゅうたいいぜん
旧態依然
以前からの状態のままのこと。

きょうみしんしん
興味津津
心がたえずひきつけられていること。

きょくがくあせい
曲学阿世
真理にそむいた学問で世俗にこびへつらうこと。

はくらんきょうき
博覧強記
広く書物を読み，よく覚えていること。

ききいっぱつ
危機一髪
髪の毛一本ほどのわずかなところまで危険が迫ること。

ふわらいどう
付和雷同
自分の見識がなく他人の意見に同調すること。

いっしどうじん
一視同仁
差別なく，すべての人を平等に慈しむこと。

とうほんせいそう
東奔西走
あちこちに忙しくかけまわること。

ふんこつさいしん
粉骨砕身
力の限りを尽くし頑張ること。

いっしょくそくはつ
一触即発
ちょっと触れてもすぐに爆発しそうなこと。緊迫した状態。

むがむちゅう
無我夢中
われを忘れてひたすら行動すること。

ごんごどうだん
5.言語道断
もってのほかで，言葉では言い表せないこと。

たしせいせい
6.多士済済
すぐれた人が多くいるようす。たしさいさい。

➤栴檀（せんだん）は双葉より芳し……偉人は幼少から優れたところがある。
➤腐っても 7.鯛 ……元来価値あるものは，たとえ傷んでも何かしら価値がある。
➤鳶が 8.鷹 を生む……ごく平凡な親から非凡な子が生まれること。
➤青は藍より出でて藍より青し……弟子が師にまさること。
➤ 9.医者 の不養生……熟知していることや専門のことは，かえって実行が伴わないこと。
➤氏より育ち……家柄素性より環境や教育こそ重要視すべきこと。
➤ 10.孟母三遷 の教え……子供の教育に母親が腐心すること。
➤親の光は七光り……親のおかげで子供がいろいろと恩恵を受ける。
➤親の 11.因果 が子に報う……親の悪行が罪のない子供に及ぶこと。
➤習い性となる……習慣は結局生まれつきの天性のようになる。
➤ 12.雀 百まで踊り忘れず……年をとっても幼少時代に身につけた習慣は直らない。
➤ 13.亀の甲 より年の劫（功）……年長者の経験は尊重すべき価値がある。
➤松のことは松に習え……物事の本質は，人に聞いたりするより直接そのものに向き合ったほうが見えてくるものだ。
➤一葉落ちて天下の 14.秋 を知る……一部分の事象で全体を知る。
➤猫に 15.小判 ……貴重で価値のあるものでも，人によってはその価値がわからず何の役にも立たない。
➤ 16.鵜 のまねをする 17.烏 ……自分の実力や能力を省みずに他人の真似をすると失敗する。
➤魚心あれば 18.水心 ……相手の出方や心次第で，こちらの対応のしかたも変わる。
➤過ぎたるは猶（なお）及ばざるが如し……度を過ぎてしまったものは，不十分で達していないものと同じでよくないということ。
➤ 19.獅子 身中の虫……組織等の内部にいて害をなす者のたとえ。
➤悪事 20.千里 を走る……悪事はすぐに知れわたる。
➤ 21.情け は人の為ならず……人に情けをかければ，やがては自分のところへ返ってくる。
➤点滴石をも 22.穿つ ……水の滴も長く続けば石に穴をあけるように，不断の努力が大切であるということ。
➤捨てる神あれば拾う神あり……一方で見放されても，他方で救ってくれる人もいる。

•second try•	•first try•
年　月　日(　)	年　月　日(　)
：　～　：	：　～　：
(　　)	(　　)
am・pm　℃	am・pm　℃
1.	1.
2.	2.
3.	3.
4.	4.
5.	5.
6.	6.
7.	7.
8.	8.
9.	9.
10.	10.
11.	11.
12.	12.
13.	13.
14.	14.
15.	15.
16.	16.
17.	17.
18.	18.
19.	19.
20.	20.
21.	21.
22.	22.
23.	23.
24.	24.
25.	25.

プラスチェック！

[さらに四字熟語！]

□「蛙鳴蝉噪」あめいせんそう…やかましくつまらぬ議論をするさま。

□「切歯扼腕」せっしやくわん…歯ぎしり・腕を握りしめて悔しがること。

□「一瀉千里」いっしゃせんり…物事が早く進むこと。

＊このページで覚えた知識を教師になってどう活かしたい？

＊あ！あれ何だっけ？　確認メモ！

知識としてだけではなく，これからの人生において，物事や気持ちを正確にわかりやすく伝える手段や説得性，文章作成時の誤字防止など，漢字は切っても切れない研鑽素材だ。

同音異義語・同訓異字—①

▶アイショウ
私の愛唱歌は「われは海の子」
上司とは相性が良い
彼の 1. 愛称 はクマさん
哀傷にたえない

▶アツい
熱い湯でやけどをした
今年の夏は暑い
厚い板
彼は徳が 2. 篤 い人

▶イガイ
彼以外に知る者はいない
3. 意外 な出来事
いとし子の遺骸を抱きしめた

▶イギ
規則に 4. 異議 を申し立てる
威儀を正す
彼の海外研修の 5. 意義 は何か
同音異義語

▶エイセイ
保健 6. 衛生 に留意
月は地球の衛星
7. 永世 中立国

▶オカす
罪を犯す
他人の権利を 8. 侵 す
危険を冒す

▶オサめる
権力を掌中に 9. 収 めた人
将軍が天下を治める
税金を 10. 納 める
学業を修める

▶カイコ
彼の回顧録は必見
社長が使用人を 11. 解雇 した
荒城の月に懐古の情がわく

▶カイシン
大化（の）改新
12. 会心 の笑みをもらす
往年の大罪人も今ではすっかり改心した
院長が回診する

▶カイソウ
全盛時代を 13. 回想 する
室内を改装する
船便で門司港に回漕した
誤配の手紙を回送する
サザエは海藻類を食べる

▶カイホウ
けが人を 14. 介抱 する
病気が快方に向かう
目標達成の 15. 快報 に歓喜する
人質を解放する
同好会の会報を発行する

➤カえる

クレジットカードでも買える
打者を 16.代 える
頭を切り替える
顔色を 17.変 える
紙幣を金貨に 18.換 える

➤カクシン

彼女の成功を確信する
問題の 19.核心 に触れる
20.革新 政党を支持する

➤カンキ

注意を 21.喚起 する
勝利に 22.歓喜 する高校野球
部屋の換気に留意
雨季と乾季
師走になり寒気到来

➤カンショウ

あの人はやたらと 23.干渉 してくる
感傷的な気分になる
美術館で絵画を鑑賞する
24.観賞 用植物
緩衝地帯
人生を深く観照する
全試合に完勝して優勝した

➤キカン

腸は消化器官
無事月から 25.帰還 した
基幹産業
気管支炎で学校を休む
機関車が走る

•second try•	•first try•
年　月　日(　)	年　月　日(　)
：　〜　：	：　〜　：
(　　)	(　　)
am・pm　℃	am・pm　℃
1.	1.
2.	2.
3.	3.
4.	4.
5.	5.
6.	6.
7.	7.
8.	8.
9.	9.
10.	10.
11.	11.
12.	12.
13.	13.
14.	14.
15.	15.
16.	16.
17.	17.
18.	18.
19.	19.
20.	20.
21.	21.
22.	22.
23.	23.
24.	24.
25.	25.

✚ プラスチェック！

[学校で用いる同音異義語―①]
□教育基本法の趣旨／計画の主旨を報告
□教育課程の編成／学齢簿の編製／同学年の児童で編制する
□職場の就業規則／始業式と終業式／中学校の修業年限は３年

＊このページで覚えた知識を教師になってどう活かしたい？

＊あ！あれ何だっけ？　確認メモ！

chapter 4 [国語]

語彙を広げていこう！

いうまでもなく漢字の読み書き知識は一気に培われるものではない。多くの文献に触れる，分からない語があったら調べる，といった日常に溶け込んだ好奇心を大切にしよう。

同音異義語・同訓異字―②

➤キコウ

雑誌に 1. 寄稿 する
芭蕉の紀行文
植物の葉には気孔がある
気候のよい土地へ転地する

➤キセイ

下宿は東京で帰省先は大分
寄生虫
2. 奇声 をあげ皆を驚かせた
交通 3. 規制 をする
勝利目前となり気勢があがる

➤キュウメイ

真理を 4. 究明 する
罪を糾明（糺明）する
救命救急センターに搬送された

➤キョウイ

5. 驚異 的な記録
核兵器による 6. 脅威
胸囲を測定する

➤キョウギ

両者での 7. 協議 で和解
陸上競技の選手
広義でなく狭義に解釈する

➤キョウコウ

8. 強硬 に自論を主張する
経済界の 9. 恐慌 状態
無理な計画を強行する

➤ケイイ

10. 敬意 を表する
事の経緯を発表

➤ケイショウ

松島は 11. 景勝 の地
目上の人には敬称をつける
12. 警鐘 が鳴る
文化遺産の継承

➤ケンショウ

ご一家益々ご健勝で何より
現場 13. 検証 をする
懸賞論文に応募する
児童憲章
彼の偉業を顕彰する

➤ケントウ

研究内容の検討
今後の展開の見当をつける
チームは試合でよく 14. 健闘 した

➤コウカイ

15. 後悔 先に立たず
日本丸は太平洋を航海した
新制度に 16. 更改 をする
公文書館は資料を公開した

➤コウギ

あの先生の講義はむずかしい
ご厚誼（交誼，高誼）の程よろしくお願いします
激しく 17. 抗議 する

➤コウケン

遺児の後見人
社会に 18.貢献 する
ご高見を承る

➤コウショウ

労使の長時間にわたる 19.交渉
公称発行部数
20.高尚 な趣味
公証人役場
時代 21.考証 はむずかしい
口承文学の研究家
石炭の鉱床をみつけた
論功行賞による人事管理

➤コウセイ

戦いで攻勢に転じる
少年院で 22.更生 の道程
福利厚生施設を完備
委員会は４人で構成される
印刷原稿の校正をする
公正な判断をする
後世に伝えるものをつくる

➤コウテツ

役員を更迭する
23.鋼鉄 製金庫

➤コウトウ

物価が 24.高騰 する
25.荒唐 無稽
口頭試問を実施

•second try•	•first try•
年 月 日( )	年 月 日( )
: 〜 :	: 〜 :
( )	( )
am・pm ℃	am・pm ℃
1.	1.
2.	2.
3.	3.
4.	4.
5.	5.
6.	6.
7.	7.
8.	8.
9.	9.
10.	10.
11.	11.
12.	12.
13.	13.
14.	14.
15.	15.
16.	16.
17.	17.
18.	18.
19.	19.
20.	20.
21.	21.
22.	22.
23.	23.
24.	24.
25.	25.

プラスチェック！

[学校で用いる同音異義語―②]
□百科事典／用語字典／英和辞典
□心身の修練を積む／水泳の習練をする
□問題の解決に努める／長年勤めた職場／校長の務め
□麦の生長／鳥や子供や経済の成長

＊このページで覚えた知識を教師になってどう活かしたい？

＊あ！あれ何だっけ？　確認メモ！

その意味を理解しつつ反復学習が必要といわれる漢字習得。ICT活用の指導はどうなっていくか？　言葉・紙・電子それぞれの組み合わせの効果的な方法についても考えてみよう。

同音異義語・同訓異字―③

➤コジ

社長就任を 1. 固辞 した
中国の故事に学ぶ
戦争で肉親をなくした孤児
自説を固持する
権力を 2. 誇示 したがる人

➤シカク

教員の 3. 資格 を得る
死角に入って見えない
視覚的な美を考える

➤シコウ

たばこは嗜好品
思考能力の低下
4. 試行 錯誤
法律が 5. 施行 される
教職を志向する
今や彼は至高の地位につく

➤シサク

6. 思索 にふける
まだ試作の段階
政府は 7. 施策 の検討中

➤ジタイ

公文書や教科書は新字体で表記
高齢のため立候補を 8. 辞退 した
教師自体の態度を正せ
教育荒廃の事態は急を告げた

➤シモン

首相の 9. 諮問 機関
犯人の指紋を検出

➤シュウシ

彼の主張は終始一貫している
収支決算
大学院修士課程
10. 終止 符をうつ

➤ツイキュウ

責任を 11. 追及 する
学問の真理を追究する
幸福を 12. 追求 する

➤シンキ

心機一転
13. 辛気 くさい
新規まきなおし

➤シンギ

事の真偽のほどは不明
信義を守る
問題を 14. 審議 する

➤シンコウ

新興国
仏教を信仰する
輸出の 15. 振興 をはかる
彼とは親交がある
侵略か進出か 16. 侵攻 かの論議

▶シンシン

心神耗弱の状態
心身の発達に応じた教育
17. 新進 気鋭の教師
深深と夜が更ける
興味津津

▶スイコウ

文章を 18. 推敲 して完成する
迅速に任務を 19. 遂行 する
事情を推考して判断する

▶タイショウ

試合に大勝した
左右 20. 対称 の図形
貸借 21. 対照 表
成人を対象にしたプログラム

▶ツトめる

学校に勤める
役目を務める
解決に 22. 努 めております

▶ハカる

悪事を 23. 謀 る
距離を測る
米をますで量る
審議会に諮る

▶ホショウ

安全 24. 保障 条約
身元保証人
損害の 25. 補償

•second try•	•first try•
年　月　日(　)	年　月　日(　)
：　〜　：	：　〜　：
(　　)	(　　)
am・pm　℃	am・pm　℃
1.	1.
2.	2.
3.	3.
4.	4.
5.	5.
6.	6.
7.	7.
8.	8.
9.	9.
10.	10.
11.	11.
12.	12.
13.	13.
14.	14.
15.	15.
16.	16.
17.	17.
18.	18.
19.	19.
20.	20.
21.	21.
22.	22.
23.	23.
24.	24.
25.	25.

プラスチェック！

[学校で用いる同音異義語―③]

□公立の学校の学期並びに夏季，冬季，学年末等における休業日／学校施設利用による社会教育のための夏期講座
□劇の舞台装置を製作する／美術の先生が絵画制作に没頭する

＊このページで覚えた知識を教師になってどう活かしたい？

＊あ！あれ何だっけ？　確認メモ！

chapter 6 時間を超え先人の様々な考え方・生き方を知る

[国語]

読書活動は人生をより深く生きる力を身につけていく上でも欠かせない。子供たちが読書の楽しさを知るきっかけづくりなども大切である。

西洋文学史，中国の古典

❶ 西洋文学史

【16世紀】

➤『ハムレット』戯曲。デンマーク王子ハムレットの復讐奇談。……1. シェイクスピア（英）

【18世紀】

➤『ファウスト』無限の知識・生活・行動欲を持つファウストが世界を遍歴。……2. ゲーテ（独）

【19世紀】

➤『赤と黒』権力で出世を妨げられたジュリアンの物語。……3. スタンダール（仏）
➤『即興詩人』若い孤児アントニオの生活を作者の体験を通して情趣豊かな表現で展開。……4. アンデルセン（デンマーク）
➤『嵐が丘』孤児ヒースクリフが，嵐が丘の主人となるまでの物語。……5. ブロンテ（英）
➤『猟人日記』農奴制下ロシア農民の姿を淡々と描き出す。……6. ツルゲーネフ（露）
➤『草の葉』開拓精神に満ちたアメリカ民衆の生活。自然を歌う詩集。……7. ホイットマン（米）
➤『悪の華』詩人の誕生から死までの魂の遍歴を構成した詩集。……8. ボードレール（仏）
➤『レ・ミゼラブル』一切れのパンを盗み投獄された貧しきジャン＝ヴァルジャンの魂が，ミリエル司教の愛によって良心に目覚める波瀾万丈な人生の物語。……9. ユーゴー（仏）
➤『罪と罰』頭脳から抽出された理論と，人間の心にひそむ神性との相克を，精密な心理描写によって描いた。……10. ドストエフスキー（露）
➤『戦争と平和』ナポレオンのロシア侵攻を背景に，19世紀ロシア上流社会の人々の生活を中心に戦争の悲惨さを訴えた。……11. トルストイ（露）
➤『人形の家』甘やかされて育ったノラが，自我に目覚め一人の人間として生きたいと家を出る物語。……12. イプセン（ノルウェー）
➤『女の一生』小貴族の娘ジャンヌの冷厳な現実をとらえた作品。……13. モーパッサン（仏）
➤『桜の園』貴族階級の没落，ブルジョアジーの台頭を表す。……14. チェーホフ（露）
➤『狭き門』主人公アリサを通して，非人間的なむなしさを批判。……15. ジイド（仏）

【20世紀】

➤『風と共に去りぬ』南北戦争を背景にしたスカーレット＝オハラの物語。……16. ミッチェル（米）
➤『怒りの葡萄』貧農の一家を通して資本主義社会の矛盾を描く。……17. スタインベック（米）
➤『第二の性』女の生き方・女の問題を通じて人間の自由を考える。……18. ボーヴォワール（仏）
➤『老人と海』自然と闘う不屈の漁師の姿を描いた。……19. ヘミングウェイ（米）

❷ 中国の古典

【学問に関するもの】

➤少年老ひ易く学成り難し。一寸の 20.光陰 軽んずべからず。［朱子］

➤学んで時に之れを習ふ，また説(よろこ)ばしからずや。朋有り遠方より来たる，また楽しからずや。［論語］

➤故きを温(たず)ねて新しきを知らば（温故知新），以て師と為すべし。［論語］

➤螢雪の功［晋書］……苦労して学問に打ち込み成功すること。

➤学びて思はざれば則ち罔(くら)し。思ひて学ばざれば則ち殆(あやふ)し。［論語］……学ぶだけでは心がくらくて悟りうることはない，理屈を思索するだけでは空想に過ぎず危うくて不安を免れない。

➤之を知るを之を知ると為し，知らざるを 21.知らず と為す。是れ知るなり。［論語］……知っていることを知っているとし，知らないことを知らないとする，これこそ真に知るということ。

【教育に関するもの】

➤君子に三楽あり。(略) 天下の英才を得て，之を 22.教育 するは，三の楽なり。君子に三楽あり。而して天下に王たるは，あずかり存せず。［ 23.孟子 ］……学徳ある立派な人には三つの楽しみがある。天下の英才を集めて教育するのは三つめの楽しみである。王者となることは含まれない。

➤教 24.学 相長ず。［礼記］……人を教えることと人について学ぶことは，互いに助け合って自分の学問を進歩させる。

➤教ふるは 25.学ぶ の半（なかば）なり。［書経］……人に教えると自分の学力も進むから，教えることは学ぶことの半分の効果がある。

➤古(いにしへ)の学ぶ者は必ず師有り。師は道を伝へ業を授け，惑ひを解くゆえんなり。人は生まれながらにしてこれを知る者にあらず。たれかよく惑ひなからん。惑ひて師に従はざればその惑ひたるや終に解けざらん。［師説］……人間は生まれたときから道理や技術を知っているものではない。惑いのないような人がいるはずがない。惑いにとらわれたままで教師につかなければ，その惑いは一生解けないだろう。

•second try•

年　月　日(　)
：　〜　：
am・pm　℃

1.
2.
3.
4.
5.
6.
7.
8.
9.
10.
11.
12.
13.
14.
15.
16.
17.
18.
19.
20.
21.
22.
23.
24.
25.

•first try•

年　月　日(　)
：　〜　：
am・pm　℃

1.
2.
3.
4.
5.
6.
7.
8.
9.
10.
11.
12.
13.
14.
15.
16.
17.
18.
19.
20.
21.
22.
23.
24.
25.

プラスチェック！

［さらに西洋文学！］

□『大地』… バック（米）

□『静かなドン』…ショーロホフ（露）

□『チボー家の人々』… ロジェ＝マルタン＝デュ＝ガール（仏）

＊このページで覚えた知識を教師になってどう活かしたい？

＊あ！あれ何だっけ？　確認メモ！

chapter 7 ［国語］

文学も，その時代の社会情勢と関わっている

作品の生まれた時代背景とともに整理していこう。作品名・作者について，時代別にまとめた視点で，また，作品の分類別に時系列でまとめるなど，多角的に把握しよう。

日本文学史―①

◎奈良◎　律令制により，国家が統一され始めた奈良時代では，それに伴って国史の編纂などが行われるようになった。

➤712年に，紀伝体で記された『1. 古事記』が完成。稗田阿礼に誦み習わせたものを**太安万侶（安麻呂）**が筆録した。

➤720年に，**舎人親王**を中心として『2. 日本書紀』が撰録された。中国の史書の体裁にならい，**編年体**で記された。

➤759年に，日本最古の和歌集『3. 万葉集』が完成した。撰者は**大伴家持**と伝えられる。

◎平安◎　国風文化が栄え，仮名文字が発達し，それに伴い国文学も隆盛を極めた。

➤詩歌では，最初の勅撰和歌集で4. 紀貫之が序文を書いた5. 古今和歌集がつくられた。歌風は**古今調**で，後の和歌の模範とされた6. 古今和歌集と，その後つくられた『後撰和歌集』『拾遺和歌集』を総称して**三代集**とよぶ。

➤仮名で書かれた物語も盛んにつくられ，7. 紫式部の**『源氏物語』**や，在原業平と思われる「男」を主人公とした歌物語である『8. 伊勢物語』がある。

➤日記，随筆では，「男もすなる日記といふものを，女もしてみむとてするなり。」ではじまる9. 紀貫之の『10. 土佐日記』，清少納言の『11. 枕草子』，菅原孝標女の『12. 更級日記』，などが代表的である。ほか，藤原道綱母の**『蜻蛉日記』**などがある。

➤歴史物語では，藤原道長の栄華の時代への感傷的な謳歌や回想を中心に，編年体で記した『13. 栄華(花)物語』，同じく道長の栄華を描きながらも，批判的に記述した紀伝体の**『大鏡』**や『今鏡』がつくられた。

➤説話集では，わが国最初の仏教説話集とされる『日本霊異記』や，インド，中国，日本などの説話を集め，「今は昔」ではじまる**『今昔物語集』**などがある。

◎鎌倉◎　武家政権は誕生したものの，初期文化の担い手は依然公家たちであった。

➤時代の懐古から，古典などを研究する14. 有職故実の学が盛んになった。

➤八代集最後の勅撰和歌集『15. 新古今和歌集』は，後鳥羽上皇の命により，**藤原定家**，藤原家隆などが撰者となった。

➤私家集では，西行の**『山家集』**，**源実朝**の『金槐和歌集』がある。

➤日記，随筆では，「ゆく河の流れは絶えずして，しかももとの水にあらず。」ではじまる16. 鴨長明の『17. 方丈記』，「つれづれなるままに，日暮らし，硯にむかひて，心にうつりゆくよしなし事を，そこはかとなく書きつくれば，あやしうこそものぐるほしけれ。」ではじまる18. 兼好法師の『19. 徒然草』，紀行文では**阿仏尼**の**『十六夜日記』**。

□「なせば成る　なさねば成らぬ　成るわざを　成らぬと捨つる　人のはかなき」武田信玄

➤戦乱の世を反映して『保元物語』『平治物語』などの軍記物語もつくられた。中でも，「祇園精舎の鐘の声，**諸行無常**の響あり。沙羅双樹の花の色，20.盛者必衰の理をあらはす。」ではじまる**『平家物語』**は最高傑作といわれ，末法の世といわれた当時の思想も反映している。

➤歴史物では，**『水鏡』**がつくられた。**慈円**の『21.愚管抄』は，滅びゆく貴族の社会をみつめ時代の変遷を冷静な目でとらえた史論書。**『吾妻鏡』**は，鎌倉幕府の事績を記したものである。

➤文化の担い手がしだいに庶民へと移るにつれて，『宇治拾遺物語』『十訓抄』など親しみやすい説話集がつくられた。

◎室町～戦国◎　武士をはじめ庶民にも親しめる文化になっていった。

➤歴史書では，公家側の立場から記された**『増鏡』**，足利氏の立場から書かれた軍記物の**『梅松論』**がある。北畠親房の**『神皇正統記』**は歴史哲学書。

➤軍記物の『22.太平記』は，南北朝の動乱をいきいきと描いた。

➤この時代には連歌が流行した。摂政二条良基らによる勅撰集『23.菟玖波集』がつくられ，飯尾宗祇による『24.新撰菟玖波集』『水無瀬三吟百韻』で正風連歌が確立された。さらに，俳諧が行われるようになり，山崎宗鑑は**『新撰犬筑波集』**を編んで，俳諧連歌の祖といわれるようになった。

➤この時代には，日本最初の大きな演劇である**能**が大成された。観世座の世阿弥元清は『25.風姿花伝』（花伝書）を著し，その中で能楽の理論を説いた。

➤一条兼良は有職故実を研究し『公事根源』などを著した。

•second try•

年　月　日(　)
:　～　:
(　)
am・pm　℃

1.
2.
3.
4.
5.
6.
7.
8.
9.
10.
11.
12.
13.
14.
15.
16.
17.
18.
19.
20.
21.
22.
23.
24.
25.

•first try•

年　月　日(　)
:　～　:
(　)
am・pm　℃

1.
2.
3.
4.
5.
6.
7.
8.
9.
10.
11.
12.
13.
14.
15.
16.
17.
18.
19.
20.
21.
22.
23.
24.
25.

プラスチェック！

□『大鏡』『今鏡』『水鏡』『増鏡』をあわせて四鏡という。

□三筆…嵯峨天皇，橘逸勢，空海

□八代集…平安～鎌倉初期に編まれた８つの勅撰和歌集〔古今，後撰，拾遺（ここまでは三代集)，後拾遺，金葉，詞花，千載，新古今〕

＊このページで覚えた知識を教師になってどう活かしたい？

＊あ！あれ何だっけ？　確認メモ！

chapter 8 ［国語］

日本近代文学幕開けは明治前期といわれる

心理をありのまま描写する写実主義を提唱した坪内逍遥の『小説神髄』は，日本近代文学の出発点とされ，その後数々の文学流派が生じた。各流派の作品について押さえておこう。

日本文学史—②

◎江戸◎　元禄文化においては，京都，大坂を中心にした上方文学が栄えた。
化政文化では，一般大衆を対象にした通俗的な文学の傾向がみられた。

➤**元禄**……小説では，『好色一代男』などの 1.井原西鶴 の作品が浮世草子のはじめとされている。俳文では，「月日は百代の過客にして行きかふ年もまた旅人なり。」ではじまる 2.松尾芭蕉 の『奥の細道』が代表的である。**近松門左衛門**は竹本義太夫と結んで人形浄瑠璃の全盛をもたらした。

➤**化政**……小説では，洒落本，黄表紙，読本，合巻，人情本などが流行した。しかし寛政・天保の改革で処罰の対象になってからは，自由な雰囲気を失っていった。俳諧では， 3.与謝蕪村 が「春の海ひねもすのたりのたりかな」など写実的で鋭い感覚の句をつくった。身近な生活を表現した 4.小林一茶 は，『おらが春』を残した。**川柳**や狂歌も盛んで，政治や社会に対する庶民の不満を反映した。

◎近代◎　初めの頃は，江戸文学の流れをひいた戯作文学が盛んであった。

➤自由民権運動の発展に伴い，その思想を啓発するための政治小説が盛んになった。**矢野龍渓**『経国美談』，**東海散士**（**柴四朗**）『佳人之奇遇』，**末広鉄腸**の『雪中梅』など。

➤ 5.坪内逍遥 は西洋近代文学の影響を受け『小説神髄』を著し，『当世書生気質』で**写実主義**を説いた。 6.二葉亭四迷 は，『浮雲』で言文一致体を実践した（「だ調」）。

《擬古典主義（紅露文学）》

『多情多恨』『金色夜叉』を著した 7.尾崎紅葉 を中心とする**硯友社**が，機関誌「我楽多文庫」を舞台に風俗写実風の小説を発表した。ほか，山田美妙『**夏木立**』など。

《浪漫主義》

雑誌「**文学界**」を舞台に文学を功利的にとらえることに反対し，また硯友社文学の卑俗性を批判し，『人生に相渉るとは何の謂ぞ』『内部生命論』などを著した**北村透谷**などがあげられる。

《自然主義》

あからさまな現実描写と内面の真実を重要視し，個人の経験を重視した私小説の傾向を強めた。初期には**国木田独歩**や**徳冨蘆花**らがいる。やがて 8.島崎藤村 の『破戒』を第一声として，『蒲団』『田舎教師』の 9.田山花袋 ，『黴』『あらくれ』の**徳田秋声**，『耽溺』の**岩野泡鳴**，『何処へ』の**正宗白鳥**などが現れた。評論では，**長谷川天渓**が『現実暴露の悲哀』で自然主義を擁護し，**島村抱月**は『文芸上の自然主義』で自然主義を体系づけた。

□「我思う，故に我あり」デカルト
□

《反自然主義》

『舞姫』『雁』の 10. 森鷗外 と，『草枕』『明暗』，東洋的倫理である**則天去私**を追究した 11. 夏目漱石 など。

《新浪漫主義（耽美派）》

情緒を重んじた官能的な作風。『あめりか物語』の 12. 永井荷風，『刺青』『細雪』の 13. 谷崎潤一郎 など。

《白樺派》

雑誌「白樺」から。『和解』『暗夜行路』の 14. 志賀直哉，『友情』の**武者小路実篤**，『或る女』の 15. 有島武郎 など。

《新現実主義（新思潮派）》

『羅生門』『地獄変』の 16. 芥川龍之介，『父帰る』『恩讐の彼方に』の 17. 菊池寛，『波』『女の一生』の**山本有三**など。

《プロレタリア文学》

雑誌「**種蒔く人**」から出発。『蟹工船』の 18. 小林多喜二，『太陽のない街』の**徳永直**，ほか宮本百合子，葉山嘉樹ら。

《新心理主義・新興芸術派》

『風立ちぬ』などで，詩情豊かで古典的な美を探った新心理主義の 19. 堀辰雄。新興芸術派の 20. 井伏鱒二 は『山椒魚』『黒い雨』などで庶民の生活を悲哀やユーモアを交えて，巧みに表現した。

《新感覚派》

『伊豆の踊子』『雪国』の 21. 川端康成，『旅愁』『日輪』の**横光利一**など。

《戦後の代表的な作家》

22. 石川達三 は『蒼氓』で第１回芥川賞受賞。23. 三島由紀夫 の『仮面の告白』『金閣寺』，24. 太宰治 の『斜陽』『人間失格』，25. 井上靖 の『敦煌』『天平の甍』など。『考えるヒント』の**小林秀雄**は雑誌『**文学界**』で近代批評を実践。

•second try•

年　月　日(　)
🕒　：　～　：
☼ ☁ ☂ (　　)
am・pm　℃

1.
2.
3.
4.
5.
6.
7.
8.
9.
10.
11.
12.
13.
14.
15.
16.
17.
18.
19.
20.
21.
22.
23.
24.
25.

•first try•

年　月　日(　)
🕒　：　～　：
☼ ☁ ☂ (　　)
am・pm　℃

1.
2.
3.
4.
5.
6.
7.
8.
9.
10.
11.
12.
13.
14.
15.
16.
17.
18.
19.
20.
21.
22.
23.
24.
25.

プラスチェック！

□擬古典主義に傾向の近い作家として，『たけくらべ』『にごりえ』の樋口一葉，『風流仏』『五重塔』の幸田露伴，『高野聖』『婦系図』の泉鏡花など。

＊このページで覚えた知識を教師になってどう活かしたい？

＊あ！あれ何だっけ？　確認メモ！

chapter 9
［日本史］

遺跡の発掘場所から地理的にも古代を捉えてみよう

東アジアとの接触が日本の文化にどのような影響があったのか，技術の変遷や生活の変化などについて押さえよう。

古代国家

【導入】

➤1946年群馬県**岩宿**で，関東ローム層の中から 1. 打製石器 のかけらが発見された。これが日本における先土器時代の存在を確認する証拠となった。

➤紀元前１万3000年前から紀元前2500年頃までの時代を 2. 縄文時代 という。この時代は**自然採集**の経済で，一族が仕事を分担して狩りや漁に行き，とれたものを公平に分配し，まだ身分の差がなかったとされる。

食べ物を求めて移住したために人口もそれほど増加しなかった。しかし，青森県の 3. 三内丸山遺跡 や秋田県の**池内遺跡**からは，大規模集落に定住し遠隔地との流通が盛んだった様子もうかぶ。

➤ 4. 弥生時代 になると大陸から**金属器**と**水稲農業**の技術が伝わった。おもに**青銅器**は祭具用に，**鉄器**は工具や農具用に使われた。水稲農業の発達は，その知識，技術や貯蔵方法などにより貧富の差を生み出した（この時代の遺跡としては，静岡県の 5. 登呂遺跡 や佐賀県の 6. 吉野ヶ里遺跡 がある)。

このため，１つの水系を中心とした**ムラ**が生まれ，やがて土地の栄養状態，水利の関係などでムラとムラの戦いが起こり，地方を支配する**クニ**が誕生していった。このクニとクニの戦いが，より広い地方を支配する国家へと発展していくことになる。

➤紀元前１世紀の『漢書』地理志には，当時の日本が百余国に分かれていると記されているが，57年には，「倭の奴の国王」が**金印**を 7. 光武帝 より授けられたと『後漢書』東夷伝に記されている。

➤239年には 8. 邪馬台国 の女王 9. 卑弥呼 が国を従えている記述が『 10. 魏志 』倭人伝にみられる。呪術によって政治を行う 11. 祭政一致 の政治であったようだ。この邪馬台国の位置については，北九州説と大和説が有力である。

北九州説をとると邪馬台国と 12. ヤマト政権 は別で，日本統一の時期が１世紀ぐらい遅れる。逆に大和説をとると邪馬台国が発展して 13. ヤマト政権 となったと考えられるので，倭人伝の記述前後に日本が統一されたと考えられる。

➤日本をほぼ統一したヤマト政権の下では，豪族が血縁集団の 14. 氏 とよばれる集団をつくり，大王（おおきみ）から臣・連などの姓を与えられ，代々決まった仕事についた（ 15. 氏姓制度 ）。

また，391年朝鮮半島に進出し 16. 高句麗 と交戦したと「好太王碑の碑文」にある。一方，中国には臣下の立場をとり， 17. 倭の五王 が中国に使者を送り，（朝鮮半島南部の政治的立場を有利にするため）高い称号を得ようと努めたことが『宋書』倭国伝に記されている。

➤ヤマト政権の時代は巨大な 18. 古墳 がつくられたことから古墳文化といわれる。19. 埴輪 が多数つくられ，副葬品と一緒に古墳に収められた。巨大な古墳としては，**仁徳天皇陵**，**応神天皇陵**などがあげられる。

➤また4世紀以降渡来人が，漢字，儒教，紙，養蚕技術，鍛冶などを伝え，538年（552年という説もある）には百済より 20. 仏教 が伝えられた。

【展開】

➤時代の区分

地質時代	考古学的分類	文化名	時期
更新世	旧石器時代	21. 先土器 文化	B. C. 1万年以前
完新世	新石器時代	22. 縄文 文化	B. C. 1万3000年～ B. C. 2～3世紀頃
	鉄器時代	23. 弥生 文化	B. C. 2～3世紀～ A. D. 2～3世紀頃

➤外国の記録に見る日本

時期	資料	内容
B. C. 1C	『漢書』地理志	倭が百余国に分裂
A. D. 57 107	『後漢書』東夷伝	倭国王が光武帝より金印を受領 倭国王が生口（奴隷）160人を献上
239	『魏志』倭人伝	邪馬台国女王卑弥呼が魏に遣使
391	好太王碑の碑文	倭国が朝鮮に出兵
478	『宋書』倭国伝	倭王武が宋に上表

•second try•

年　月　日(　)
:　～　:
(　)
am · pm　℃

1.
2.
3.
4.
5.
6.
7.
8.
9.
10.
11.
12.
13.
14.
15.
16.
17.
18.
19.
20.
21.
22.
23.
24.
25.

•first try•

年　月　日(　)
:　～　:
(　)
am · pm　℃

1.
2.
3.
4.
5.
6.
7.
8.
9.
10.
11.
12.
13.
14.
15.
16.
17.
18.
19.
20.
21.
22.
23.
24.
25.

プラスチェック！

□青森県の三内丸山遺跡に代表されるように，縄文時代の遺跡の発掘により，自然採集経済，移住生活をしていたと考えられていた縄文時代の定説が変わっていった。

＊このページで覚えた知識を教師になってどう活かしたい？

＊あ！あれ何だっけ？　確認メモ！

chapter 10 ［日本史］

大化改新のころ初めて大化という元号が使われた

時の中国との交流は，日本の文化や政治にどう影響したのか把握しよう。律令国家確立までの過程と，その後の天皇による政治展開について確認しておこう。

律令国家

【導入】

➤589年**隋**が中国を統一し，次いで618年には**唐**が興り，東アジアに大きな影響をおよぼすこととなった。これにより日本の外交政策も変化していく。

➤593年に推古天皇の摂政となった 1. 厩戸王（うまやとおう）（**聖徳太子**）は，豪族たちをおさえるため603年に 2. 冠位十二階，翌年には 3. 憲法十七条 を制定するなど国家の形を整えていった。また，**遣隋使**として 4. 小野妹子 を中国に送るなど積極的な外交政策を展開した。

➤厩戸王が亡くなると蘇我氏が権勢をふるったが，645年**中大兄皇子・中臣鎌足**らが蘇我氏を滅ぼし新政府をつくった。翌年には**改新の詔（みことのり）**を出し，**班田収授法**のもとに6歳以上の人民に口分田が貸し出され，**租・庸・調**や雑役が課せられた。中央集権化を進めたこのときの諸改革を 5. 大化改新 という。

➤その後，天皇中心の律令国家をめざして，701年 6. 大宝律令 が**刑部親王・藤原不比等**らの手によって完成された。二官八省をもうけ地方を**国・郡・里**に分け，北九州には**防人**が警防のために置かれた。

➤710年には 7. 平城京 に遷り，律令政治が発展し，農業も進歩したものの，人口の急増や重税によって農民の負担は大きく，政府は723年**三世一身法**を施行した。しかし，これは思うようにいかず，わずか20年後の 8. 墾田永年私財法 によって公地公民の原則がくずれ，やがて多くの 9. 荘園 を生むことになっていった。また，聖武天皇は，仏教の力によって国の乱れを鎮めようと，国ごとに国分寺や国分尼寺を建て，都に**東大寺大仏**を造立するなど厚く仏教を保護した。

➤794年に 10. 桓武天皇 によって都は 11. 平安京 に遷され，律令政治の建て直しをはかるためいくつかの改革が行われた。また，東北地方の蝦夷を征討するために，征夷大将軍として， 12. 坂上田村麻呂 は802年に胆沢城を築き，翌年には志波まで進めた。

➤9世紀になると中国の唐も勢力を失い， 13. 菅原道真 により 14. 遣唐使 が廃止され，わが国独自の文化が発展。とくに 15. かな の発達は国文学を大きく発展させることになった。

➤藤原氏は他の貴族を次々に退け，娘を天皇の后にしてその地位を確固たるものとした。858年**藤原良房**が 16. 摂政 となり，884（887）年**藤原基経**が 17. 関白 になった。藤原道長，頼通父子のときに全盛期を迎える。また，浄土教が流行し，京都の宇治には 18. 平等院鳳凰堂 が建立された。

➤しかし，**国司**の横暴などにより，農村は疲弊し国は乱れていった。**平将門**や藤原純友が反乱（承平・天慶の乱）を起こし，武士がこれらを鎮めた。**清和源氏**と**桓武平氏**が大きな力をもち対立していった。

➤1086年 19. 白河上皇 が院政を始めると，警備に武士が起用された。やがて**保元の乱**，**平治の乱**を通じて，20. 平清盛 の権力が急速に強まった。彼は太政大臣となり，一族を高位高官につけ権勢を誇った。大輪田泊を修築し**日宋貿易**を始めた。独裁が他の反感を強めていく。

【展開】

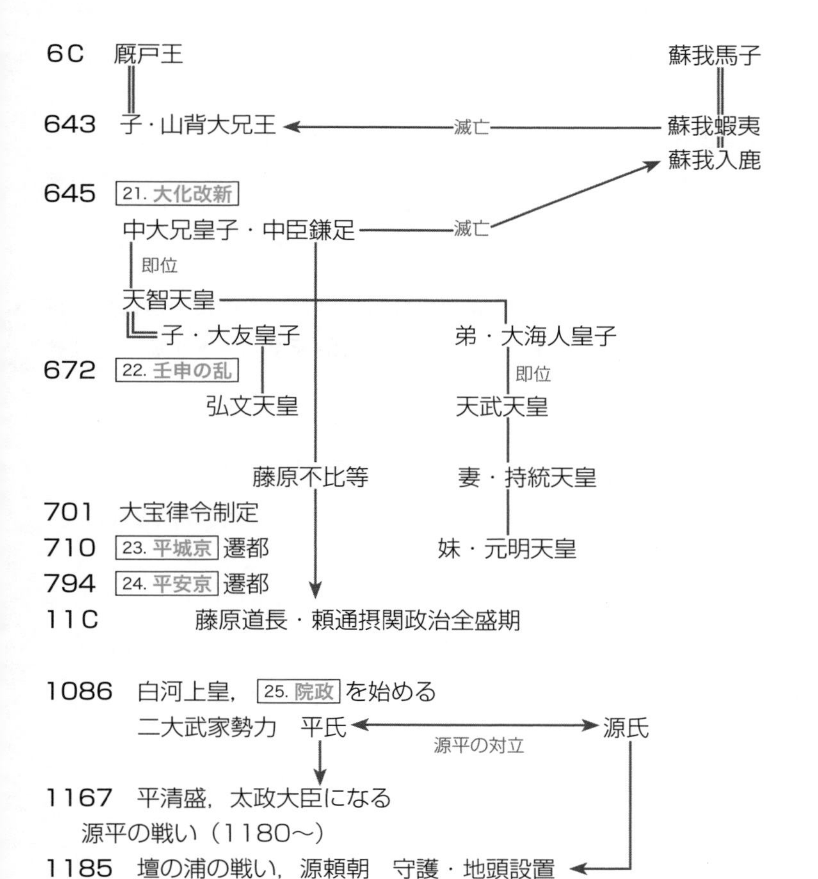

•second try•

年 月 日( )
: ～ :
( )
am・pm ℃

1.
2.
3.
4.
5.
6.
7.
8.
9.
10.
11.
12.
13.
14.
15.
16.
17.
18.
19.
20.
21.
22.
23.
24.
25.

•first try•

年 月 日( )
: ～ :
( )
am・pm ℃

1.
2.
3.
4.
5.
6.
7.
8.
9.
10.
11.
12.
13.
14.
15.
16.
17.
18.
19.
20.
21.
22.
23.
24.
25.

プラスチェック！

□律令国家の基礎を築いたのが藤原不比等といわれる。彼は大宝律令制定の中心になり，日本書紀や古事記の編纂にも関わったとされている。

＊このページで覚えた知識を教師になってどう活かしたい？

＊あ！あれ何だっけ？　確認メモ！

chapter 11 [日本史]

およそ700年続く武家政権の始まり

武士による主従関係や武力を背景とした政権の，支配拡大や推移について理解しよう。また，元寇の影響や，応仁の乱後の戦国の動乱など，社会的な変動について把握しておこう。

封建社会

【導入】

➤「驕れる人も久しからず」と『1. 平家物語』で謡われるように，源平の争乱で敗北した平氏は，長門の**壇の浦**で滅亡した。**源頼朝**は，武士として政権を獲得し，東国の源氏ゆかりの地である鎌倉に幕府を開いた。また，1192年征夷大将軍に任ぜられた。「**御恩**」と「**奉公**」の主従関係を結ぶ 2. 封建制度 の時代に入る。

➤頼朝の死後，妻の実家である北条氏が， 3. 執権 に就き，幕府の実権を掌握する。朝廷側は，３代将軍実朝死後の政情不安を政権奪回の好機ととらえ，1221年 4. 承久の乱 を起こすが，幕府によって鎮圧される。朝廷側の荘園は没収され，開幕時より続いた二元支配は崩れた。1232年には武士として最初の体系的法典 5. 御成敗式目 （貞永式目）が制定された。

➤一方，中国・朝鮮を支配した元のフビライ＝ハンが1274年 6. 文永の役 ，1281年 7. 弘安の役 と２度に渡り襲来したが，いずれも大暴風雨で退却（ 8. 元寇 という）。暴風雨は「**神風**」として，後の神国思想へと繋がった。

➤元寇によって得た土地はなく，貨幣経済の発展の中，御家人は窮乏していった。そのため**永仁の徳政令**が出されるが効果は一時的で，御家人らの不満はつのった。1333年**後醍醐天皇**，楠木正成，足利尊氏らによって鎌倉幕府は滅ぼされた。

➤後醍醐天皇による 9. 建武の新政 は，武士を軽くみたことから， 10. 足利尊氏 が反乱を起こし京都を制圧した。天皇は吉野（南朝）へ逃れ，京都では新しく天皇をたて（北朝），南北朝時代を迎える。北朝側で1338年足利尊氏は征夷大将軍に任ぜられ幕府を開いた。

➤一方各国の守護は，現地の武士と主従関係を結び荘園に侵出し守護大名となった。こうして室町幕府は守護大名の連合政権の色彩を強めていった。

➤南北朝を合一した３代将軍 11. 足利義満 は，**日明貿易**（勘合貿易），また，**倭寇**の取り締まりなど対外交易を積極的に行い，その絶頂期の象徴として京都北山の 12. 金閣 がある。

➤８代将軍 13. 足利義政 は，一揆頻発と濫費による財政難で幕政を乱した。将軍の継承問題，守護大名の対立から1467年 14. 応仁の乱 が起こると京都東山に 15. 銀閣 を建て隠退した。この乱は京都を舞台に10年余り続き，社会は荒廃して**下剋上**の風潮を生み出し 16. 戦国大名 の出現をみるに至った。

➤1485年の山城の国一揆，1488年の加賀の一向一揆など一揆も頻発した。

➤戦国大名はそれぞれの分国法を制定し，群雄割拠の戦国時代に入っていった。

➤1543年ポルトガル人によって 17. 鉄砲 が伝わり，1549年には宗教改革に対抗して新世界への布教を使命とするイエズス会の 18. フランシスコ＝ザビエル がキリスト教を伝えた。また，ヨーロッパ人が来日し，進んだ文化を伝えた。鉄砲を利用した戦術者が，天下を統一することとなった。

➤やがて**織田信長**が登場する。武田信玄，上杉謙信，伊達政宗らは，強大な力を有したものの，都より遠すぎて簡単に京に攻めのぼれなかった。

【展開】

➤鎌倉・室町時代の流れ

将軍・執権	政治情勢	内　容
源頼朝	幕府創立	1185 守護・地頭設置，1192 征夷大将軍
19. 北条時政	執権政治	1203 北条氏執権政治を始める
20. 北条義時	源氏断絶 武家勢力拡大	1219 源実朝暗殺される 1221 承久の乱
21. 北条泰時	幕府安定期	1232 御成敗式目制定
北条時宗	得宗専制政治	1274 文永の役，1281 弘安の役
北条守時	幕府滅亡	1331 元弘の変， 実権は得宗の北条高時が握っていた

将　軍	政治情勢	内　容
22. 足利尊氏	南北朝時代	1338 征夷大将軍・開幕
23. 足利義満	南北朝統一	1392 南北朝統一
24. 足利義政	戦国時代突入	1467～1477 応仁の乱
25. 足利義昭	幕府滅亡	1568 織田信長入京， 1573 幕府滅亡

second try	first try
年　月　日(　)	年　月　日(　)
：　～　：	：　～　：
(　　)	(　　)
am・pm　℃	am・pm　℃
1.	1.
2.	2.
3.	3.
4.	4.
5.	5.
6.	6.
7.	7.
8.	8.
9.	9.
10.	10.
11.	11.
12.	12.
13.	13.
14.	14.
15.	15.
16.	16.
17.	17.
18.	18.
19.	19.
20.	20.
21.	21.
22.	22.
23.	23.
24.	24.
25.	25.

プラスチェック！

□北条泰時が確定した御成敗式目（貞永式目）はその後長く武家政治の手本とされた。原則は喧嘩両成敗である。

＊このページで覚えた知識を教師になってどう活かしたい？

＊あ！あれ何だっけ？　確認メモ！

chapter 12 [日本史]

戦国の世を統一，信長・秀吉の野望とは？

信長の勢力を伸ばした様子，秀吉の天下統一の様子，双方の政策の違いや宗教への対応について把握しよう。また，鎖国などの対外政策について確認しておこう。

天下統一

【導入】

➤「織田がつき，羽柴がこねし天下餅，座りしままに食ふは徳川」という言葉にあるように，信長，秀吉，家康の登場は，戦国時代の終焉とともに日本の「絶対王政」の時代を迎えたことを意味した。

➤**織田信長**は，1560年桶狭間で［1. 今川義元］を破り，天下にその名を知られるようになり，1573年将軍［2. 足利義昭］を追放し室町幕府を滅ぼした。**鉄砲**の利用や**キリスト教**の保護など革新性をもち，一向一揆などの仏教勢力を打破し延暦寺を焼打ちにした。また，**楽市・楽座**など彼の政策は功を奏す。

➤しかし統一目前で，信長は部下の**明智光秀**の謀反にあい，［3. 本能寺］で敗死した。明智光秀を倒した［4. 豊臣(羽柴)秀吉］が信長の後継者の地位を獲得し，［5. 1590］年全国を統一する。秀吉の政策は近世封建社会に大きな影響を与え，**兵農分離**のための［6. 刀狩令］，**一地一作人**の原則として［7. 太閤検地］など広範囲におよんだ。その野望は国内だけでは満足せず，朝鮮へ２度にわたり出兵（［8. 文禄の役］，［9. 慶長の役］）している。

➤秀吉は征夷大将軍には任官せず，朝廷の権威を利用し［10. 関白］となる。晩年は**五大老・五奉行**体制で政治を行った。２度にわたる［11. 朝鮮出兵］は武将の対立を表面化させた。

この出兵に参加せず力を貯えた**徳川家康**と，秀吉に取り立てられた**石田三成**の対立は，秀吉の死後天下を二分することになる。それが1600年の［12. 関ヶ原の戦い］である。

➤勝った家康は，［13. 1603］年**征夷大将軍**に任ぜられ江戸に幕府を開く。政治を行う職制は，［14. 老中］を筆頭に，**旗本・御家人**の統率として**若年寄**，寺社奉行，京都所司代など，強固な幕藩体制をしいて土地・人民を支配した。大名に対しては［15. 武家諸法度］により行動を規制した。３代将軍［16. 徳川家光］のときには［17. 参勤交代］を義務化。また，**親藩・譜代・外様**に分け領土の支配，統制をした。朝廷に対しては**禁中並公家諸法度**で規制を加え，農民に対しては［18. 慶安の御触書］を出し**五人組**によって連帯責任制をしくなど，細かく規制を加えた。

➤一方キリスト教，**貿易**は厳しく統制され，1637年［19. 島原の乱］後，貿易は長崎の**出島**でオランダと中国に限定された。また，すべての人がいずれかの寺院に属さなければならない**寺請制度**が制定された。

➤［20. 鎖国］は以後200年余り続き，日本は世界発展からとり残されることになる。しかし，一方では鎖国によって世界に類をみない強固な政権が続くことにもなる。

□「時は金なり。今日なし得ることは明日に延ばすことなかれ」フランクリン
□

➤幕府の強力な**武断政治**は大名に恐れられ，そのため多くの大名が改易され牢人を生み出した。その中で1651年**由井正雪の乱**が起こり，21. 文治政治 への転換点となった。

➤また，22. 参勤交代 によって大名は窮乏したが，**五街道**をはじめ交通路が発達し，**城下町・港町・門前町・宿場町**などが発展した。年貢の集まる大坂や江戸は活気を呈し，紀伊国屋文左衛門や鴻池家などの**豪商**とよばれる大商人が現れ，巨万の富を築いた。人口の増加，田畑の不足，商品経済による物価の上昇，対する武士の俸禄は変わらず，徐々に封建体制の土台を揺るがすことになっていった。

【展開】

	織田信長 (1534～1582)	豊臣秀吉 (1537～1598)	徳川家康 (1542～1616)
人物像	鳴かざれば 殺してしまえ ほととぎす	鳴かざれば 鳴かしてみよう ほととぎす	鳴かざれば 鳴くまで待とう ほととぎす
政策	室町幕府を滅ぼす 楽市・楽座 関所の廃止	関白・太政大臣 太閤検地 楽市・楽座 関所の廃止 貨幣の統一 刀狩令 身分統制令	関ヶ原の戦い 大名の配置 （親藩・譜代・外様） 武家・公家の統制 貨幣の発行権
宗教	23. 延暦寺 の焼打ち 一向一揆の弾圧 キリスト教の布教許可	本願寺の布教を許可 24. バテレン 追放令	朱子学の奨励 キリスト教禁止
貿易	堺を中心に南蛮貿易	東南アジアに貢ぎ物を求める 朝鮮出兵	25. 朱印船 による貿易統制

•second try•

年 月 日( )
: ～ :
( )
am · pm ℃

1.
2.
3.
4.
5.
6.
7.
8.
9.
10.
11.
12.
13.
14.
15.
16.
17.
18.
19.
20.
21.
22.
23.
24.
25.

•first try•

年 月 日( )
: ～ :
( )
am · pm ℃

1.
2.
3.
4.
5.
6.
7.
8.
9.
10.
11.
12.
13.
14.
15.
16.
17.
18.
19.
20.
21.
22.
23.
24.
25.

プラスチェック！

□信長，秀吉，家康の時代は，ほかにも斉藤道三，毛利元就，伊達政宗など，個性的な人物たちがいた。
□武将の陰にかくれた，信長の妹お市や明智光秀の娘細川ガラシャなど，女性の生き方にも注目したい。

＊このページで覚えた知識を教師になってどう活かしたい？

＊あ！あれ何だっけ？　確認メモ！

chapter 13
[日本史]

江戸時代の三大改革とは？

江戸幕府の政治動向について，特に享保・寛政・天保の三大改革に関し，その目的や内容について把握しておこう。また，諸藩の動きについても確認しておこう。

幕藩体制の動揺

【導入】

➤**参勤交代**による大名の往来は商業の発達を促進させたが，農地の不足と天候の不順は，農民の生活を圧迫し困窮させた。人口増加・商品経済発達の一方年貢は変わらず，幕府の財政は破綻していった。

➤５代将軍 1. 徳川綱吉 は朱子学を好み，**湯島の聖堂**を建てるなど学問を奨励した。しかし嫡子が誕生しなかったことから極端な動物愛護を行い， 2. 生類憐みの令 を出し庶民の不満をつのらせた。また，貨幣の金の含有量を減らしたため貨幣の価値が下がり，インフレが庶民の生活を圧迫した。

➤朱子学でも知られる 3. 新井白石 は６代将軍徳川家宣，７代将軍徳川家継に仕えた。生類憐みの令を廃し，貨幣の質を戻し物価の安定，金銀の流出防止に長崎の貿易を制限するなど**文治主義**の政策を行い，「 4. 正徳の政治 」といわれる。また『読史余論』『**西洋紀聞**』『折たく柴の記』などを著した。

➤８代“米将軍” 5. 徳川吉宗 は，幕政の建て直しをはかるため多くの改革を行った。大岡忠相ら優秀な人材を採用するための 6. 足高の制 ，庶民の声を聞くための 7. 目安箱 の設置，一定の年貢の納入法として 8. 定免法 ，刑法基準としての 9. 公事方御定書 などを定めた。また，この時代には 10. 新田開発 も積極的に行われた。

➤10代将軍徳川家治の時代に実権を握った老中 11. 田沼意次 は，株仲間を公認したり，印旛沼・手賀沼の**干拓事業**を行い，江戸・大坂の商業資本を積極的に導入するなど斬新な政策を行うが， 12. 天明の大飢饉 による一揆，**打ちこわし**が頻発し，個人的不評も伴い失脚していく。

➤**寛政の改革**の 13. 松平定信 は，大飢饉で荒廃した農村の復興のため農民の出稼ぎを制限。しかし11代将軍徳川家斉との関係がうまくいかないことや，厳しい統制が反感を買い失脚していく。

➤大御所政治で知られる 14. 徳川家斉 の時代は，**賄賂汚職**の横行などで退廃。大坂町奉行所の元与力で陽明学者の 15. 大塩平八郎 は自分の蔵書を売却して畿内の窮民に米を与え豪商を襲撃した。この乱はすぐに鎮圧されたが影響は大きく，不穏な動きが続いた。

➤またこの頃になると，外国船が日本近海に出現し，幕府は北方の警戒のため最上徳内・近藤重蔵に**千島探査**， 16. 間宮林蔵 に**樺太探査**を命じた。やがて**モリソン号事件**を契機に 17. 蛮社の獄 で高野長英，渡辺崋山らが弾圧された。

➤退廃的な風潮の中，12代将軍徳川家慶のもとで老中に就任した 18. 水野忠邦 は，享保・寛政の改革を模範とした 19. 天保の改革 を行う。人返しの法を発して農民の出稼ぎを禁じ，江戸の貧民を強制的に帰郷させた。また，自由競争が妨げられる原因として 20. 株仲間 を解散させた。しかし，**上知令**には，大名，旗本の大反対が起こり失脚していく。

➤諸藩も幕府同様に財政が厳しい中で， 21. 薩摩藩 と 22. 長州藩 は，専売制や中下層階級の能力ある武士の登用など藩政の改革に成功し，幕末に大きく力を蓄えることになる。

【展開】

➤江戸幕府の政治の動向

名　称	中心人物	内　容
綱吉の政治 （1680～1709）	徳川綱吉	生類憐みの令，貨幣の質の悪化
正徳の政治 （1709～1716）	新井白石	海舶互市新例，貨幣改鋳
23. 享保の改革 （1716～1745）	徳川吉宗	倹約令，上げ米の制，足高の制， 定免法，公事方御定書， 目安箱の設置，相対済し令， 新田開発，洋書の輸入規制緩和
田沼時代 （1767～1786）	田沼意次	株仲間の公認， 印旛沼・手賀沼の干拓， 幕府直営の座の設置，賄賂政治
24. 寛政の改革 （1787～1793）	松平定信	倹約令，囲米，七分積金， 出版統制令，寛政異学の禁，棄捐令
大御所政治 （1793～1841）	徳川家斉	貨幣の質の悪化，異国船打払令， 大塩平八郎の乱，蛮社の獄
25. 天保の改革 （1841～1843）	水野忠邦	倹約令，株仲間の解散，人返しの法， 上知令

•first try•

年　月　日(　)

:　～　:

am・pm　℃

1.
2.
3.
4.
5.
6.
7.
8.
9.
10.
11.
12.
13.
14.
15.
16.
17.
18.
19.
20.
21.
22.
23.
24.
25.

•second try•

年　月　日(　)

:　～　:

am・pm　℃

1.
2.
3.
4.
5.
6.
7.
8.
9.
10.
11.
12.
13.
14.
15.
16.
17.
18.
19.
20.
21.
22.
23.
24.
25.

プラスチェック！

□幕藩体制…幕府と藩が全国の土地・人民を支配し，年貢によって維持された政治体制をいう。将軍を頂点とする。

□三大改革の背景には，共通して大飢饉による財政難，食糧難が発生していた。

＊このページで覚えた知識を教師になってどう活かしたい？

＊あ！あれ何だっけ？　確認メモ！

chapter 14 ［日本史］

維新で近代国家の基礎が整えられた

開国の影響や大政奉還に至る過程を把握しよう。幕末・維新は多くの著名な人材が輩出された。勝海舟や榎本武揚のような大局に立ってものを考えた人物についても知っておきたい。

幕末・維新

【導入】

➤「太平の眠りをさます蒸気船たった四杯で夜も寝られず」で知られるように，鎖国時代の長い眠りを打ち破ったのは，1. 1853 年 2. ペリー の浦賀への来航であった。

➤**シーボルト**の著書を読み日本を研究したペリーは，砲術外交を展開し鎖国の扉をこじ開けた。1854年幕府は 3. 日米和親条約 を結び，下田・箱館を開港し，1856年総領事としてハリスが着任した。

➤1858年大老**井伊直弼**はハリスとの間で 4. 日米修好通商条約 を結び，下田を閉鎖し神奈川・長崎・新潟・兵庫を開港した。しかしこの条約は，5. 治外法権 （領事裁判権）を認め，6. 関税自主権 がなく，アメリカに片務的な最恵国待遇を与えるという点で，**不平等条約**だった。この条約のため攘夷運動が起こり，井伊直弼は反対派多数を厳しく処罰した。いわゆる 7. 安政の大獄 で，8. 吉田松陰 ・橋本左内ら志士が処刑された。これに憤激した水戸・薩摩の浪士は1860年井伊を暗殺した。9. 桜田門外の変 である。

➤大老井伊直弼の暗殺は，幕府に激しい動揺を与え権威を失墜させた。幕府は**公武合体**でこの難局を乗り越えようとするが，かえって**尊王攘夷派**の怒りを買うことになる。

➤1862年には薩摩藩が 10. 生麦事件 を起こし，翌年 11. 薩英戦争 が起こる。

➤1863年朝廷の命に長州藩は**下関**を通過する外国船を砲撃するが，翌年四国艦隊による攻撃を受け敗北する。この時列強は彦島を要求したが，12. 高杉晋作 の交渉により「第二の香港」になることは回避した。また禁門の変，幕府の**第１次長州征討**など，長州藩は国内においても攻撃を受け敗退していく。こうした中で一時藩内は保守派が政権を握るが，高杉晋作が 13. 奇兵隊 などの諸隊を率いて挙兵し，藩の主導権を再び握ると，今度はイギリスに接近していくようになる。この頃，薩摩藩も 14. 西郷隆盛 ・**大久保利通**らの倒幕派が主導権を握った。

➤激動する情勢の中で幕府と対抗すべく，ともに列強の力を体感した薩摩藩と長州藩との間に，15. 坂本龍馬 らの仲介で1866年 16. 薩長同盟（連合） の密約が交わされた。

　同年の**第２次長州征討**は，幕府側の戦況が不利で，将軍家茂の死とともに中止された。さらに打ちこわし，一揆が激増し社会不安が広がった。

➤最後の将軍に就任した 17.徳川慶喜 は，フランスの援助を得て幕政改革を進めた。一方，反幕勢力は薩長を中心に武力討幕の方針を固めたが，土佐藩では大政奉還，公議政体論がとられた。機先を制したい慶喜は，1867年 18.大政奉還 の上表を朝廷に提出した。しかし薩長両藩は，同日に**討幕の密勅**を受けていた。12月9日 19.王政復古の大号令 を発して，摂関・幕府の廃止，幕府の領地返上を要求し，天皇中心の新政府を樹立した。旧幕軍の反発は 20.戊辰戦争 へと発展し，2年がかりの内戦は，白虎隊悲話を生み，箱館の 21.五稜郭の戦い で終結した。

【展開】

動き	年	事　項
開国と幕府内の対立	1853	ペリー，浦賀に来航
	1854	日米和親条約
		南紀派 / 対立 / 一橋派：家茂 / 将軍 / 慶喜；幕府独裁 / 権力 / 藩の連合政権；開国 / 外交 / 攘夷
	1858	22.日米修好通商条約 安政の大獄が始まる ➡吉田松陰，橋本左内らを処刑 家茂が将軍になる
	1860	桜田門外の変 ⬆水戸・薩摩の浪士が 23.井伊直弼 を襲撃
外国との衝突	1862	薩摩藩：生麦事件 ⬇
	1863	薩摩藩： 24.薩英戦争 長州藩：下関攘夷決行 ⬇
	1864	長州藩：四国艦隊下関砲撃事件 第1次長州征討
倒幕へ	1866	25.薩長同盟 ⬅坂本龍馬らの仲介 第2次長州征討➡家茂死去，失敗，慶喜将軍に就任
	1867	大政奉還⬅➡王政復古の大号令

南紀派	対立	一橋派
家茂	将軍	慶喜
幕府独裁	権力	藩の連合政権
開国	外交	攘夷

•second try•

年　月　日(　)
：　〜　：
☀ ☁ ☂ (　　)
am・pm　℃

1.
2.
3.
4.
5.
6.
7.
8.
9.
10.
11.
12.
13.
14.
15.
16.
17.
18.
19.
20.
21.
22.
23.
24.
25.

•first try•

年　月　日(　)
：　〜　：
☀ ☁ ☂ (　　)
am・pm　℃

1.
2.
3.
4.
5.
6.
7.
8.
9.
10.
11.
12.
13.
14.
15.
16.
17.
18.
19.
20.
21.
22.
23.
24.
25.

プラスチェック！

□公武合体…幕府が朝廷と共に政治体制を立て直そうとした政策論・運動。
□尊王攘夷…天皇を尊び外敵を排斥しようとする考え。
□欧米の軍事力を痛感した長州藩の高杉晋作や木戸孝允らは，統一国家の必要性を考えるようになり，倒幕への動きが加速していった。

＊このページで覚えた知識を教師になってどう活かしたい？

＊あ！あれ何だっけ？　確認メモ！

chapter 15 ［日本史］

「明治日本の産業革命遺産」は世界遺産

明治前半は国家の土台をつくりあげた時期，後半は対外侵出した時期として押さえよう。日本が関わった戦争について，諸外国との関係性と経緯について把握しておこう。

明治国家

【導入】

➤1868年新政府は，「広ク会議ヲ興シ万機公論ニ決スベシ」で知られる［1. 五箇条の誓文］を発布し，**政体書**の公布，**東京**への遷都，「**明治**」と改元，［2. 一世一元の制］を決めるなど，天皇中心の新しい国家の樹立をめざした。1869年［3. 版籍奉還］を実施，その２年後には［4. 廃藩置県］を断行した。いわゆる四民平等の世となり，1872年には統一的な戸籍を編成（［5. 壬申戸籍］），1873年に［6. 地租改正］，**徴兵令**と，その地盤を築いた。あわせて幕府が結んだ条約の改正を急務とした。

➤明治政府は，「**富国強兵**」「**殖産興業**」という２つのスローガンを掲げ，国民皆兵をめざした徴兵制を実施したり，群馬県に官営の［7. 富岡製糸場］を建設したりした。製糸場での苛酷な労働は『女工哀史』や『あゝ野麦峠』でよく知られる。

➤武士の特権は廃止され，様変わりする時代にとり残されるかのように武士の不満は高まり反乱が相次ぐ。1873年に［8. 征韓論］で敗れて下野した**西郷隆盛**を首領とした，鹿児島の不平士族が1877年日本最後の内戦［9. 西南戦争］となるが，政府に鎮圧される。以降士族の武力での抵抗はおさまり，言論での抵抗へと方向を変えていく。

➤1874年**民撰議院設立の建白書**を提出していた［10. 板垣退助］らは，西南戦争後活発に活動し，**明治十四年の政変**，**国会開設の勅諭**の後，**政党**を結成する（自由党）。

➤政府は，［11. 自由民権運動］が高まる中，**北海道開拓使官有物払下げ事件**が起こると，［12. 大隈重信］を追放し，全国的な批判をかわすため国会開設の勅諭を出した。憲法調査に渡欧していた［13. 伊藤博文］が帰国するや制度改革に着手し，彼は初代内閣総理大臣となった。

➤［14. 1889］年２月11日，天皇が制定するという形（欽定憲法）で，［15. 大日本帝国憲法］が発布された。天皇中心の政治をすすめるため，おもに［16. ドイツ］（プロイセン）の憲法を範としたものだった。この憲法に則って翌年衆議院議員の総選挙が行われ，**第１回帝国議会**が開かれた。

　こうして日本はアジアにおいて，最初の［17. 近代的立憲国家］となったが，当時の政権は，薩摩，長州出身の者が中枢を占め，**藩閥内閣**，**藩閥政治**などとよばれた。

➤幕末に締結された安政の五カ国条約の改正は日本政府の悲願でもあった。**ノルマントン号事件**をきっかけに，条約改正への国民的関心が盛り上がる中，**陸奥宗光**外相のとき，1894年イギリスと［18. 日英通商航海条約］が結ばれ，［19. 治外法権］（領事裁判権）が撤廃された。

➤日本の対外侵出の目は朝鮮に向けられ，1894年の**甲午農民戦争**，**東学の乱**をきっかけに 20. 日清戦争 を引き起こした。

翌年 21. 下関条約 が結ばれ，賠償金のほか，台湾，遼東（リャオトン）半島などが日本に割譲された。

しかし，南下政策をはかるロシアは，フランス，ドイツとともに遼東半島を清に返還するよう圧力をかけた（**三国干渉**）ため，やむなく応じたが，日本国民の反露感情は悪化した。

➤日本は1902年 22. 日英同盟 を結び，1904年日露戦争へと突入する。二百三高地の攻防や日本海海戦で知られるこの戦いで，日本は兵力を消耗し，ロシアでは革命の気運が起こり，ともに戦争を続行するのが困難になる。

その両国を仲介したのがアメリカのセオドア＝ 23. ローズヴェルト であった。しかし 24. ポーツマス条約 で日本が賠償金を取れなかったことに国民の不満が高まり，**日比谷焼打ち事件**へと発展する。

➤日露戦争後は，戦勝で得た大陸進出の拠点確立に努め，韓国に対する侵出が進み，1910年韓国を**併合**した。翌年には**小村寿太郎**外相によって 25. 関税自主権 を回復している。

【展開】

前半	1868～77	**国家の基礎づくりと士族の反乱** 戊辰戦争，五箇条の誓文，版籍奉還，廃藩置県，身分解放令，学制，徴兵令，地租改正，徴兵令反対一揆，佐賀の乱，樺太･千島交換条約，廃刀令，地租改正反対一揆，萩の乱，秋月の乱，神風連の乱，西南戦争
	1878～89	**自由民権運動と憲法の制定** （民撰議院設立の建白書），国会期成同盟，北海道開拓使官有物払下げ事件，明治十四年の政変，国会開設の勅諭，自由党結成，立憲改進党結成，福島事件，秩父事件，内閣制度導入，保安条例，枢密院設置，大日本帝国憲法，（教育勅語，第１回帝国議会）
後半	1890～1912	**対外侵出** （ノルマントン号事件），日英通商航海条約（治外法権の廃止），日清戦争，下関条約，三国干渉，日英同盟，日露戦争，ポーツマス条約，日比谷焼打ち事件，南満州鉄道株式会社設立，大逆事件，韓国併合，日米通商航海条約（関税自主権の回復）

•second try•

年　月　日(　)
：　～　：
(　　)
am・pm　℃

1.
2.
3.
4.
5.
6.
7.
8.
9.
10.
11.
12.
13.
14.
15.
16.
17.
18.
19.
20.
21.
22.
23.
24.
25.

•first try•

年　月　日(　)
：　～　：
(　　)
am・pm　℃

1.
2.
3.
4.
5.
6.
7.
8.
9.
10.
11.
12.
13.
14.
15.
16.
17.
18.
19.
20.
21.
22.
23.
24.
25.

プラスチェック！

□明治期は日本の産業革命が始まり，綿糸・生糸の生産拡大・輸出産業化がみられた。

□自由民権運動…板垣退助や後藤象二郎らが政府に提出した「民撰議院設立の建白書」から始まる。

□上記運動の主張は，国会の開設，国民の政治参加，憲法制定による平等権・参政権などを定めること。

＊このページで覚えた知識を教師になってどう活かしたい？

＊あ！あれ何だっけ？　確認メモ！

chapter 16 [日本史]

資本主義発達に伴う勢力拡大方策から争いに

欧米列強の植民地獲得への動きから，ヨーロッパなど諸国の関係性が分割されていった経緯や，参戦していた日本の動き，国際的地位の変化について確認しよう。

帝国主義国の戦い

【導入】

➤資本主義が発達してくると列強は争って原料の供給地，製品の市場を求め，武力を強化し**植民地**を獲得した。このような国を 1.帝国主義国 という。代表的なのはイギリスで，とくにカイロ，ケープタウン，カルカッタ（現コルカタ）を結ぶ 2.３C政策 は，ドイツの3B政策への対語とされる。

➤日本は，日清戦争後急速に産業が発達し，第二次産業革命を迎え，重工業が発達し，1902年 3.日英同盟 が結ばれ帝国主義国の仲間入りを果たした。

1904年 4.日露戦争 が起き，バルチック艦隊を破った日本は，アメリカ大統領セオドア＝ローズヴェルトの講和の斡旋により，5.ポーツマス で講和会議に臨んだ。旅順（リュイシュン）・大連（ターリエン）の租借権，樺太（サハリン）の南半分，東清鉄道の一部を日本は譲り受けるが，賠償金を取れず不満を抱いた国民が日比谷焼打ち事件を起こした。

しかしこの戦争により日本の国際的地位は向上し，1910年韓国を併合する。

➤ヨーロッパでは，6.ドイツ がイギリスと対立し，ベルリン，ビザンティウム（コンスタンティノープル，イスタンブール），バグダードを結ぶ 7.３B政策 をとり，植民地獲得にのりだした。イギリスも対抗上 8.３C政策 を示す。ドイツは，オーストリア，イタリアと 9.三国同盟 を結成し，ヨーロッパで優位に立とうとした。これに対し，フランスはドイツのフランス孤立化政策に苦しみ，ロシア，イギリスと 10.三国協商 を結成し，ドイツの勢力拡大に牽制をかけていく。

➤このような緊張した国際情勢の中，バルカン半島の民族の対立から 11.サライェヴォ事件 が起こり 12.第一次世界大戦 が勃発する。起死回生をはかったドイツの無差別攻撃が 13.アメリカ の参戦を招くことになる。日本は世界の関心がヨーロッパに注がれている間に，14.辛亥革命 によって誕生して間もない中華民国に，1915年 15.二十一カ条の要求 をつきつけ大部分を承認させた。

➤一方ロシアでは，長期化する戦争のため1917年 16.ロシア革命 が起き，皇帝は退位し臨時政府が樹立する。しかし，この政府も戦争を続けたので 17.レーニン 率いる**ボリシェヴィキ**が臨時政府を倒した。これにより世界最初の 18.社会主義国 が誕生した。

➤アメリカの参戦により戦局は大きく転回し，1918年ドイツで革命が起き新政府が降伏，ここに第一次世界大戦の終結をみる。戦後の処理のため各国の代表がパリに集まり，19.ヴェルサイユ条約 が結ばれた。この会議でアメリカ大統領の 20.ウィルソン が提唱した「十四カ条の平和原則」をもとに，1920年 21.国際連盟 が設立された。

➤大戦後の大きな潮流は，①国際連盟設立にみられる**国際協調**，②ワシントン会議に代表される**軍縮化**，③欧米各国で実施された普通選挙の**民主化**，④ヨーロッパでポーランド・バルト三国の独立などにみられる**民族自決**，などがあげられる。

➤これらの潮流を打ち壊していったのが，1929年に起きた 22. 世界恐慌 で，再び戦争への道を歩んでいくことになる。

【展開】

➤第一次世界大戦前の国際関係

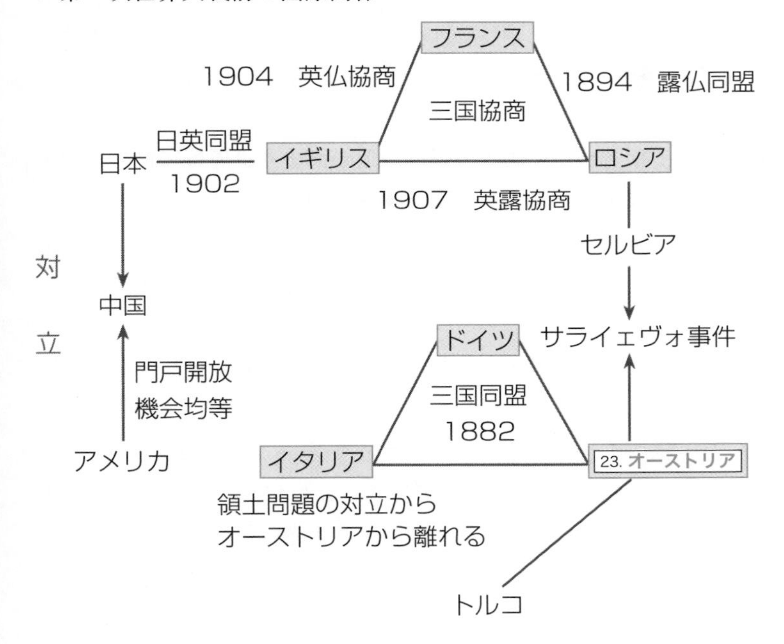

•second try•

年　月　日(　)
:　～　:
am・pm　℃

1.
2.
3.
4.
5.
6.
7.
8.
9.
10.
11.
12.
13.
14.
15.
16.
17.
18.
19.
20.
21.
22.
23.
24.
25.

•first try•

年　月　日(　)
:　～　:
am・pm　℃

1.
2.
3.
4.
5.
6.
7.
8.
9.
10.
11.
12.
13.
14.
15.
16.
17.
18.
19.
20.
21.
22.
23.
24.
25.

プラスチェック！

□サライェヴォ事件…オーストリア・ハンガリー帝国皇太子夫妻がセルビア人青年に暗殺された事件。
□ロシア革命…帝政ロマノフ王朝を倒し，世界初の社会主義国ソビエト連邦の誕生につながった革命。1917年の「二月（三月）革命」「十月（十一月）革命」。

＊このページで覚えた知識を教師になってどう活かしたい？

＊あ！あれ何だっけ？　確認メモ！

chapter 17 ［日本史］

各国の思惑が交錯，国際協力気運の低下

第一次世界大戦後の国際情勢や国際平和への期待がなされていたこと，世界恐慌に対する各国の対策と対立の深刻化などについて，日本の動向と併せて流れを把握しよう。

戦争への道—①

【導入】

➤日本は，日清戦争で**台湾・澎湖諸島**を，日露戦争で**南樺太**を，韓国併合で**韓国**を，と領土を拡大していった。また第一次世界大戦では日英同盟を理由に参戦し，戦争の動乱をついて中国に二十一カ条の要求を出し大部分を認めさせるなど，露骨な大陸侵出を進めていった。これに対し，1919年朝鮮では**三・一独立運動（万歳事件）**，中国では［1. 五・四運動］などの**排日運動**が起きた。

➤大正になると**自由主義・民主主義**的風潮が高揚し，［2. 大正デモクラシー］といわれた。［3. 尾崎行雄］を中心に普通選挙を求める声が強くなり，理論的には［4. 吉野作造］の**民本主義**があった。政府は1925年［5. 普通選挙法］を制定するとともに，社会主義者の取り締まりのため［6. 治安維持法］を制定した。

➤第一次世界大戦の結果拡大した軍備に対する反省から，**国際協調**の気運が高まり世界は軍縮の傾向を示す。1921年から22年にかけて［7. ワシントン会議］が開かれ，**海軍軍縮条約**が結ばれた。
　同時に太平洋諸島に関する四カ国条約が締結され［8. 日英同盟］が廃棄，九カ国条約では中国の領土と主権の尊重，中国の経済上の機会均等などが確認されたが，交渉の過程で**対米関係**が悪化した。

➤ヨーロッパ諸国は，第一次世界大戦で生産力が衰えたので，戦後産業の復興に努めた。しかし諸国間で製品の販売競争が激しくなって経済が行きづまった。
　世界経済の中心となっていたアメリカも，ヨーロッパへの輸出の不振から不景気を迎えた。［9. 1929］年ニューヨークの株式市場で突然株式の価格が**暴落**したのをきっかけに，アメリカ経済は大混乱に陥った。混乱は2，3年で世界各国に波及し，資本主義諸国の工業生産は著しく落ち込んだ。

➤［10. 世界恐慌］の対策として，植民地や資源の豊富なイギリスやフランスは，［11. ブロック経済］政策という自国と植民地との間の貿易で乗り切ろうとした。アメリカのフランクリン＝ローズヴェルト大統領は，**ケインズ**の経済学を参考に，［12. ニューディール政策］を実施し失業者の救済に努めた。

➤一方「**持たざる国**」の日本，ドイツ，イタリアは，**海外侵出，領土拡大**策をとった。イタリアでは［13. ムッソリーニ］が**ファシスト党**を結成し独裁政治を行い，ドイツでは［14. ヒトラー］が**ナチス**（国民（家）社会主義ドイツ労働者党）を結成し，［15. ヴェルサイユ条約］を無視して再軍備する。

➤日本では，大正期に第一次世界大戦後の恐慌や1923年の［16. 関東大震災］などで，昭和になると**金融恐慌**や［17. 金解禁］などによって大打撃を受け失業者数が急増。凶作・豊作飢饉による農村の危機が起こった。そんな中で政府は，国内の不満を大陸にそらせようとした。

➤**社会主義国**であるソ連は，レーニンの死後 18. スターリン が政治を行い，1928年より５カ年計画を実施していたため，この不況の影響をほとんど受けなかった。

【展開】

➤第一次世界大戦後からファシズム台頭までの動き

年	日　本	ドイツ・イタリア	アメリカ･イギリス･フランス
1919		独：ワイマール憲法 伊：ファシスト党(前身)成立	
1920		独：ナチス成立	19. 国際連盟 成立
1921	ワシントン会議，四カ国条約，日英同盟廃棄		
1922	九カ国条約	伊：ムッソリーニ内閣	九カ国条約
1923	関東大震災	独：ミュンヘン一揆	
1925	治安維持法	独：ヒンデンブルク大統領	
1926		独：国際連盟加盟	
1927	金融恐慌		
1928	20. 治安維持法 改悪		
1929			21. 世界恐慌 始まる
1930			ロンドン海軍軍縮会議
1931	満州事変		
1932	満州国建国， 五・一五事件		英：ブロック経済
1933	国際連盟脱退	独：ヒトラー内閣 22. 国際連盟 脱退	米：ニューディール政策
1934		独：ヒトラー総統	
1935		独：再軍備宣言 伊：23. エチオピア 侵攻	
1936	二・二六事件	伊：エチオピア併合	仏：人民戦線内閣
1937	盧溝橋事件， 日中戦争	伊：国際連盟脱退	
	日独伊三国防共協定		
1938		独：オーストリア併合 ミュンヘン会談	
1939		独：ポーランド侵攻	

•second try•

年　月　日(　)
：　〜　：
(　　)
am・pm　℃

1.
2.
3.
4.
5.
6.
7.
8.
9.
10.
11.
12.
13.
14.
15.
16.
17.
18.
19.
20.
21.
22.
23.
24.
25.

•first try•

年　月　日(　)
：　〜　：
(　　)
am・pm　℃

1.
2.
3.
4.
5.
6.
7.
8.
9.
10.
11.
12.
13.
14.
15.
16.
17.
18.
19.
20.
21.
22.
23.
24.
25.

プラスチェック！

□ニューディール政策…アメリカのローズヴェルトが実施した一連の経済復興政策。金本位制からの離脱で銀行救済，公共事業で失業者削減など。国民の不安を軽減。

□ブロック経済政策…いくつかの国が通貨を軸に協力体制をつくり他国を排除すること。

＊このページで覚えた知識を教師になってどう活かしたい？

＊あ！あれ何だっけ？　確認メモ！

昭和期から第二次世界大戦終結までの欧米，アジア，日本の動きを追い，どのように対立を深めていったか，また，大戦が人類に惨禍を及ぼしたことについて理解しよう。

戦争への道―②

【導入】

➤世界的な不景気が続く中で，中国では国民党を率いる［1.蔣介石］が民族運動を背景に国内統一を進めていた。1931年満州の**柳条湖**で南満州鉄道の線路が爆破され，日本軍は権益を守るという理由で満州全体を占領した。翌年日本はこの地域に［2.満州国］を建国し，清の最後の皇帝**溥儀**（ふぎ）を執政に迎えた。［3.満州事変］である。この日本の軍事行動に対し中国は国際連盟に訴え，これを受けて［4.リットン］を団長とする調査団が現地に派遣され日本の**撤兵勧告**が採択されると，1933年日本は［5.国際連盟］を脱退する。

➤日本国内では，政党政治に対する不満から軍部中心の内閣をつくる動きが活発になり，1932年海軍の一部将校らが首相の**犬養毅**を暗殺する［6.五・一五事件］，1936年には陸軍の一部青年将校が大臣を殺傷する［7.二・二六事件］が起き，軍部の政治への発言力が強まった。

➤日本の満州侵出に対抗するため中国では，中国共産党を率いる［8.毛沢東］が「内戦をやめて日本に抗戦しよう」とよびかけ，**国共合作**が実現した。1937年北京郊外の［9.盧溝橋］で日中両軍が衝突したのがきっかけで，日本軍の中国侵略が進み，宣戦布告のない戦争が始まった。

➤1936年イタリアは［10.エチオピア］を併合した。ドイツは［11.ユダヤ人］を迫害し，1938年［12.オーストリア］を併合した。このドイツの侵略行動に対し，イギリス，フランス，イタリア，ドイツの首脳は［13.ミュンヘン］で会談を行うがドイツの領土要求を容認する。

1939年ドイツはソ連と［14.独ソ不可侵条約］を結び，ソ連と戦う心配がなくなったのを契機に［15.ポーランド］へ侵攻した。これに対しイギリス，フランスはドイツに宣戦し，［16.第二次世界大戦］が始まった。

➤日本は，1940年［17.日独伊三国同盟］を結びドイツ，イタリアとの結びつきを強め，翌年にはソ連と［18.日ソ中立条約］を結び，対米戦争を覚悟して軍備の増強に努めた。アメリカは**ABCD包囲陣**により日本に牽制をかける。12月８日，日本海軍はハワイの［19.真珠湾］を奇襲，陸軍はマレー半島を侵略し，［20.太平洋戦争］へと突入した。

➤こうした中で戦後世界の基本構想も探られ，1941年の大西洋憲章，1943年の**カイロ宣言**，1945年の**ヤルタ協定**などが連合国によって決められた。

➤［21.1943］年同盟国のイタリアが降伏。1945年２月，［22.ヤルタ会談］では，ドイツの敗戦処理と，ドイツ降伏後３か月以内のソ連の対日参戦が秘密裏に決められた。５月，ドイツが無条件降伏。

➤1945年８月６日世界最初の原子爆弾が 23. 広島 に落とされ，３日後には**長崎**にも落とされた。これにより日本の敗戦は決定的となったが，８日には 24. ソ連 がヤルタ協定にもとづき対日参戦した。14日，日本は 25. ポツダム宣言 を受諾，翌15日に発表し，ここに太平洋戦争は終結した。

【展開】

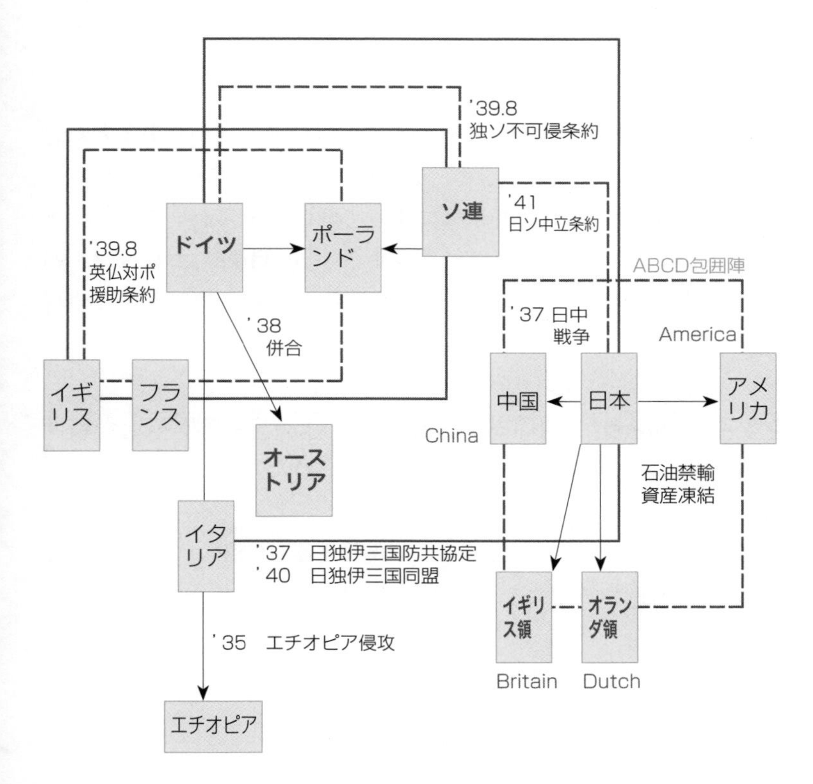

•second try•

年　月　日(　)
：　～　：
am・pm　℃

1.
2.
3.
4.
5.
6.
7.
8.
9.
10.
11.
12.
13.
14.
15.
16.
17.
18.
19.
20.
21.
22.
23.
24.
25.

•first try•

年　月　日(　)
：　～　：
am・pm　℃

1.
2.
3.
4.
5.
6.
7.
8.
9.
10.
11.
12.
13.
14.
15.
16.
17.
18.
19.
20.
21.
22.
23.
24.
25.

プラスチェック！

［ファシズム］

□自由な思想や共産主義に反対し，強権的な指導者や国家によって国民の生活を統制する全体主義的な独裁体制，思想，運動。

□イタリアのムッソリーニ率いるファシスト党が掲げた政治体制・思想から。

＊このページで覚えた知識を教師になってどう活かしたい？

＊あ！あれ何だっけ？　確認メモ！

民主的な文化国家を再建し発展した日本

大戦後，日本は経済や科学技術の面で急速な発展を成し遂げた。グローバル化が進む中，日本の役割が問われている。今日の国際情勢を把握しながらその在り方について考えてみよう。

新たな旅立ち

➤ 1. ポツダム宣言 の受諾によって長年続いた戦争は終わり，日本は初めて外国によって占領されることとなった。

➤日本を占領した**連合国軍最高司令官総司令部**（ 2. GHQ ）の最高司令官 3. マッカーサー は，日本の民主化をめざし数々の改革を行った。小作料に苦しむ農民に政府が地主から土地を強制的に買い上げ，安く売り渡した 4. 農地改革 。三井・三菱・住友・安田など**15財閥**を分割・資産凍結させた 5. 財閥解体 。満20歳以上の 6. 男女普通選挙 の実現。1946年11月３日には 7. 日本国憲法 が公布され，半年間の移行猶予期間の後，1947年５月３日に施行された。

➤荒廃した国土の中で，産業は崩壊し米の収穫も落ち込んだ。海外からの引揚げ者も加わり失業者が急増，物資が欠乏し，激しい**インフレ**に襲われた。このような中で立ち直るきっかけをつかんだのが，1950年に勃発した 8. 朝鮮戦争 であった。**特需**といわれた好景気によって経済の復興が早まった。また，このときGHQの指令により 9. 警察予備隊 が結成され，これが４年後の 10. 自衛隊 となった。朝鮮戦争の結果，朝鮮は南北に分割され，日本は韓国と1965年 11. 日韓基本条約 を結んだ。そのため現在なお**北朝鮮**との国交はない。

➤日本の独立は1951年 12. サンフランシスコ平和条約 が調印され，同時に 13. 日米安全保障条約 が結ばれた。1956年 14. 日ソ共同宣言 が発表され， 15. 国際連合 への加盟を承認された。

➤1960年代は 16. 高度経済成長期 とよばれ，日本が経済的に復興し，国民総生産（GNP）では世界第３位に躍進した時代だったが，その影に 17. 公害 という大きな問題を生んだ。

➤1972年に 18. 沖縄 がアメリカから返還され， 19. 日中共同声明 によって中華人民共和国との国交が開かれた。1978年には 20. 日中平和友好条約 が締結された。

➤1995年，戦後50年に当たる年には大きなニュースが相次いだ。１月の**阪神・淡路大震災**では，6000人以上の人命を失い，大きな被害が出た。また，一連のオウム事件により多数の人命が失われ，ショッキングな報道に関心が高まった。さらに大蔵省・厚生省などで不祥事が続発し厳しい世論が吹き荒れた。また，次代を担うコンピュータの基本ソフトWindows95が**マイクロソフト社**から発売され，世界的に普及した。

□「少年よ大志を抱け」クラーク
□

➤1996年は住専問題や官僚のスキャンダルで行政改革が急務となった。1997年には消費税の引き上げによる買い控えや信用不安が起こり，金融機関の大型倒産が相次いだ。

➤2008年 21. リーマン・ブラザーズ の破綻により100年に１度といわれる世界的な 22. 恐慌 となった。

➤2011年３月マグニチュード９の東日本大震災が起こり巨大津波で多くの犠牲者が出るとともに，原発の放射能被害が深刻になった。

➤2018年12月，環太平洋パートナーシップに関する包括的及び先進的な協定（TPP11協定）発行。

➤2020年新型コロナウイルス感染症のパンデミックにより，戦後初の非常事態宣言が発出。予定されていた東京オリンピック，東京パラリンピックは2021年の開催となった。

➤2022年４月，日本で成年年齢が20歳から18歳に引き下げられた。この年の出生数は80万人を下回り７年連続で過去最少を更新。11月以降，コンテンツ（文書，画像，音声，ソースコードなど）を自動で作成する 23. 生成AI （**人工知能**）への注目が急速に高まる。

➤2023年５月，Ｇ７広島サミット開催。12月，**OECD**が発表した 24. PISA （国際的な学習到達度調査）2022の結果で，日本は数学的リテラシー・読解力・科学的リテラシーの３分野全てにおいて世界トップレベルに。

➤2024年１月，能登半島地震。JAXA探査機が日本初の月面着陸成功。４月，大谷翔平が日本選手単独最多となる大リーグ通算176本目ホームラン。2024年度から，小・中学校等を対象に 25. デジタル教科書 の本格的導入開始（小学校５年生～中学校３年生，英語から）。

プラスチェック！

□1973年，第４次中東戦争により原油価格が高騰，石油不足となり，オイルショックが生じた。

＊このページで覚えた知識を教師になってどう活かしたい？

＊あ！あれ何だっけ？ 確認メモ！

chapter 20 ［世界史］

文明と自然環境は大きく影響している

世界の各地で築かれていた古代文明や宗教の起こり，現代にも続く優れた技術などについて把握しよう。地理的な要素の組み合わせなどで確認できる知識を広げていこう。

古代の文明

【古代文明の流れ】

西暦	東洋史
B.C.3000頃	▷ティグリス川・ユーフラテス川流域に都市国家ができ，メソポタミア文明が栄える ▷エジプトに統一国家ができ，エジプト文明が栄える ▷黄河・長江流域に中国文明が栄える
2600頃	▷ 1. インダス 文明が栄える
1900頃	▷バビロニア王国が興る
1700頃	▷バビロニア王国でハンムラビ法典ができる
1600頃	▷黄河流域に殷王朝が興る
1100頃	▷殷にかわり周王朝が興る
1000頃	▷アーリア人がガンジス川流域に移住する ▷インドにカースト制度ができる
770～	▷中国で春秋時代が始まる
563頃	▷ガウタマ＝シッダールタ（ブッダ，シャカ）が生まれる
525	▷ペルシア帝国が興る ▷孔子が 2. 儒教 を説き始める
500	▷ペルシア戦争が始まる
403	▷中国で戦国時代が始まる
330	▷ペルシア帝国滅びる ▷ヘレニズム文化が起こる
221	▷ 3. 秦 の始皇帝が中国を統一する ▷万里の長城を築く
202	▷漢が中国を統一する

西暦	西洋史
B.C.2000頃	▷エーゲ文明が栄える
	▷ギリシアに都市国家 4. ポリス ができる
776	▷第１回オリンピアの競技が行われる
	▷アテネで民主政治（デモクラティア）が行われる
430頃	▷アテネのアクロポリスの丘にパルテノン神殿ができる ▷ギリシア文化が栄える
334	▷アレクサンドロス大王が東方に遠征する
272	▷ローマ帝国がイタリア半島を統一する
146	▷ローマが地中海世界を支配する

【エジプト文明】

➤「エジプトはナイルのたまもの」といわれるのは，毎年定期的に起こるナイル川の氾濫が，肥沃な土砂を運んできたところに統一王朝が誕生したからである。

➤紀元前3000年頃，太陽神の子とされた国王は 5.ファラオ と称され，アフリカの東北部ナイル川下流域に，小麦などの農業生産力を背景に，絶対的な権力をもって君臨した。

➤川の氾濫は，天文学・数学・測量術を進歩させ，日の出から日没までの測定を可能にした。その結果１年を365日と６時間，４年に１度うるう日を設けるという 6.太陽暦 が生まれた。象形文字も発明され，カヤツリ草の一種 7.パピルス という草からつくった紙に記された。

➤また，死後も魂は生き続けるという考えから，国王の死体を乾燥させてミイラにし， 8.ピラミッド という巨大な墓に埋葬した。
　その際，守護神として人面獣身像のスフィンクスがつくられた。宗教面ではいろいろな神を信じる多神教であった。

➤エジプトの王国は，紀元前525年にアケメネス朝ペルシアに完全に征服されるまで約2500年続いた。

【メソポタミア】

➤紀元前3000年頃から現在のイランの地域を中心とする 9.ティグリス 川とユーフラテス川の間に，シュメール人による都市国家が興った。これがメソポタミア文明の起こりである。これらの都市国家では，農業・牧畜のほかに，互いの産物を売買する商業も盛んであった。

➤紀元前1700年頃，バビロニア（バビロン第１王朝）のハンムラビ王のとき全メソポタミアを統一し，神官として神の命令の下，「目には目を，歯には歯を」で知られる成文法， 10.ハンムラビ法典 を作成した。

➤メソポタミアの地では，天文学や占星術，また，１年を12か月，１週間を７日とする 11.太陰暦 が用いられた。60進法による時間の単位も考案され， 12.楔形文字 で土版に刻まれた。

•second try•

年　月　日(　)
：　～　：
（　　）
am・pm　℃

1.
2.
3.
4.
5.
6.
7.
8.
9.
10.
11.
12.
13.
14.
15.
16.
17.
18.
19.
20.
21.
22.
23.
24.
25.

•first try•

年　月　日(　)
：　～　：
（　　）
am・pm　℃

1.
2.
3.
4.
5.
6.
7.
8.
9.
10.
11.
12.
13.
14.
15.
16.
17.
18.
19.
20.
21.
22.
23.
24.
25.

プラスチェック！

□中国では紀元前６世紀前後に孔子の儒教をはじめ諸子百家が登場した。

＊このページで覚えた知識を教師になってどう活かしたい？

＊あ！あれ何だっけ？　確認メモ！

chapter 21 ［世界史］ 西洋文明・哲学の基礎が培われる

ローマ帝国の領土拡大の流れ，キリスト教の成立と影響について把握しよう。また，ギリシアにおける民主政治の始まりについて，現在の民主主義との違いなども押さえよう。

ギリシア・ローマ

【ローマ帝国とキリスト教】

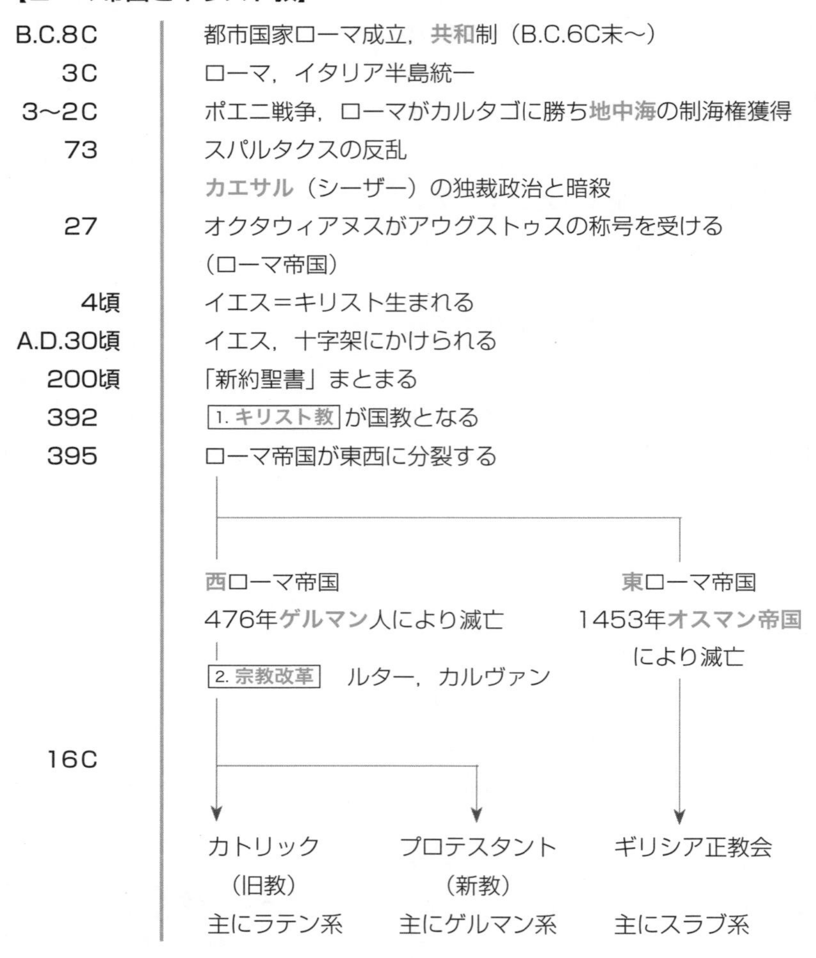

【ギリシア】

➤紀元前8世紀頃バルカン半島を南下したギリシア人は，各地に 3. ポリス （都市国家）をつくった。紀元前5世紀には，いくどか巨大なペルシア帝国が攻めてきたが，団結力をもって撃退した。これを 4. ペルシア戦争 という。

➤代表的なポリスである 5. アテネ では，18歳以上の男子が 6. アゴラ とよばれる広場に集まり，民会を開き政治を行った。この政治は 7. デモクラティア （**民主政**）といわれた。

➤人間の美を追求し，すぐれた芸術が生まれた。
　8. ソクラテス，**プラトン**，**アリストテレス**などのすぐれた哲学者が現れギリシア哲学が生まれた。

➤紀元前4世紀頃になると北方の 9. マケドニア に支配された。その国王 10. アレクサンドロス大王 は東方へ遠征してペルシア帝国を滅ぼし，インダス川流域におよぶ大帝国をつくった。さらに各地で都市をつくるも国王の死後は衰えた。
　この大帝国によって，ギリシアの文化が東方の文化と溶け合い 11. ヘレニズム 文化が形成された。

【ローマ】

➤イタリア半島に興ったローマは，紀元前3世紀には半島を統一し領土を拡大した。紀元前3～前2世紀にかけて 12. カルタゴ との3度にわたった 13. ポエニ 戦争で，地中海の覇権を奪った。

➤国は，紀元前1世紀 14. カエサル （シーザー）が現れる頃には西ヨーロッパにまでおよんだ。シーザー暗殺後に後を継いだオクタウィアヌスは紀元前 15. 27 年アウグストゥス（尊厳者）の称号を受け皇帝となった。

➤紀元前後頃ローマ帝国の支配下のパレスチナから 16. イエス があらわれ「神を信じる者はみな救われる」と説き， 17. キリスト教 が生まれた。イエスの死後も厳しい迫害にも屈せず弟子は教えを説き，392年キリスト教が**国教**となった。

➤ローマ帝国は政治が乱れ，また，375年からは 18. ゲルマン人 が帝国にしきりに侵入してくるようになった。 19. コンスタンティヌス帝 は，ビザンティウム（コンスタンティノープル）に遷都し帝国維持を図ったが， 20. 395 年 21. テオドシウス帝 のとき東西に分裂した。
　西ローマ帝国は 22. 476 年ゲルマン人の**オドアケル**によって滅ぼされた。東ローマ帝国（ビザンツ帝国）はその後1000年ほど続き，1453年**オスマン帝国**により滅ぼされた。
　西ローマ帝国の滅亡により中世の時代に入った。

•second try•	•first try•
年　月　日(　)	年　月　日(　)
:　～　:	:　～　:
(　　)	(　　)
am・pm　℃	am・pm　℃
1.	1.
2.	2.
3.	3.
4.	4.
5.	5.
6.	6.
7.	7.
8.	8.
9.	9.
10.	10.
11.	11.
12.	12.
13.	13.
14.	14.
15.	15.
16.	16.
17.	17.
18.	18.
19.	19.
20.	20.
21.	21.
22.	22.
23.	23.
24.	24.
25.	25.

プラスチェック！

［ローマの共和制］

□平民と貴族の身分抗争から，平民出身の護民官，平民だけの平民会，慣習法の成文化である十二表法が制定された。

□しかし，実質的な支配権は元老院（貴族の会議）のままであった。

＊このページで覚えた知識を教師になってどう活かしたい？

＊あ！あれ何だっけ？　確認メモ！

輪廻脱却の解脱を解く新しい宗教，仏教の始まり

インドは宗教上の対立からインド，パキスタン，バングラデシュ，スリランカに分裂し，いまなお紛争が絶えない。世界情勢の観点から，今日のニュースも確認していこう。

インド史

【インド史】

B.C.2600	インダス文明
	モエンジョ＝ダーロ，ハラッパー
1500	
｜	アーリヤ人侵入
1000	カースト制度形成
5C	ガウタマ＝シッダールタ，［1. 仏教］を起こす
3C	アショーカ王，仏教を保護
	南伝仏教，セイロン・東南アジアに広がる
A.D.2C	カニシカ王，仏教保護
	北伝仏教，中国・朝鮮・日本に広がる
	ガンダーラ美術
	［2. アレクサンドロス大王］の遠征
10C	イスラームの侵入
1526	ムガル帝国成立
	バーブルにより建国
1600	イギリスが東インド会社設立
1857	シパーヒーの大反乱→ムガル帝国滅亡（1858年）
1877	インド帝国成立
	イギリスの植民地
1947	［3. インド］がイギリスより独立
	パキスタンがインドから分離
	分離 ↓ ↓
1971	パキスタン　バングラデシュ
1972	スリランカ　英連邦内自治領セイロンから完全独立

➤インダス川流域では，紀元前2300年頃からモエンジョ＝ダーロや［4. ハラッパー］などの都市を中心に**インダス文明**が開けた。都市遺跡には公衆浴場があり，国王を中心に祭司を行っていたとされる。未解読のインダス文字を使用した。

➤紀元前1500年頃～紀元前1000年頃にかけて［5. アーリヤ人］が侵入し，先住民を従えバラモンを頂点とする厳しい［6. ヴァルナ制］（身分的上下観念）が生まれた。インドの社会制度として知られる［7. カースト制度］は，このヴァルナ制と，カースト（ジャーティ）とよばれる集団（特定の信仰や職業での結びつき）とが組み合わさって形成された。宗教としてはバラモン教から［8. ヒンドゥー教］へと再編・成立していったとされる。

□「希望は人を成功に導く信仰である。希望がなければ何事も成就するものではない」
ヘレン=ケラー

➤紀元前６世紀頃に 9.ガウタマ=シッダールタ（ブッダ，シャカ） が現われ「仏の前に人はみな平等である」と説く仏教を広めた。紀元前３世紀には**アショーカ王**，２世紀には**カニシカ王**により各地に広まった。他方，アレクサンドロス大王の遠征により 10.ガンダーラ 美術が栄えた。

➤10世紀頃からイスラーム化したトルコ系民族の侵入が始まり，13世紀になると最初の**イスラーム王朝**が誕生した。これ以後，インドにおけるイスラーム化が徐々に進行。1526年にバーブルは 11.ムガル帝国 を建国した。

➤十字軍の遠征後，オスマン帝国の力が強大になると，ヨーロッパの東方貿易が衰え，香辛料を求めて独自に貿易を行う「大航海時代」を迎えた。

1498年**ヴァスコ=ダ=ガマ**は喜望峰まわりで 12.カリカット に到着し，直接貿易を行うようになった。

その後制海権を握った**イギリス**は，1600年 13.東インド会社 を設立。産業革命後，原料の供給地としてインド支配を始める。

➤1857年に起こった 14.シパーヒーの大反乱 を契機にムガル帝国は翌1858年滅亡し，1877年イギリス女王がインド皇帝を兼ねる 15.インド帝国 が建国され，インドはイギリスの植民地と化した。

➤帝国主義政策に苦しむ中，第一次世界大戦後「民族独立の父」**ガンディー**や**ネルー**を中心に独立運動が広まり，とくにガンディーは「 16.非暴力・不服従 」運動で民衆から圧倒的に支持された。

➤第二次世界大戦後の1947年，宗教上の理由から 17.インド連邦 と 18.パキスタン として独立。1971年東パキスタンは言語・種族などの違いから 19.バングラデシュ として分離独立。翌年イギリス自治領だったセイロン（ 20.スリランカ ）が英連邦内の共和国となり独立。

➤宗教上の対立は今日にも残り，独立後もインドとパキスタンによる戦争（印パ戦争），インドとパキスタンによる核実験で，世界から強い批判を浴びた。

•second try•	•first try•
年　月　日(　)	年　月　日(　)
：　〜　：	：　〜　：
(　　)	(　　)
am・pm　℃	am・pm　℃
1.	1.
2.	2.
3.	3.
4.	4.
5.	5.
6.	6.
7.	7.
8.	8.
9.	9.
10.	10.
11.	11.
12.	12.
13.	13.
14.	14.
15.	15.
16.	16.
17.	17.
18.	18.
19.	19.
20.	20.
21.	21.
22.	22.
23.	23.
24.	24.
25.	25.

プラスチェック！

□現在，インドはIT大国として経済成長がみられている。

□生産年齢人口がインド全体の３分の２を占めているといわれ，勢いが目覚ましい。

＊このページで覚えた知識を教師になってどう活かしたい？

＊あ！あれ何だっけ？　確認メモ！

chapter 23 [世界史]

日本と最も関わりの深い中国の歴史と文明

異民族の侵入に苦しみ遷都や崩壊，また封建社会の基盤である農民を圧迫して大規模な反乱が起こり国力が弱化・滅亡した中国王朝の変遷。その名前と順番を覚えておこう。

中国史

【中国の王朝と日本の関係】

時期	王朝	対日関係
B.C.202	漢，中国統一	
	前漢（B.C.202～A.D.8）	『漢書』地理志
	後漢（A.D.25～220）	『後漢書』東夷伝～奴国金印印綬
A.D.220	三国時代（魏(ぎ)，呉(ご)，蜀(しょく)）	『1. 魏志』倭人伝～邪馬台国女王卑弥呼
280	晋，中国統一	
439	南北朝時代	『宋書』倭国伝～倭の五王
589	隋，中国統一 煬帝	『隋書』倭国伝～遣隋使
618	唐，中国統一	遣唐使（630～894），律令制の導入
960	宋，中国統一 南宋（1127～1279）	日宋貿易
1279	元，中国統一	2. 元寇，文永の役，弘安の役（1274～1281）
1368	明，中国統一	日明貿易
1644	清，中国統一	日清戦争（1894～1895）
1912	3. 中華民国 建国	4. 二十一カ条の要求 （1915）， 日中戦争（1937～1945）
1949	5. 中華人民共和国 建国	日中平和友好条約（1978）

➤黄河文明のあと紀元前1500年頃，**殷**が都市国家を築いた。その後，周，春秋・戦国時代を迎えた。この時代に 6. 孔子 が登場し**儒教**を広めた。

➤中国を最初に統一した**秦**の 7. 始皇帝 は，万里の長城の修築や急激な改革で人民に負担をかけ独裁政治を行った。彼の死後秦は**漢**に滅ぼされた。漢は 8. シルクロード（絹の道） を通してローマ帝国と交易を行った。

漢の時代の『後漢書』東夷伝などには日本に関する記述がある。漢滅亡後三国時代の『魏志』倭人伝には，邪馬台国女王卑弥呼に関する記述がある。南北朝時代には 9. 倭の五王 が使いを送った。

➤南北朝時代を統一した隋の文帝（楊堅）の子 10. 煬帝 は，南北の大河を結ぶ**運河**をつくったりしたが，高句麗遠征の失敗から反乱が起こり滅びた。この時代に日本の厩戸王（聖徳太子）は**小野妹子**を使者にして 11. 遣隋使 を送った。

➤唐の時代は華やかな文化が栄えた。日本も 12. 遣唐使 を送り律令制を導入した。日本の奈良時代に当たる頃，13. 玄宗 皇帝が善政を行ったが，晩年は 14. 楊貴妃 を寵愛し政治が乱れた。

➤五代十国時代を経て**宋**が中国を統一。**平清盛**は日宋貿易を行った。

➤モンゴル人の 15. チンギス＝ハン がかつてない大国をつくり，孫の 16. フビライ＝ハン は国号を**元**とし南宋を滅ぼした。元に滞在したイタリアの商人マルコ＝ポーロが帰国後著した『17. 東方見聞録』で，初めて日本をヨーロッパに紹介した。また元は，日本に対し服属を求めたが拒否され**元寇**を起こした。

農民出身の 18. 朱元璋 は，反乱を起こしモンゴル族の元を北方に追いはらい，**明**を建国した。

➤日本は明と日明貿易，また鎖国政策中も**清**と貿易を行った。清は，19. アヘン戦争 でイギリスに敗れ日清戦争で敗北し，植民地と化していき，三民主義を提唱する 20. 孫文 の**辛亥革命**によって滅び中華民国が成立するが，二十一カ条の要求など日本の侵出が公然化していく。21. 蔣介石 の国民政府と 22. 毛沢東 の共産党は団結した。

➤1931年の**満州事変**から**日中戦争**へ戦局が拡大したのち終戦を迎えた。戦後国民政府と共産党の内戦が起きるが，国民政府が 23. 台湾 に逃れた。

➤1949年，北京に中華人民共和国が成立し，社会主義国となった。政治では社会主義体制をとりながらも，経済では資本主義の競争原理の導入を図った。

➤現在中国は国内格差は激しいものの，猛烈な経済成長を遂げている。一方新疆ウイグル自治区問題，台湾問題，日本の尖閣諸島海域への侵入や歴史認識についてなど，課題が多い。

•second try•

年　月　日(　)
：　〜　：
(　　)
am・pm　℃

1.
2.
3.
4.
5.
6.
7.
8.
9.
10.
11.
12.
13.
14.
15.
16.
17.
18.
19.
20.
21.
22.
23.
24.
25.

•first try•

年　月　日(　)
：　〜　：
(　　)
am・pm　℃

1.
2.
3.
4.
5.
6.
7.
8.
9.
10.
11.
12.
13.
14.
15.
16.
17.
18.
19.
20.
21.
22.
23.
24.
25.

プラスチェック！

□B.C.16C…殷 →11C…周 →770 …春秋・戦国時代（〜B.C.221）→221…秦（始皇帝）→中国統一 →漢 に続く

□殷王朝の時代に漢字のもとである甲骨文字が発明され，日本も中国文化の影響を受け漢字を使用することになる。

＊このページで覚えた知識を教師になってどう活かしたい？

＊あ！あれ何だっけ？　確認メモ！

chapter 24 [世界史]

大航海による新大陸進出は近代への大きな移行期

イスラーム世界の拡大，一方，キリスト教中心世界となっていった西ヨーロッパにおける十字軍遠征と，その後の社会に与えた影響について把握しよう。

イスラームとヨーロッパ世界

【イスラーム（イスラム）】

➤７世紀初めアラビア半島のメッカに［1.ムハンマド］が現れイスラーム教を広めた。後継者（カリフ）は領土を広げ，約100年間で西アジア・中央アジア・北アフリカ・イベリア半島におよぶ**イスラーム帝国**をつくった。宗教はさらに東へと伝播した。

アラビア半島と東南アジアを結ぶ航路は「海のシルクロード」といわれるなど海上交通が盛んになり，貿易が行われた。

➤ギリシア文化や各地のすぐれた文化を取り入れ，**イスラーム文化**が生まれた。『アリババと40人の盗賊』『アラジンと魔法のランプ』などを収録した『［2.アラビアン・ナイト］』(千夜一夜物語）が編纂された。

また，特に数学・化学・医学などは近代ヨーロッパの思想や自然科学の発展に影響を与えた。

【中世ヨーロッパ】

➤ローマ帝国北東部に居住していた［3.ゲルマン人］は，**フン族**に圧迫され大移動しローマ帝国に進入した。

ローマ帝国が395年に東西に分裂すると，［4.476］年**西ローマ帝国**を滅亡させた。その後ゲルマン人は各地に国を建国。［5.フランク王国］が強大となり，カール大帝のとき全盛期を迎えたが，彼の死後，843年**ヴェルダン条約**，870年**メルセン条約**で，イタリア，東フランク（ドイツ），西フランク（フランス）に分裂した。

➤９世紀頃から，主従関係による［6.封建社会］が成立。**国王・諸侯・騎士**の身分関係が生まれ，荘園で働く農民は［7.農奴］とよばれた。

➤カトリック教会の首長で国王以上の権威をもつ**教皇**を頂点に，西ヨーロッパはキリスト教中心の世界になっていった。

➤11世紀になると［8.セルジューク朝(トルコ)］が聖地イェルサレムへ巡礼するキリスト教徒を迫害したことから，西欧キリスト教徒による［9.十字軍］が遠征を行った。200年で７回におよんだ遠征は失敗に終わった。

➤しかし十字軍遠征の影響は大きく，①諸侯・騎士が没落したことで国王が直接領土を支配し，やがてフランスのルイ14世のような［10.絶対王政］の時代を迎えるに至った，②新しい文化が伝わり［11.ルネサンス］へと影響を与えた，③東方への関心が高まりやがて**大航海時代**を迎えた，④交通路が発達し都市が栄え，ジェノヴァ，フィレンツェなどの**自由都市**が生まれた，などがあげられる。

【ルネサンス】

➤14世紀頃から16世紀にかけて展開された，人間性中心の文化運動。十字軍の影響からイタリアで起こり西ヨーロッパへと伝わった。12. ダンテ の『神曲』，レオナルド＝ダ＝ヴィンチの『モナ＝リザ』，13. ミケランジェロ の『ダヴィデ像』，ボッティチェッリの『春』，『ロミオとジュリエット』の 14. シェイクスピア，地動説を唱えた 15. コペルニクス など。

➤ルネサンスの三大発明として，**火薬**・16. 羅針盤 ・**活版印刷術**があげられる。

【大航海時代】

➤15世紀になると 17. オスマン帝国 が東方の香辛料や絹を求める商人たちを妨害した。

➤**ポルトガル**や**スペイン**の国王は特定の商人と手を結んで保護し，新航路の発見に努めた。

➤コロンブスは 18. 1492 年カリブ海のサンサルバドル島に到着。また別に上陸した大陸について，のちにアメリゴ＝ヴェスプッチが新大陸であることを確認し，彼の名前にちなみアメリカと名づけられた。

➤19. ヴァスコ＝ダ＝ガマ は1498年喜望峰まわりでインドのカリカットに到着した。また，20. マゼラン は1522年地球を一周した。

　こうしてポルトガルとスペインは南アメリカを植民地化していった。

【宗教改革】

➤ルネサンス期，サン・ピエトロ大聖堂の建立に，教皇レオ10世は 21. 贖宥状（**免罪符**）を販売。1517年神学者の 22. ルター は教会に対し**九十五カ条の論題**を発表し，聖書のドイツ語訳出版に努めた。彼は教会から破門されたが，多くの諸侯・騎士の支持を得てプロテスタント派が誕生した。

➤スイスで 23. カルヴァン も宗教改革に着手。北ヨーロッパやイギリスなどで広まっていった。

➤カトリック教会は 24. イエズス会 を結成し，海外布教を行い信者を獲得していった。やがて日本にも 25. フランシスコ＝ザビエル が来訪した。

•second try•	•first try•
年　月　日(　)	年　月　日(　)
：　～　：	：　～　：
(　　)	(　　)
am・pm　℃	am・pm　℃
1.	1.
2.	2.
3.	3.
4.	4.
5.	5.
6.	6.
7.	7.
8.	8.
9.	9.
10.	10.
11.	11.
12.	12.
13.	13.
14.	14.
15.	15.
16.	16.
17.	17.
18.	18.
19.	19.
20.	20.
21.	21.
22.	22.
23.	23.
24.	24.
25.	25.

プラスチェック！

□イスラーム教の経典を「コーラン」という。

□十字軍の遠征は，キリスト教を中心としたヨーロッパ社会とイスラーム教を中心とした西アジア社会の対立であり，宗教戦争ともいえる。

＊このページで覚えた知識を教師になってどう活かしたい？

＊あ！あれ何だっけ？　確認メモ！

市民と産業，２つの革命による国家の発展

絶対王政のイギリス，フランスで起こった市民革命への経緯について把握しておこう。また，産業革命による資本主義の発展や社会主義思想への関連性についても押さえておこう。

絶対王政と市民革命

【絶対王政と市民革命】

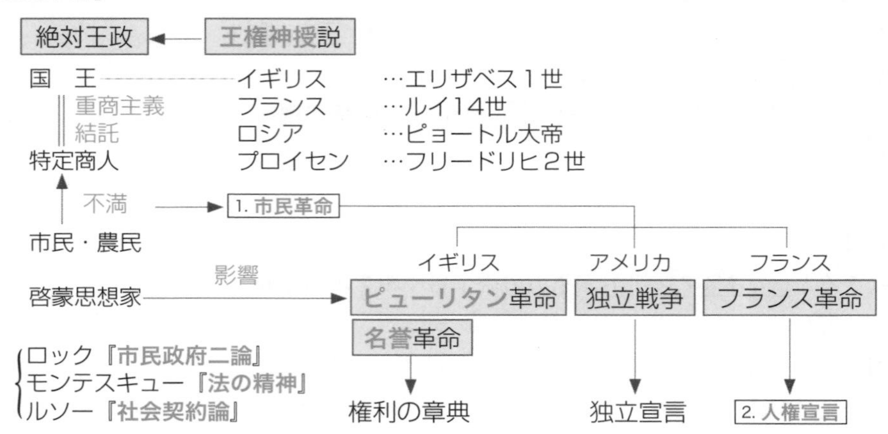

【絶対王政】

➤十字軍の遠征で教会の権威は失墜，諸侯・騎士階級は没落し国王が直接領土を支配する 3. 絶対王政 （絶対主義）の時代へ移行し，重商主義政策を展開した。王権神授説のもと，国王が神格化していった。16世紀イギリスの 4. エリザベス１世 ，17世紀フランスのルイ14世など。

【イギリス革命】

➤イギリスでは国王が大商人と結んでピューリタン（清教徒）の圧迫など専制政治を行ったため，議会は1628年 5. 権利の請願 を可決した。1642年 6. クロムウェル 率いる**鉄騎隊**を中心に**ピューリタン革命**が起こり1649年**共和政**となったが，彼の死後，独裁への反動が起こり王政に戻った。

➤国王ジェームズ２世は旧教を支持し専制的だったため，1688年オランダ総督を迎え翌89年国王ウィリアム３世とした（ 7. 名誉革命 ）。議会は 8. 権利の章典 を制定した。

【アメリカの独立とその後】

➤18世紀頃の北アメリカには信仰の自由や貿易の利益などを求めて移住してきた**イギリス人**が13州の植民地をつくった。1773年 9. ボストン茶会事件 を契機に植民地の人々の反抗運動が強まり，1775年**独立戦争**となった。

➤植民地側は 10. ワシントン を総司令官にして戦い，翌年フィラデルフィアで 11. 独立宣言 を発表した。この戦争は８年間続き，1783年**パリ条約**を結んで独立を達成した。1787年**合衆国憲法**が制定され，ワシントンが**初代大統領**に就任した。

□「ひとりの人間にとっては小さい一歩だが，人類にとっては偉大な飛躍だ」アームストロング

➤独立後1848年には太平洋岸まで領土を拡張した。アメリカは産業革命の進行により，北部の工業地帯と南部の農業地帯に分かれ，北部の**保護貿易**に対し南部は**自由貿易**を主張していた。1860年 12. リンカン が大統領に当選すると，**南部**は独立を求め1861年 13. 南北戦争 が始まった。

【フランス革命とナポレオン】

➤フランスの旧制度（ 14. アンシャン＝レジーム ）では３つの身分に分かれていた（第一身分は**聖職者**，第二身分は**貴族**）。1789年国王 15. ルイ16世 は三部会を召集したが，第三身分の**平民代表**が国民議会を結成し反抗したため国王は武力で抑えようとした。これに対し民衆が 16. バスティーユ牢獄 を襲い各地で反乱が起こった。同年国民議会は**人権宣言**を採択した。

➤1791年 17. ルイ16世 と王妃**マリー＝アントワネット**は国外に逃亡しようとして捕らえられ（**ヴァレンヌ逃亡事件**），1792年の男子普通選挙で 18. ロベスピエール が実権を握ると，翌年２人は処刑された。しかし彼も恐怖政治を行ってクーデタで権力を失い処刑された。

➤動乱の中，各国が革命に干渉。そこへ登場したのが 19. ナポレオン である。彼は外国遠征で国民の信望を集め 20. 1804 年**皇帝**に即位したが，1812年ロシア遠征の失敗後は各国軍に敗れた。

　混乱したヨーロッパの戦後処理のために開かれた会議が 21. ウィーン会議 であり**ウィーン体制**である。

【産業革命】

➤産業革命は最初に 22. イギリス で起こった。機械の発明で工場制手工業は工場制機械工業にかわり大量生産が可能となった。それにともない原料や商品の売り先を求め海外に進出し，植民地を獲得していくことになった。

➤農村では 23. 囲い込み運動 が起こり，羊を飼育し小作人を解雇した。土地を追われた農民は都市の工場に雇われるようになった。また， 24. ワット による蒸気機関の改良から**蒸気船**，**蒸気機関車**が発明された。しかし**公害**や労働条件の悪化という状況でもあり，やがて**社会主義思想**が生まれた。機械の発明は生産の面だけに限らず，このように社会全体に大きな変化をもたらしたため，これを 25. 産業革命 という。

•second try•	•first try•
年　月　日(　)	年　月　日(　)
：　〜　：	：　〜　：
(　　)	(　　)
am・pm　℃	am・pm　℃
1.	1.
2.	2.
3.	3.
4.	4.
5.	5.
6.	6.
7.	7.
8.	8.
9.	9.
10.	10.
11.	11.
12.	12.
13.	13.
14.	14.
15.	15.
16.	16.
17.	17.
18.	18.
19.	19.
20.	20.
21.	21.
22.	22.
23.	23.
24.	24.
25.	25.

プラスチェック！

□リンカンは南北戦争において「人民の人民による人民のための政治」で知られる歴史に残る演説を行った。

＊このページで覚えた知識を教師になってどう活かしたい？

＊あ！あれ何だっけ？　確認メモ！

［世界史］

26 大戦後の大国冷戦発動そして終結

冷戦終結後，世界はグローバル化するが，民族紛争・宗教対立による地域紛争は絶えない。古代より培われてきた各々の立場など，歴史的背景から知ることが重要だ。

第二次大戦後の国際関係

➤戦後国際連盟の反省から**国際連合**が発足した。安全保障理事会の常任理事国**アメリカ・ソ連・イギリス・フランス・中国**の５か国には［1. 拒否権］を与えた。これは戦後AA（アジア・アフリカ）諸国の独立が必至であることから，多数決の原理では勝てなくなることを恐れて与えられた特権である。

➤1945年［2. ヤルタ会談］で，ドイツの占領管理，ソ連の対日参戦などが決められた。アメリカが原爆を完成し投下したのは，対日参戦が迫っていたソ連より，戦後の日本の占領政策をリードするためであった。日本の降伏とともに米ソ間の協調は崩れ，アメリカを中心とした資本主義国とソ連を中心とした社会主義国が対立する［3. 冷戦時代］を迎える。

➤**ドイツ**は東西に分離独立し，首都［4. ベルリン］も東西に分断された。これにともなう通貨改革の結果，ソ連のベルリン封鎖が起こった。**朝鮮**は南北に分離して独立した。

➤軍事大国の米ソは直接戦わず**代理戦争**という形で対立した。それが1950年の［5. 朝鮮戦争］である。アメリカは1951年［6. サンフランシスコ］平和条約で日本を独立させ，**日米安全保障条約**を結び，共産主義に対する資本主義陣営の拠点とした。1953年アメリカのアイゼンハワーとソ連のマレンコフは平和的解決を望み，朝鮮戦争を終結した。

➤このような国際情勢の中，戦後アジア，アフリカの国々は次々と独立し，米ソどちらの陣営にも属さない［7. 第三世界］を形成する。1954年インドのネルーと中国の周恩来は［8.平和5原則］を発表し，翌年アジア・アフリカ会議（AA会議，バンドン会議）が開かれた。

➤1959年**カストロ**による［9. キューバ革命］が起こり，アメリカはキューバからの砂糖の輸入を禁止した。このときキューバの砂糖を買い付けたのがソ連で，以後両国は急速に接近する。ソ連支援のミサイル基地建設に対し，［10. ケネディ］は海上封鎖を発表。世界は米ソの武力衝突の緊張状態に包まれたが（**キューバ危機**），ソ連のフルシチョフがミサイルを撤去して危機を脱した。以後ホワイトハウスとクレムリン宮殿にホットライン（直通電話）が開通した。

➤フランスから南北に分離独立した**ベトナム**は統一戦争を行い，**アメリカ**が介入し北爆を行うなど激化。しかし最終的には撤退し，**北ベトナム**が統一した。一方，ソ連は［11. アフガニスタン］を10年余り占領したが，経済的に破綻し撤退。こうして米ソの権威は崩れ，両国は互いに歩み寄るようになった。また第三世界の国が台頭し，多極化の時代を迎え協調外交へと変わっていった。

➤ソ連で 12. ゴルバチョフ が登場し，世界は大きく変わっていくことになった。彼が行った 13. ペレストロイカ で，東欧の民主化の流れが起こり**ベルリンの壁**が開放され， 14. 1990 年**東西ドイツ**が統合された。1989年の米ソ首脳による**マルタ会談**で，もはや「冷戦」ではないということが確認され，新しい時代を迎えることになった。1991年，ソビエト連邦は崩壊した。

➤1993年には**EU**（ヨーロッパ連合）が成立。加盟国が増加し，ギリシア問題に代表されるように加盟国間の経済格差が問題になる。

【現代世界情勢のまとめ】

➤イスラエルとアラブ諸国の衝突。1973年には石油危機が起こる。
…15. 中東戦争

➤1950～53年，南北の朝鮮戦争を国連軍と中国がそれぞれ支援。
…16. 朝鮮戦争

➤1962年，革命後のキューバをめぐる米ソの対決。
…17. キューバ危機

➤1959～75年（諸説あり），ベトナム統一戦争にアメリカが介入。
…18. ベトナム戦争

➤1979～89年，アフガニスタン内乱にソ連が介入。
…19. アフガニスタン紛争

➤1980～88年，中東における領土問題の対立
…20. イラン・イラク戦争

➤1991年，イラクのクウェート侵攻に多国籍軍が攻撃。
…21. 湾岸戦争

➤アメリカで2001年に 22. 同時多発テロ が発生。その後，国際テロ組織アルカイダへの反撃，アフガニスタン戦争， 23. イラク戦争 への流れが起きる。

➤2002年，スイス，東ティモールが国連に加盟。

➤2010年，チュニジアで起こったジャスミン革命から民主化運動「24. アラブの春」が広がる。

➤2022年，ロシアが 25. ウクライナ 軍事侵攻。

•second try•	•first try•
年 月 日( )	年 月 日( )
: ～ :	: ～ :
( )	( )
am・pm ℃	am・pm ℃
1.	1.
2.	2.
3.	3.
4.	4.
5.	5.
6.	6.
7.	7.
8.	8.
9.	9.
10.	10.
11.	11.
12.	12.
13.	13.
14.	14.
15.	15.
16.	16.
17.	17.
18.	18.
19.	19.
20.	20.
21.	21.
22.	22.
23.	23.
24.	24.
25.	25.

プラスチェック！

［第三世界］
□開発独裁体制が起こる。
□大韓民国，南米…経済発展に注力。
□ASEAN（東南アジア諸国連合）…1967年結成。
原加盟国はインドネシア，マレーシア，フィリピン，シンガポール，タイ。地域協力をめざす。

＊このページで覚えた知識を教師になってどう活かしたい？

＊あ！あれ何だっけ？ 確認メモ！

chapter 27 ［地理］

グローバル化の時代，時差の知識は実生活でも必要

地図の種類とその用途について押さえておこう。また，時差の考え方を理解し，その求める地域との時差が計算できるようにしておこう。

地図の種類，時差

【地図の種類】

地球は球体であるために，平面すなわち地図にすると，形・面積・距離・方位が正しく表せない。そのため利用する目的にあった地図を選ぶことが大切である。

① 1. メルカトル 図法

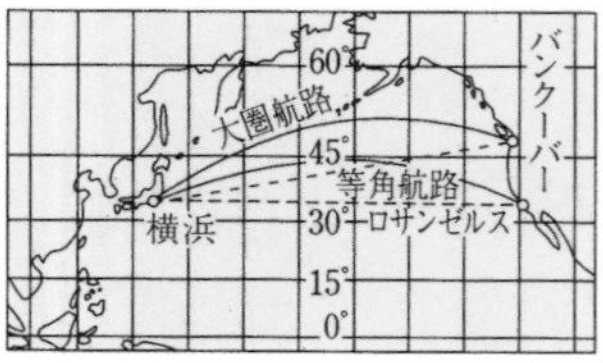

② 2. ボンヌ 図法

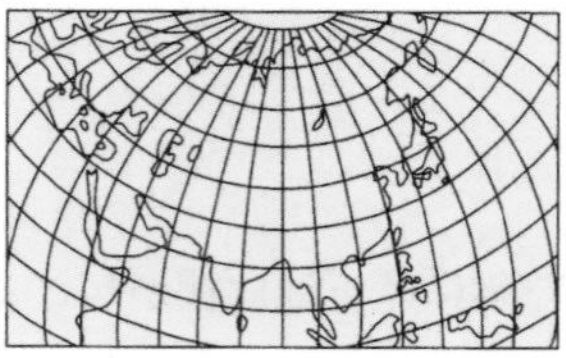

③ 3. モルワイデ 図法

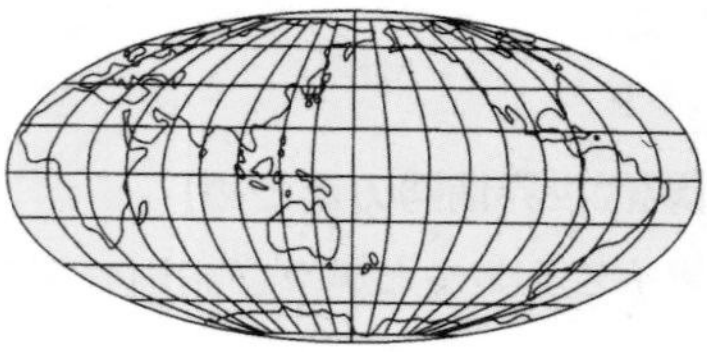

④ 4. サンソン 図法

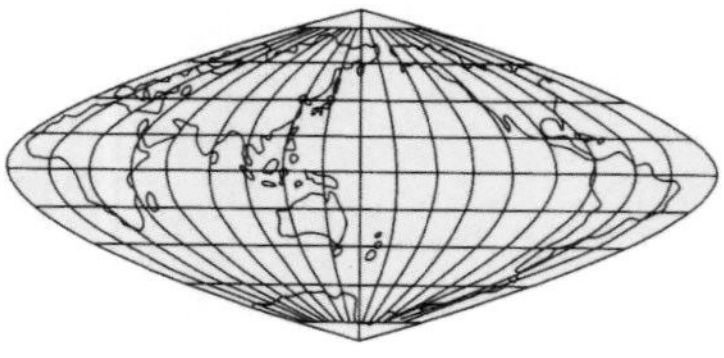

⑤ 5. グード 図法

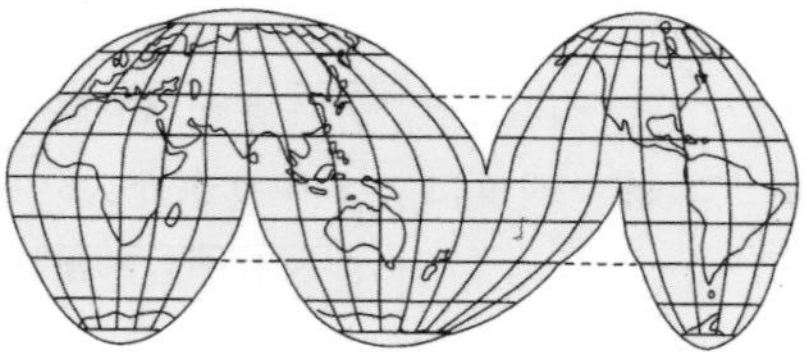

⑥ 6. 正距方位 図法

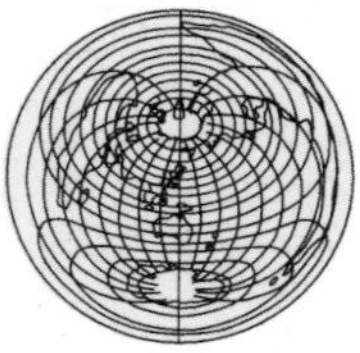

➤緯線と経線が直角に交わり，**航海図**に利用される。２点間を結ぶ線は等角航路であるのは 7. メルカトル 図法である。

➤緯線は直線，経線は曲線で，面積は正しいが両端の形はゆがむ。世界図や**分布図**に利用されるのは 8. モルワイデ 図法・ 9. サンソン 図法である。

➤図の中心から距離・方位が正しく，図の中心からの直線は最短コースであり大圏航路である。**航空図**に利用されるのは 10. 正距方位 図法である。

➤③の図法と④の図法をつなぎ合わせたものは 11. グード 図法である。**ホモロサイン図法**ともいう。

【時差】

➤考え方の確認……24時制で考える→午後2時は14時

①地球の１日は24時間である

②地球は１日１回転自転する→ 12. 360 度自転する

③１時間に 13. 15 度自転する（360度÷24時間）

□
□

■北極点から見た地球

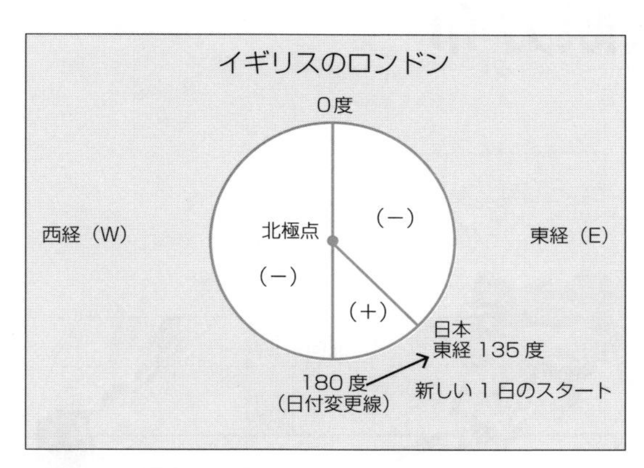

※標準時…その国の基準となる時刻
※時差…世界各地の標準時とのずれ
※日本の標準時子午線…兵庫県の明石市。東経135度

【計算の方法】

①両地点の経度の差（和）を求める

⇧東経同士・西経同士は「14. 経度の差」，
東経と西経は「15. 経度の和」

②経度の差を 16. 15 度で割る

③時差から求める地点の時刻を計算する

〈例〉日本が１月25日10時のときイギリスは？

①135度（日本）－０度（イギリス）＝135度

②135度÷15度＝ 17. 9 時間（時差）

③１月25日10時－９時間＝１月25日１時

※サマータイム……おもに欧州などで夏季の昼間時間が長いのを利用し，標準時を 18. 1 時間進めた時刻を使用する。

•second try•

年　月　日(　)
🕒 :　〜　:
☼ ☁ ☂ (　　)
am · pm ℃

1.
2.
3.
4.
5.
6.
7.
8.
9.
10.
11.
12.
13.
14.
15.
16.
17.
18.
19.
20.
21.
22.
23.
24.
25.

•first try•

年　月　日(　)
🕒 :　〜　:
☼ ☁ ☂ (　　)
am · pm ℃

1.
2.
3.
4.
5.
6.
7.
8.
9.
10.
11.
12.
13.
14.
15.
16.
17.
18.
19.
20.
21.
22.
23.
24.
25.

プラスチェック！

□世界の標準時はグリニッジ時刻で，日本では明石市。

＊このページで覚えた知識を教師になってどう活かしたい？

＊あ！あれ何だっけ？　確認メモ！

chapter 28 ［地理］

地図でビジュアル的にも分布を把握

気候区分の種類を押さえよう。気候は文化や生活様式などに影響している。世界各国の気候について，地球上の位置とともに，気温・降水量・風の三要素に留意しつつ確認しよう。

世界の気候分布

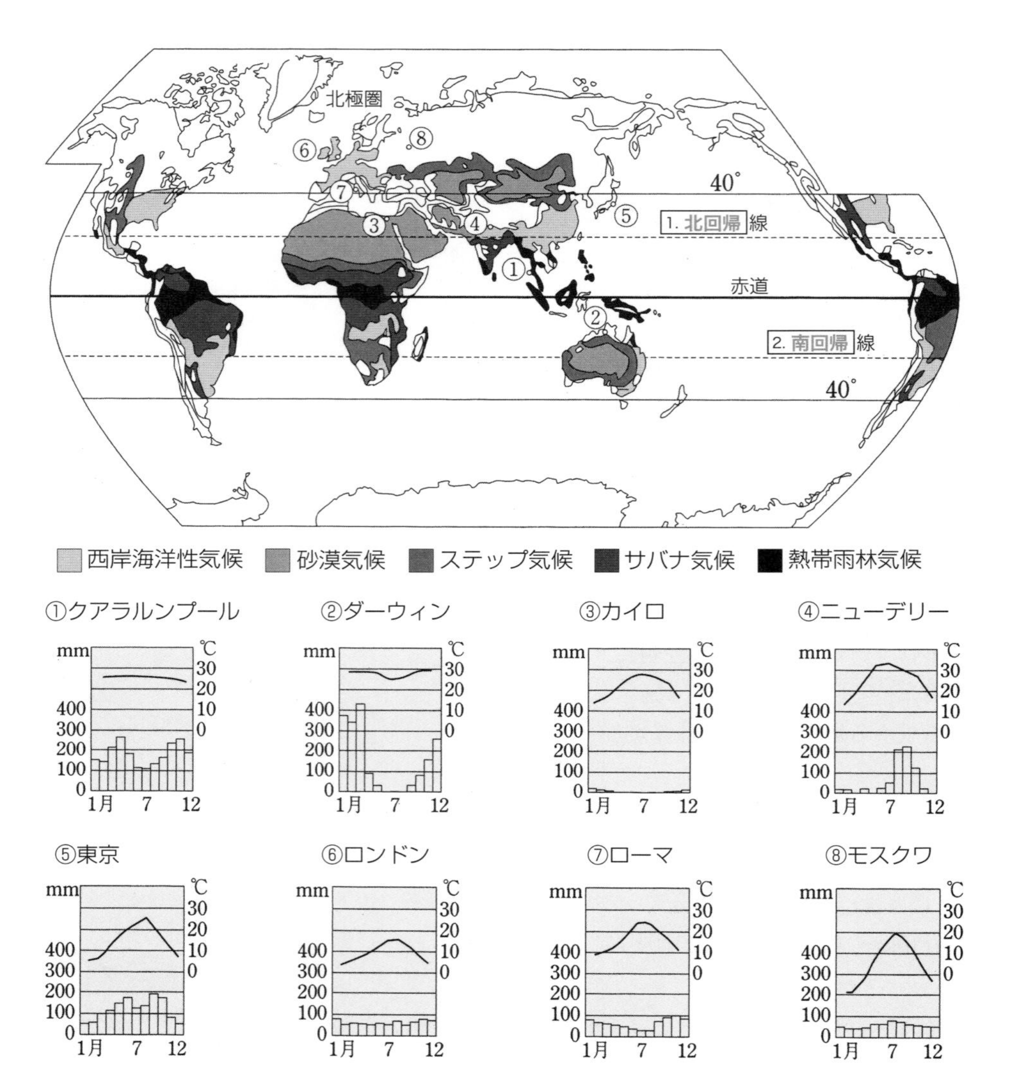

【気候の要因】

➤気候の三要素……［3. 気温］・［4. 降水量］・［5. 風］（順不同）

➤低緯度・高緯度により気温や降水量に差が生じる（高度差による気温差もある）。また，海流や風の影響により大陸の東岸と西岸でも異なる。

【緯度による区分】

➤熱帯……南北回帰線の内側　➤温帯……回帰線と極圏の間　➤寒帯……極圏の内側

□
□

【気温と降水量による区分】

➤熱帯（A）〔1年中高温多雨〕

○ 6.熱帯雨林 気候（Af）……年中高温多湿。夕方に 7.スコール 。樹木がよく茂り密林が広がる。東南アジアのジャングル，アマゾン川流域のセルバ。

○ 8.サバナ 気候（Aw）……1年中高温。雨季と乾季がある。

○熱帯モンスーン気候（Am）……1年中高温。**モンスーン**（**季節風**）により雨季と乾季に分かれる。

➤温帯（C）〔気温や降水量が適度。四季の変化〕

○ 9.温帯湿潤 気候（Cfa）……モンスーンの影響で夏は多雨。冬は乾燥少雨。**熱帯低気圧**に襲われやすい。東南アジアの台風，インドのサイクロン，北アメリカのハリケーン，オーストラリアのウィリーウィリー。

○ 10.地中海性 気候（Cs）……夏高温乾燥，冬温暖少雨，大陸西岸の緯度30～40度付近。

○ 11.西岸海洋性 気候（Cfb）……夏涼・冬温暖。暖流と偏西風。

➤冷帯（D）〔短い夏と長い冬，気温の年較差大，北緯40～60度付近に分布〕

○ 12.冷帯湿潤 気候（Df）……厳冬。夏は日照時間が長くやや高温。適度な降水量。**混合樹林**。

○ 13.タイガ 気候（Dfc－d ／ Dwc－d）……夏は降水量が多く，気温の年較差がもっとも大きい。**針葉樹林**（**タイガ**）が広がる。**針葉樹林気候**ともいう。

➤寒帯（E）〔地球の両極を中心とした地域。1年中厳冬，ほとんど雪と氷におおわれる〕

○ 14.ツンドラ 気候（ET）……冬は氷雪，短夏のみ気温0℃以上で永久凍土に地衣類やこけ(**蘚苔**(せんだい))類が成育(**ツンドラ土**)。

○ 15.氷雪 気候（EF）……1年中雪，最暖月でも0℃以下。

➤乾燥帯（B）〔熱帯と温帯の間，中緯度と内陸部。降水量が少なく，気温の年較差より日較差が大きい〕

○ 16.砂漠 気候（BW）……年降水量250mm以下で，樹木は生育しない。気温の日較差がとくに大きい。湧き水の**オアシス**。

○ 17.ステップ 気候（BS）……砂漠気候の周辺。短い雨季にわずかな降水量がある。丈の短い草が生育する。**遊牧民**が生活。

➤高山気候（H）〔熱帯の高地に分布。常春（1年中10～15℃），18.高原 都市の形成〕

•second try•

年　月　日(　)
🕒　：　～　：
☀ ☁ ☂ (　　)
am・pm　℃
😀 😐 ☹ 😵 😫

1.
2.
3.
4.
5.
6.
7.
8.
9.
10.
11.
12.
13.
14.
15.
16.
17.
18.
19.
20.
21.
22.
23.
24.
25.

•first try•

年　月　日(　)
🕒　：　～　：
☀ ☁ ☂ (　　)
am・pm　℃
😀 😐 ☹ 😵 😫

1.
2.
3.
4.
5.
6.
7.
8.
9.
10.
11.
12.
13.
14.
15.
16.
17.
18.
19.
20.
21.
22.
23.
24.
25.

プラスチェック！

［大気循環］

□貿易風…緯度30度付近から赤道に向かって吹く風。

□偏西風…緯度40～60度付近にかけて1年中吹く西寄りの風。

□季節風…季節により風向きが変わる風。夏は海洋から陸地へ，冬は陸地から海洋へ向かって吹く。

＊このページで覚えた知識を教師になってどう活かしたい？

＊あ！あれ何だっけ？　確認メモ！

chapter 29 ［地理］

デジタルなど色々な地図で多角的に地球を知りたい

地球上は海：陸＝7：3。六大陸と三大洋，世界的に大きな山の成り立ちや長い河川について，名称と位置を押さえよう。海岸など海に関わる特徴的な地形についても確認しよう。

地形図，世界の地形

【地形図】

(1) **方位**……普通真上は北を示す。上を北にしないときは，など方位の記号などの 1. 方位記号 を使う。

(2) **縮尺**……広大な地域を表すために，実際の距離を一定の比率で縮めた割合。示し方は比や分数を用いるが，梯尺を使用することもある。

(3) **大縮尺と小縮尺**

縮尺の数値が小さい（分母が大きい）のが 2. 小縮尺，大きい（分母が小さい）のが 3. 大縮尺。

(4) **谷と尾根**

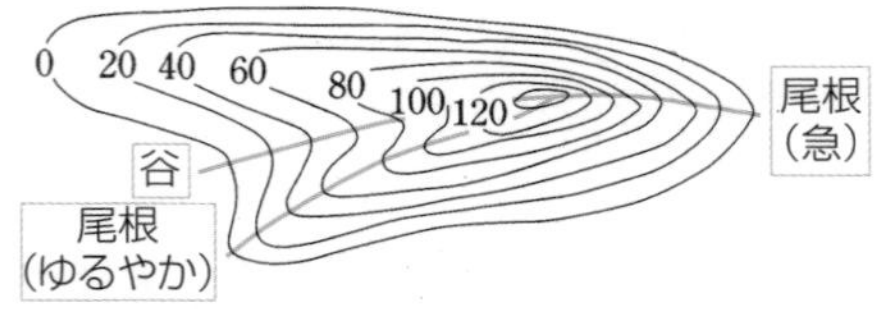

＊山頂にくい込んでいるのが谷，逆が尾根。

【大陸と大洋】

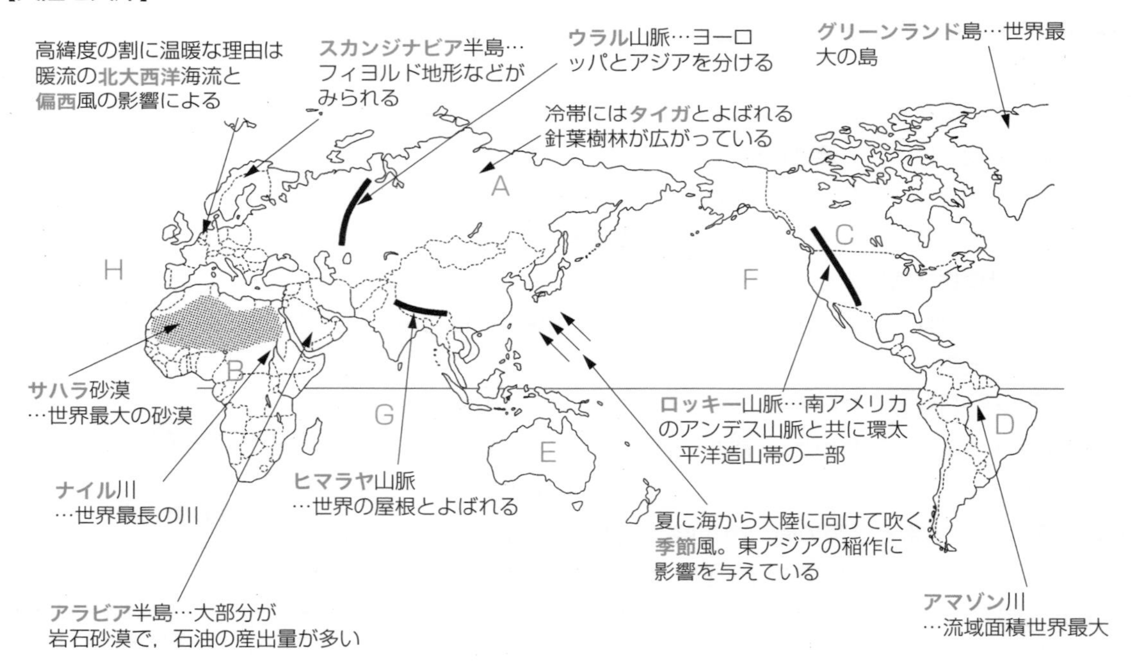

➤六大陸…… 4. ユーラシア 大陸（図中A）， 5. アフリカ 大陸（同B）， 6. 北アメリカ 大陸（同C）， 7. 南アメリカ 大陸（同D）， 8. オーストラリア 大陸（同E），南極大陸

➤三大洋…… 9. 太平洋（図中F）， 10. インド洋（同G）， 11. 大西洋（同H）

↓海底の地形

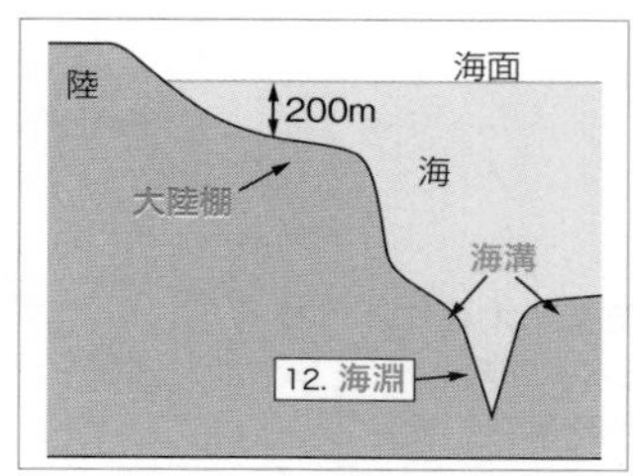

↓陸の地形

【海岸の地形】

➤ 13. リアス海岸 ……山地が**沈降**してその谷間に海水が入り込んだ海岸。岬と湾とがのこぎりの歯のように並んでいる。良港だが，津波の被害も受けやすい。

➤ 14. フィヨルド ……**峡湾**ともいう。氷河によって侵食された河谷が，氷河の重力によって地面がけずられ，谷幅の広い**U字谷**となり，そこに海水が浸入してできた細長い入り江。ノルウェー，グリーンランド，チリ南部などに多い。

•second try•

年 月 日( )
: ～ :
( )
am · pm ℃

1.
2.
3.
4.
5.
6.
7.
8.
9.
10.
11.
12.
13.
14.
15.
16.
17.
18.
19.
20.
21.
22.
23.
24.
25.

•first try•

年 月 日( )
: ～ :
( )
am · pm ℃

1.
2.
3.
4.
5.
6.
7.
8.
9.
10.
11.
12.
13.
14.
15.
16.
17.
18.
19.
20.
21.
22.
23.
24.
25.

プラスチェック！

□日本では5万分の1や2万5千分の1など大縮尺の地図は，国土交通省国土地理院で作製されている。

□アルプス・ヒマラヤ造山帯，環太平洋造山帯はいずれも新期造山帯であり，火山や地震が多い。

□アパラチア山脈，ウラル山脈などは古期造山帯で，地下資源が豊富。

＊このページで覚えた知識を教師になってどう活かしたい？

＊あ！あれ何だっけ？　確認メモ！

chapter 30 ［地理］ 日本に最も身近なアジア諸国についてよく知ろう

アジア地域における自然や産業，農業に関連する特色や，歴史的背景のワンポイント，近年の特徴的な政策，大規模な災害などについて把握しておこう。

アジア

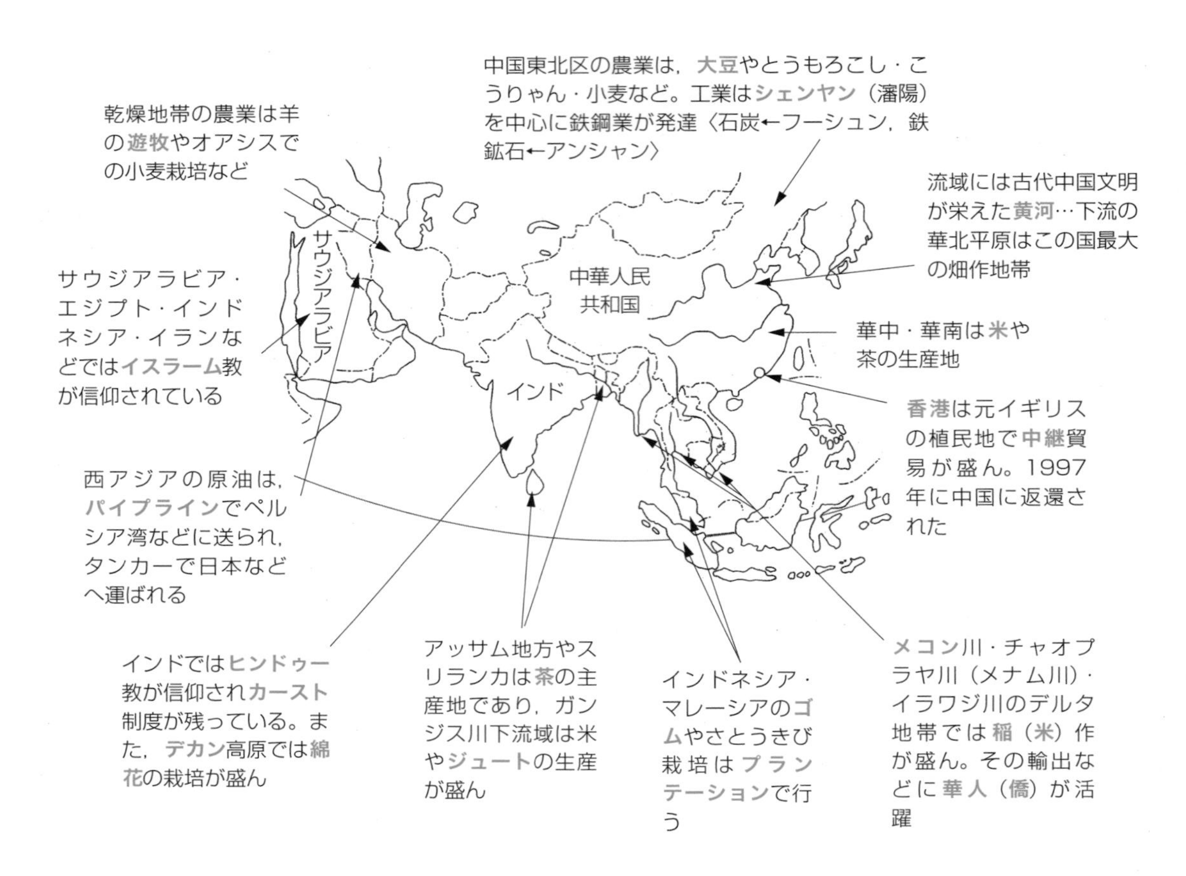

- 中国……古代文明の誕生地。人口14億人以上。増加抑制のため2015年まで［1. 一人っ子政策］を実施。90％以上は漢民族。
- 朝鮮半島……14世紀，李氏朝鮮が成立。戦前は日本の植民地。朝鮮戦争（1950～53年）。
- ［2. 東南アジア諸国連合］（ASEAN）……経済・政治分野での協力と相互援助が目的。加盟10か国（2024年7月現在）。
- NIES……［3. 新興工業経済地域］。
- 熱帯雨林の減少……日本向けに木材を輸出。焼畑農業も行われ環境破壊がすすむ。
- 2004年12月，［4. スマトラ島沖］大地震（M9.0）およびインド洋津波発生により，周辺国に甚大な被害を与えた。
- 2015年中国が提唱・主導し，アジアのインフラストラクチャー整備のため［5. アジアインフラ投資銀行］（AIIB）が発足。

【この地域のキーワード】

➤乾燥地域にみられる。オアシスや山ろくの地下水の得られる所からトンネルを掘り，集落まで地下水を流してくる地下水路を 6.カナート という。

➤ヨーロッパやアメリカ系の資本による国際石油会社。エクソン・モービル，シェブロン，BP，ロイヤル・ダッチ・シェルを指し 7.メジャー とよぶ。

➤1960年イラクの提案によって5か国で結成された，石油産出国による石油生産量や価格の調整をするための国際機構は 8.石油輸出国機構 （OPEC）である。欧米の国際石油資本（メジャー）に対抗するために組織された。

➤油田で採取された石油や天然ガスを，精油所や積み出し港へ送るための輸送管を 9.パイプライン という。

➤1978年以降，中国で，余剰生産物を自由市場で販売できるようにした，人民公社に代わり導入された制度は 10.生産責任制 である。農民の労働意欲が向上し，生産量が増大することとなった。

➤中国で外国の企業進出を有利にするため，財政と自主権を拡大させ，開発の促進を図る地域（シェンチェン，チューハイ，アモイ，スワトウ，ハイナン島）を 11.経済特(別)区 とよぶ。

➤香港は1997年の返還以来「一国二制度」のもと，アジアの金融センターとして発展してきた。2020年の 12.香港国家安全維持法 の施行に続き，21年には 13.選挙制度 の変更が行われるなど，香港の中国化が進んでいる。

➤ 14.GAFAM （米国主要IT企業：Google，Amazon，Facebook（現Meta），Apple，Microsoft）によるインド投資が活発化。インドでは「 15.ユニコーン企業 」とよばれるベンチャー企業が続々と生まれている。

•second try•

年　月　日(　)
：　～　：
（　　）
am・pm　℃

1.
2.
3.
4.
5.
6.
7.
8.
9.
10.
11.
12.
13.
14.
15.
16.
17.
18.
19.
20.
21.
22.
23.
24.
25.

•first try•

年　月　日(　)
：　～　：
（　　）
am・pm　℃

1.
2.
3.
4.
5.
6.
7.
8.
9.
10.
11.
12.
13.
14.
15.
16.
17.
18.
19.
20.
21.
22.
23.
24.
25.

プラスチェック！

☐OPEC（石油輸出国機構）…（原加盟国）イラン，イラク，クウェート，サウジアラビア，ベネズエラ。

☐日本の原油・石炭・鉄鉱石などの主な輸入相手国や順位について，各省庁のウェブサイトなどで常に最新の資料を確認しておこう。

＊このページで覚えた知識を教師になってどう活かしたい？

＊あ！あれ何だっけ？　確認メモ！

chapter 31 ［地理］

EUは重要な貿易相手

アフリカ，ヨーロッパ地域における自然や産業，農業に関連する特色や，歴史的背景のワンポイント，近年の特徴的な政策などについて把握しておこう。

アフリカ，西ヨーロッパ

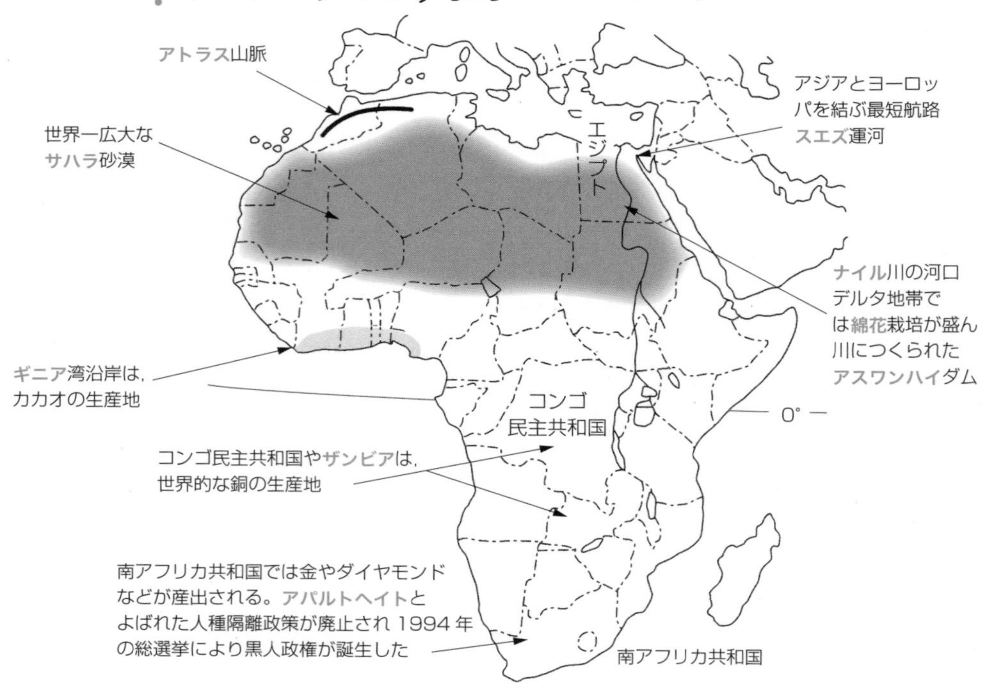

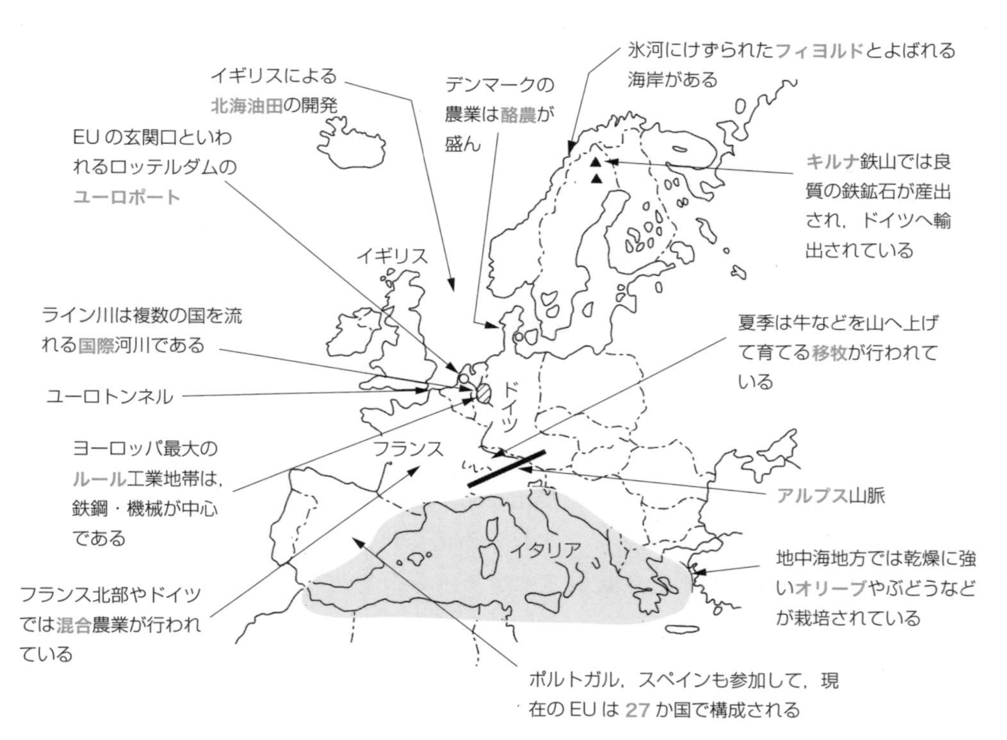

〔アフリカ〕

➤アフリカ大陸では，古くからアフリカ人の王国が栄えていたが，16世紀にヨーロッパ人が 1. 奴隷 として自国に連行し始め，19世紀にはアフリカのほとんどの国が**植民地**となった。

20世紀に入り，戦後独立する国が相次ぎ， 2. 1960 年はアフリカの年といわれるほど多くの国が独立した。

➤1990年代になると民族・宗教上の対立が表面化し，アフリカ各地で内戦やゲリラ活動が多発。国連は 3. PKO活動 を行うが，難民の食料不足や衛生上の問題等のため膨大な死者をもたらした。

〔ヨーロッパ〕

➤ヨーロッパ諸国が引いた画一的な国境線のため，民族・部族・宗教などの対立から内戦が起こる。難民・飢饉の発生。スーダンにおける**ダルフール紛争**など，紛争は多発している。

➤東ヨーロッパでは，1989年の 4. 民主化 以降，西ヨーロッパとの関係が接近している。しかし経済格差が大きい。

➤ 5. 混合農業 ……家畜の飼育と農作物の栽培を兼ねた農業。

➤ 6. ポルダー ……オランダの浅海を干拓してできた土地。

➤ 7. EU （ヨーロッパ連合）……1967年EC結成。以後加盟国を増やし，1993年マーストリヒト条約の発効により成立。1999年11か国で通貨統合， 8. ユーロ を導入し，2002年から紙幣・硬貨の流通を開始。資本・労働力の移動の自由，関税の撤廃など経済の発展を図り，政治的結合を目標とする。2013年クロアチア加盟により28か国となったが，2020年に 9. イギリス が離脱し，加盟国は27か国に（2024年7月現在）。

➤ 10. リスボン条約 ……2009年12月発効。これにより欧州理事会常任議長（俗称・EU大統領）が制定され，初代大統領にはベルギーのファンロンパイ氏が就任した。

•second try•	•first try•
年　月　日(　)	年　月　日(　)
:　～　:	:　～　:
(　)	(　)
am・pm　℃	am・pm　℃
1.	1.
2.	2.
3.	3.
4.	4.
5.	5.
6.	6.
7.	7.
8.	8.
9.	9.
10.	10.
11.	11.
12.	12.
13.	13.
14.	14.
15.	15.
16.	16.
17.	17.
18.	18.
19.	19.
20.	20.
21.	21.
22.	22.
23.	23.
24.	24.
25.	25.

プラスチェック！

□フランスはヨーロッパで唯一食料を自給・輸出できる国である。

□日本は四半世紀以上にわたり，アフリカ開発会議（TICAD）を主導してきている。

＊このページで覚えた知識を教師になってどう活かしたい？

＊あ！あれ何だっけ？　確認メモ！

chapter 32 [地理]

ユーラシア大陸の東方に日本が位置する

ユーラシア北部地域における自然や農業・産業に関連する特色や分布，近年の特徴的な政策，紛争などについて把握しておこう。

東ヨーロッパ，ロシア

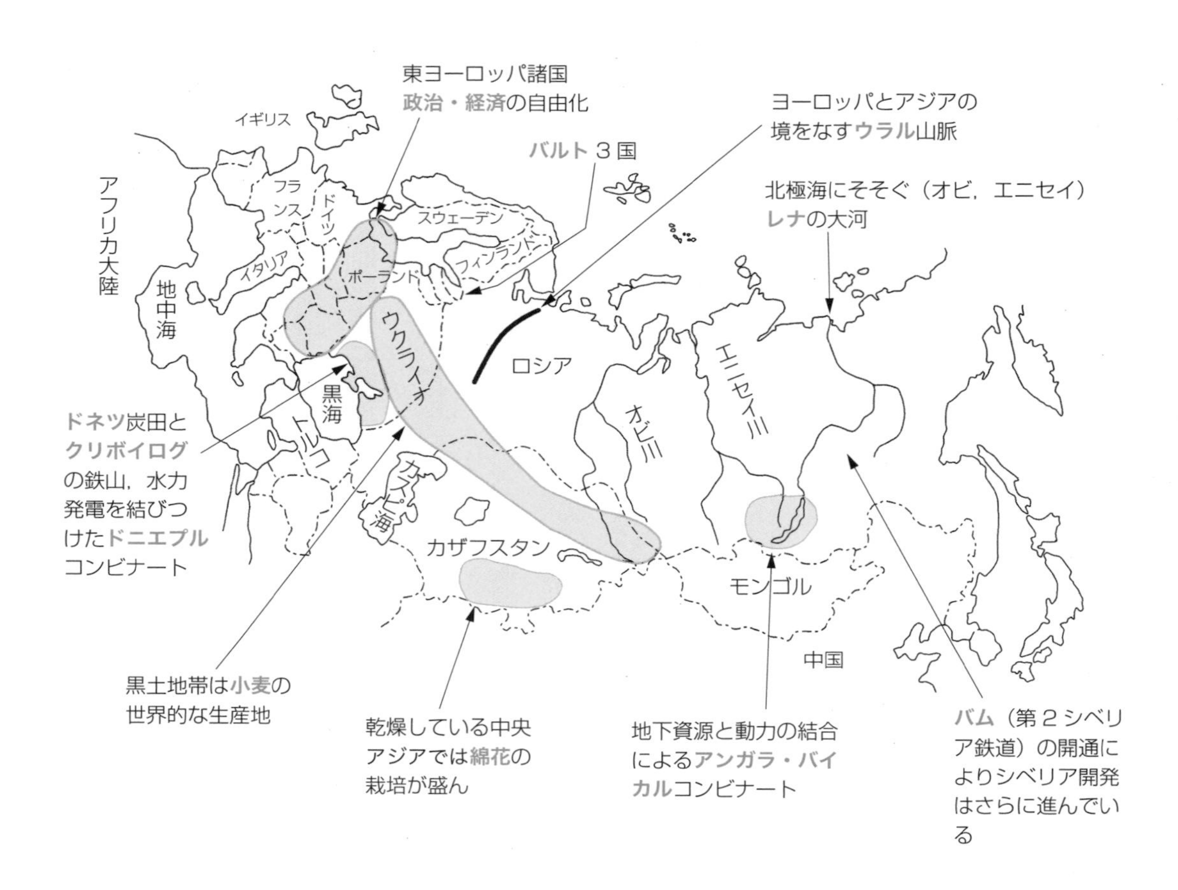

↓CIS諸国の農業区分

↓CIS諸国の鉱工業

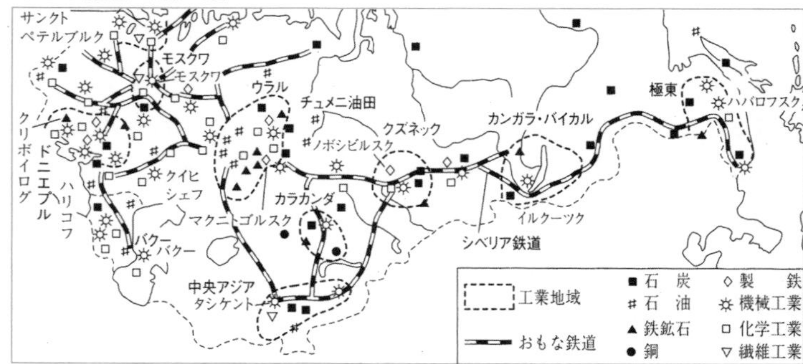

〔ユーラシア北部〕

➤1917年ロシア革命で社会主義国 1. ソビエト連邦 が成立。
戦後アメリカ合衆国と**冷戦**状態となり，東欧諸国と軍事同盟 2. ワルシャワ条約機構 を結成。1985年ゴルバチョフの 3. ペレストロイカ により大きく変革し，1991年ソ連崩壊，現在のロシアに至る。

➤ 4. エストニア ， 5. ラトビア ， 6. リトアニア の３国の総称を**バルト３国**という。1939年ソ連邦に合併されたが，1991年に独立を達成した。

➤1991年のソビエト連邦崩壊後に結成された国家連合は 7. 独立国家共同体 ，略称 8. CIS である。
旧ソビエト連邦を構成していた15か国のうち，同年９月に連邦を離脱して独立した 9. バルト３国 ，2009年8月に離脱した 10. ジョージア （グルジア）を除く，ロシア，ウズベキスタン，カザフスタンなど９か国によって構成される。
経済の 11. 自由化 が始まり，国営企業から民営企業への転換が相次いだ。そのため経済の混乱や食料・物資の不足に悩まされており，所得の格差も広がりつつある。

➤2008年8月，南オセチア軍と 12. ジョージア 軍が軍事衝突し，ロシアが軍事介入。

➤2014年ウクライナ騒乱を受け，ロシアが 13. クリミア半島 に侵攻し実効支配した。この結果 G8から除外された。

➤2022年ロシアがウクライナ軍事侵攻。世界の安全保障環境が揺らいだ。

➤2023年２月，トルコ南部で大地震が発生。４月， 14. フィンランド がNATO（北大西洋条約機構）に加盟。

➤2024年３月， 15. スウェーデン がNATOに加盟。

•second try•

年　月　日(　)
🕒　：　〜　：
☼ ☁ ☂ (　　)
am・pm　℃

1.
2.
3.
4.
5.
6.
7.
8.
9.
10.
11.
12.
13.
14.
15.
16.
17.
18.
19.
20.
21.
22.
23.
24.
25.

•first try•

年　月　日(　)
🕒　：　〜　：
☼ ☁ ☂ (　　)
am・pm　℃

1.
2.
3.
4.
5.
6.
7.
8.
9.
10.
11.
12.
13.
14.
15.
16.
17.
18.
19.
20.
21.
22.
23.
24.
25.

プラスチェック！

□コンビナートはロシア語で「総合工業地帯」という意味。原料の産地と供給源を結びつけて工業地帯を建設し，合理的な生産を図る。

□BRICS…国土・人口・豊かな天然資源で大きく成長が見込まれるブラジル，ロシア，インド，中国，南アフリカを指す。加盟国が拡大中。

＊このページで覚えた知識を教師になってどう活かしたい？

＊あ！あれ何だっけ？　確認メモ！

日本の生活に浸透しているアメリカ文化

アングロアメリカ地域における自然や農業・産業に関連する特色や分布，アメリカ独立の歴史，日本との貿易関係などについて把握しておこう。

アングロアメリカ

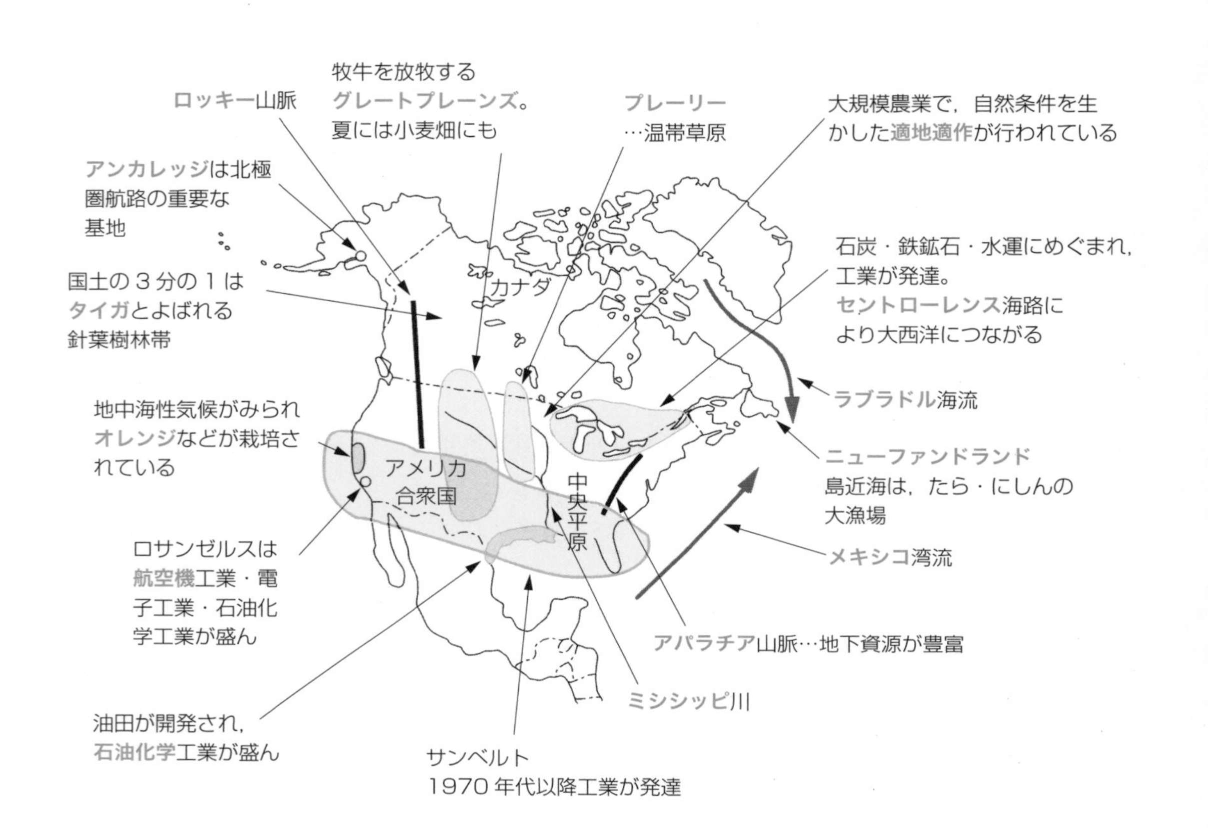

↓アメリカ合衆国の農牧業

↓アメリカ合衆国の鉱工業

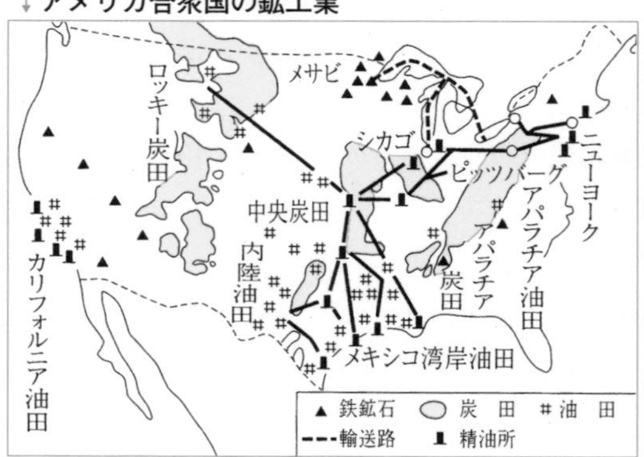

〔アングロアメリカ〕

▶アメリカ合衆国

16世紀：1. イギリス が北米に植民地をつくる

18世紀：2. 独立戦争 に勝つ。**合衆国憲法**を制定

19世紀：南北戦争。以後領土を拡大

20世紀：２度の世界大戦で世界的に影響力をもつ

▶文化……ジャズ，ロック，ハリウッド映画，ジーンズ，ハンバーガー，コーラ，ポテトチップス，ファストフード店

▶北東部大西洋岸のメガロポリスから五大湖周辺に至る 3. スノーベルト と称される地帯で重工業が発展したが，現在は南部の 4. サンベルト で情報通信技術産業が急速に成長している。

▶日本の輸出超過，アメリカの対日貿易赤字の不均衡から生ずる問題を 5. 日米貿易摩擦 という。

▶坑道を掘らずに，地表面から直接鉱石などを掘り出す方法を 6. 露天掘り という。アメリカ合衆国の**メサビ鉄山**，**ユタ銅山**，中国の**フーシュン炭田**などで行われている。

▶春に種をまき秋に収穫する小麦を 7. 春小麦 という。冷涼な地方で栽培する。

▶秋に種をまき翌春から初夏にかけて収穫する小麦を 8. 冬小麦 という。比較的温暖な地方で栽培する。ちょうど端境期に当たるので高値で出荷できる。

▶ 9. アラスカ は，1867年にアメリカがロシアから720万ドルで買った。交渉は，国務長官H・スワードが行ったが，当時のアメリカの世論は，何の役にも立たない凍った荒地を買ったとして，この取引を「スワードの愚行」「スワードの巨大な 10. 冷蔵庫 」と酷評した。しかしその後，石油や金などの豊富な資源によってアメリカは莫大な富を手にすることになった。

•second try•	•first try•
年　月　日(　)	年　月　日(　)
:　〜　:	:　〜　:
(　　)	(　　)
am · pm　℃	am · pm　℃
1.	1.
2.	2.
3.	3.
4.	4.
5.	5.
6.	6.
7.	7.
8.	8.
9.	9.
10.	10.
11.	11.
12.	12.
13.	13.
14.	14.
15.	15.
16.	16.
17.	17.
18.	18.
19.	19.
20.	20.
21.	21.
22.	22.
23.	23.
24.	24.
25.	25.

プラスチェック！

□西側諸国の指導的地位にあるアメリカ合衆国だが，貿易不均衡・突出する軍事予算，金融危機などにより赤字財政が続いている。

＊このページで覚えた知識を教師になってどう活かしたい？

＊あ！あれ何だっけ？　確認メモ！

chapter 34 ［地理］

アマゾン川流域では開発と環境保護の両立が課題

ラテンアメリカ，オセアニア地域における自然や農業・産業に関連する特色，近年の国際的な動向などについて把握しておこう。

ラテンアメリカ，オセアニア，両極

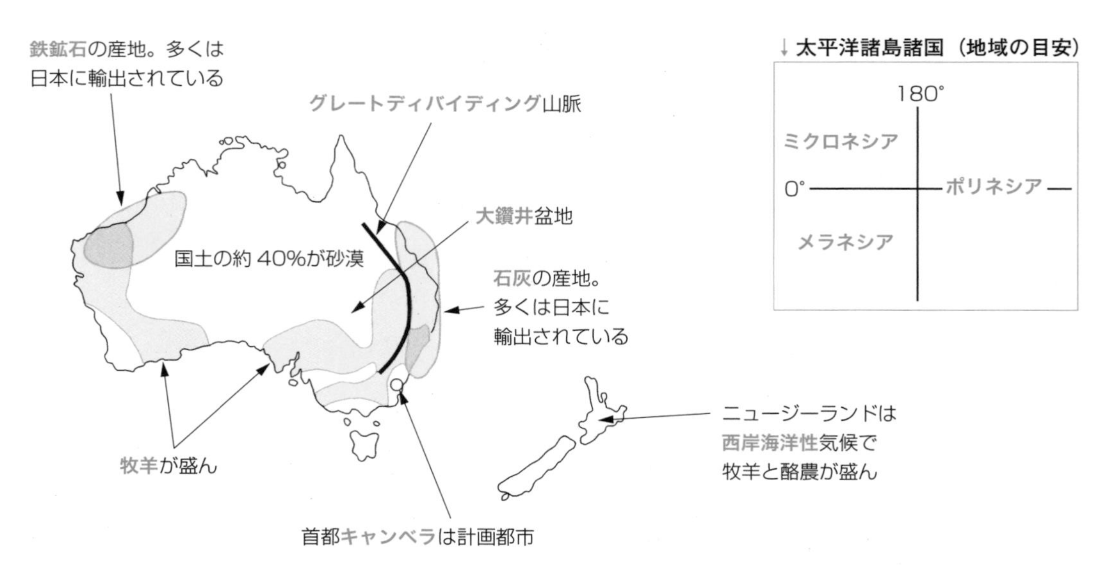

〔ラテンアメリカ〕

➤欧米の技術・資本と現地の安くて豊富な労働力を利用して行われる大農法を 1.プランテーション という。東南アジア，アフリカ，南アメリカにみられる。いずれも 2.単一耕作 （モノカルチャー）のため，価格が一定となりにくい。おもにコーヒー，カカオ，天然ゴム，さとうきびなど。

➤ラテンアメリカの文明

○メキシコ： 3.マヤ 文明　○ペルー： 4.インカ 文明

➤アマゾン川流域の開発のため，熱帯林の伐採がすすむ。 5.環境 問題が心配されている。

➤2016年に，南アメリカ大陸初のオリンピックがブラジルの 6.リオデジャネイロ で開催された。

〔オセアニア〕

➤深い地層にある地下水をくみあげる井戸を 7.掘り抜き井戸 という。地下水は，自然に水をふき上げる（自噴水）。

➤住民による自治能力の乏しい地域で，国際連合に依頼された特定の国が統治する地域を 8.信託統治領 とよぶ。1994年に最後のパラオ（ベラウ）共和国が独立した。

➤日豪友好協力基本条約署名30周年に当たる2006年は「日豪交流年」とされ，2007年には「 9.安全保障協力 に関する日豪共同宣言」が調印された。

➤2014年「日豪FTA」が調印，2015年に発効した。

➤2022年 10.トンガ 王国で海底火山の噴火と津波が発生し，甚大な被害が生じた。

〔両極〕

➤南極： 11.観測基地 。北極：亜欧・米欧間の航空路。

•second try•

年　月　日(　)

:　〜　:

am・pm　℃

1.
2.
3.
4.
5.
6.
7.
8.
9.
10.
11.
12.
13.
14.
15.
16.
17.
18.
19.
20.
21.
22.
23.
24.
25.

•first try•

年　月　日(　)

:　〜　:

am・pm　℃

1.
2.
3.
4.
5.
6.
7.
8.
9.
10.
11.
12.
13.
14.
15.
16.
17.
18.
19.
20.
21.
22.
23.
24.
25.

プラスチェック！

- □メラネシアの地域には，パプアニューギニア，フィジー，ソロモンなどが位置する。
- □ポリネシアの地域には，サモア，トンガ，ツバルなどが位置する。
- □ミクロネシアの地域には，ミクロネシア，キリバス，パラオなどが位置する。

＊このページで覚えた知識を教師になってどう活かしたい？

＊あ！あれ何だっけ？　確認メモ！

chapter 35 ［地理］

日本の国土の約75％は山地

日本の気候区分を押さえ，その特色を踏まえて各地方における農業の特色などについて把握していこう。日本列島は火山や地震が活発であるため，学校での安全教育は欠かせない。

日本の自然

山脈・山地・高地

①北見山地
②日高山脈
③天塩山地
④夕張山地
⑤北上高地
⑥奥羽山脈
⑦出羽山地
⑧越後山脈
⑨阿武隈高地
⑩関東山地
⑪赤石山脈（南アルプス）
⑫木曽山脈（中央アルプス）
⑬飛騨山脈（北アルプス）
⑭丹波高地
⑮紀伊山地
⑯中国山地
⑰四国山地
⑱筑紫山地
⑲九州山地

火山帯

㋐千島火山帯
㋑那須火山帯
㋒鳥海火山帯
㋓富士火山帯
㋔乗鞍火山帯
㋕白山火山帯
㋖霧島火山帯

㋐日本海流（黒潮）
㋑対馬海流
㋒千島海流（親潮）
㋓リマン海流

平野・台地（おもな川）

Ⓐ根釧台地
Ⓑ十勝平野
Ⓒ石狩平野（石狩川）
Ⓓ秋田平野
Ⓔ仙台平野（北上川）
Ⓕ越後平野（信濃川）
Ⓖ富山平野
Ⓗ関東平野（利根川）
Ⓘ濃尾平野（木曽川）
Ⓙ大阪平野（淀川）
Ⓚ讃岐平野
Ⓛ高知平野
Ⓜ筑紫平野（筑後川）
Ⓝ宮崎平野

【日本の気候区分】

Ⅰ 1. 太平洋岸 気候……年間降水量が多く，冬は乾燥する。季節風の影響を受ける。
Ⅱ 2. 日本海岸 気候……夏は高温で湿度が高く，冬は降水（雪）量が多い。
Ⅲ 3. 南西諸島 気候……梅雨から夏にかけて雨が多く，冬も比較的高温。
Ⅳ 4. 北海道 気候……年間降水量は少なく，低温で夏は涼しい。梅雨がほぼない。
Ⅴ 5. 中央高地 気候……夏は涼しく冬は寒い。年間降水量は少なく，気温の較差が大。
Ⅵ 6. 瀬戸内 気候……温暖で雨が少なく，晴れの日が多い。

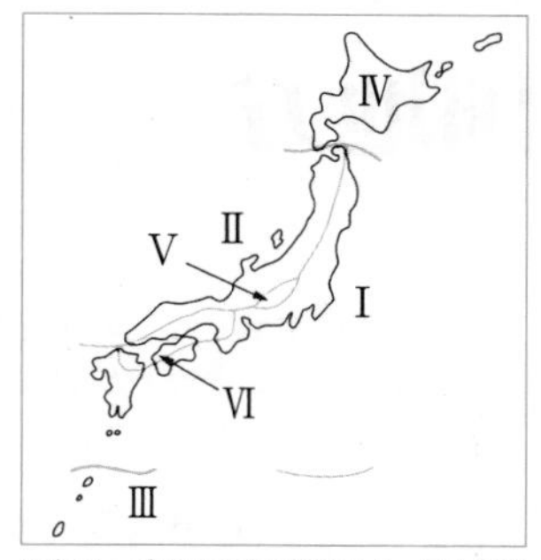

＊左ページの日本の気候区分Ⅰ～Ⅵと対照。

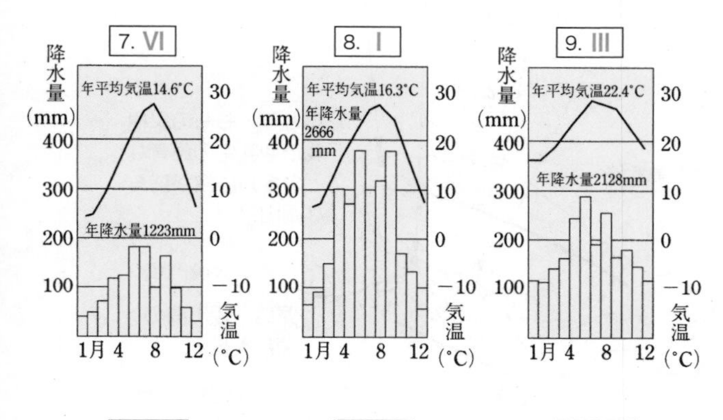

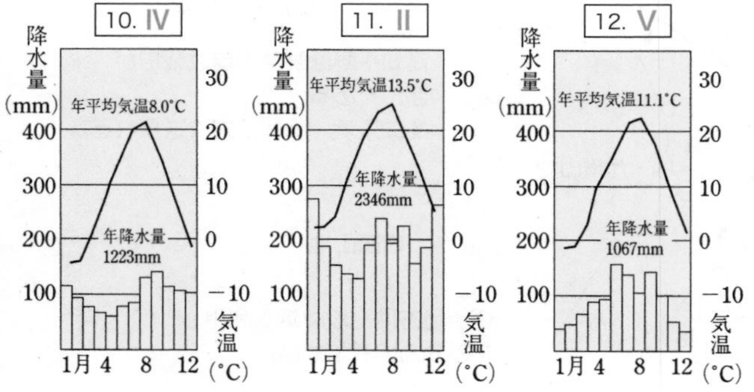

•second try•

年　月　日(　)

：　～　：

am・pm　℃

1.
2.
3.
4.
5.
6.
7.
8.
9.
10.
11.
12.
13.
14.
15.
16.
17.
18.
19.
20.
21.
22.
23.
24.
25.

•first try•

年　月　日(　)

：　～　：

am・pm　℃

1.
2.
3.
4.
5.
6.
7.
8.
9.
10.
11.
12.
13.
14.
15.
16.
17.
18.
19.
20.
21.
22.
23.
24.
25.

プラスチェック！

□日本は四方を海に囲まれ，周囲が100m以上ある離島は約6,800島ある世界有数の多島国家である。

□最東端：南鳥島，最西端：与那国島，最南端：沖ノ鳥島，最北端：択捉島

＊このページで覚えた知識を教師になってどう活かしたい？

＊あ！あれ何だっけ？　確認メモ！

長崎くんち，出雲大社大祭礼，徳島の阿波おどり

九州・中国・四国地方の自然，農業・産業に関連する特色，地理的な特色，インフラ，近年の動向，発生した災害などについて把握しておこう。

九州・中国・四国地方

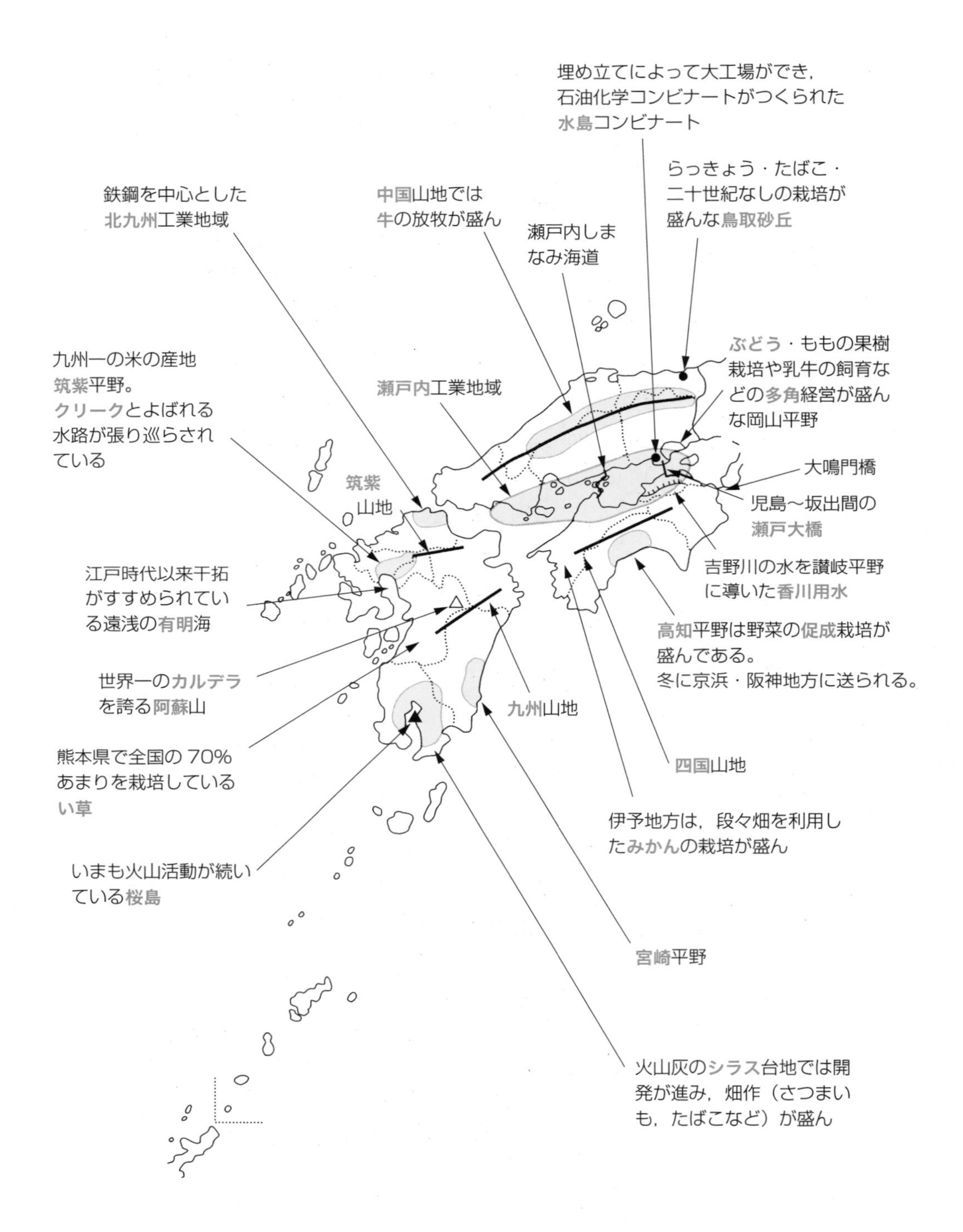

〔九州・中国・四国地方〕

➤海岸部でプランクトンが異常発生して海が赤くなる現象を 1.赤潮 という。

➤人口の流出が激しく，極端に人口が減ることを 2.過疎 という。

➤1960年代以降，九州には 3.半導体企業 の工場立地が相次ぎ，4.シリコンアイランド とよばれる。

➤2000年に名護市で 5.九州・沖縄 サミットが開催。外相会合は九州で行われた。

➤2016年，6.熊本 地震。震度７の地震が２度起き，余震が続いた。

➤2018年６月28日から７月８日にかけて西日本を中心に広い範囲で記録された集中豪雨を 7.平成30年７月豪雨 （西日本豪雨）とよぶ。

〔沖縄〕

さとうきびの栽培が盛ん

•second try•

年　月　日(　)
：　〜　：
(　　)
am・pm　℃

1.
2.
3.
4.
5.
6.
7.
8.
9.
10.
11.
12.
13.
14.
15.
16.
17.
18.
19.
20.
21.
22.
23.
24.
25.

•first try•

年　月　日(　)
：　〜　：
(　　)
am・pm　℃

1.
2.
3.
4.
5.
6.
7.
8.
9.
10.
11.
12.
13.
14.
15.
16.
17.
18.
19.
20.
21.
22.
23.
24.
25.

プラスチェック！

[本州四国連絡架橋（本四架橋）]

□本州と四国を橋で結ぶ神戸〜鳴門（明石大橋，大鳴門橋），児島〜坂出（瀬戸大橋），尾道〜今治（因島大橋，多々羅大橋，大三島橋，伯方・大島大橋，来島大橋）の３ルートの総称。

□尾道〜今治ルートは「瀬戸内しまなみ海道」。

＊このページで覚えた知識を教師になってどう活かしたい？

＊あ！あれ何だっけ？　確認メモ！

大阪の天神祭，富山の越中八尾おわら風の盆

近畿・中部地方の自然，農業・産業に関連する特色，地理的な特色，インフラ，近年の動向，発生した災害などについて把握しておこう。

近畿・中部地方

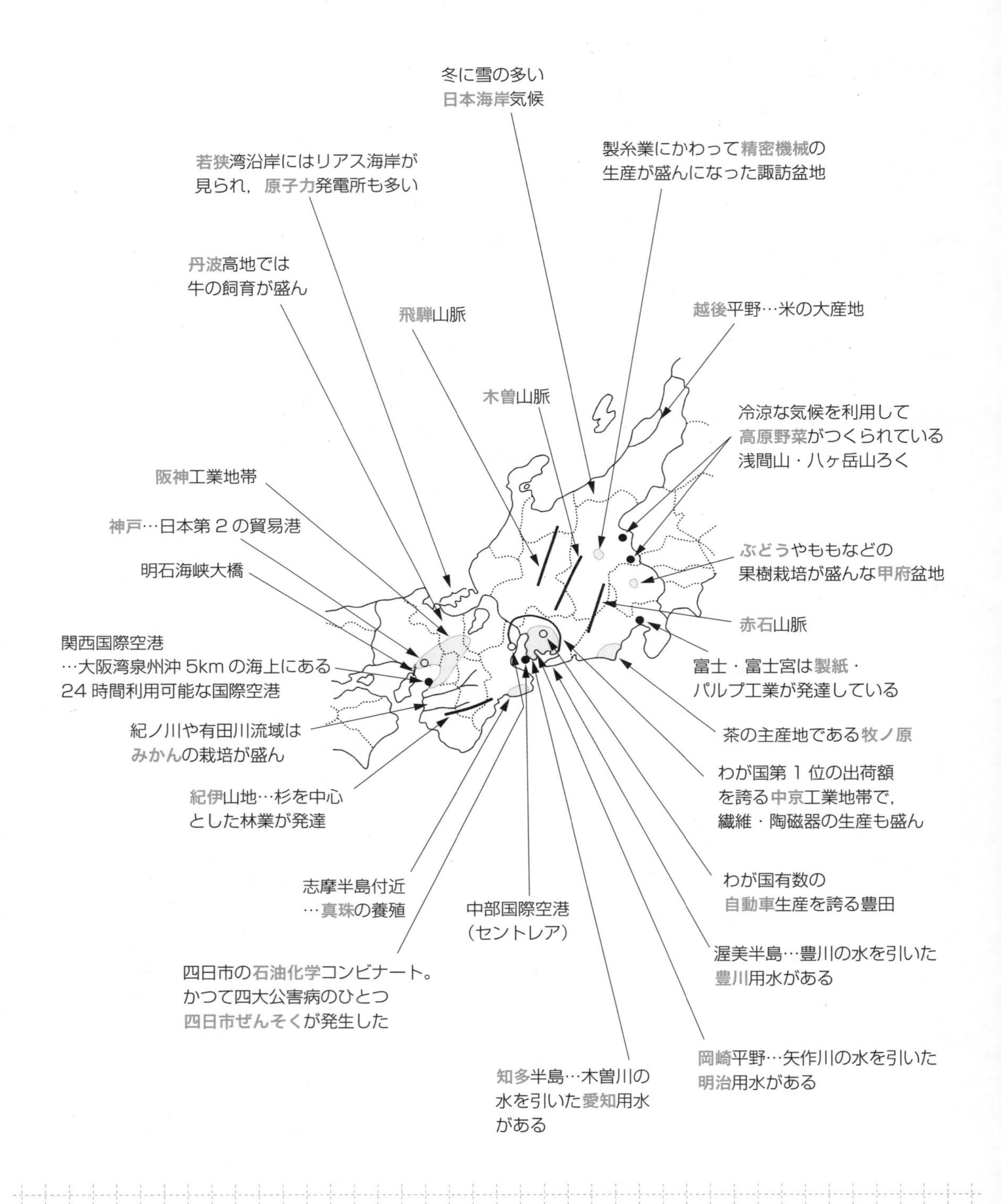

〔近畿・中部地方〕

➤水害を防ぐために，周囲を堤防で囲んだ地域を 1.輪中 という。木曽川，長良川，揖斐川の下流に見られ，稲作が盛んである。

➤自然現象や，地下水や天然ガスを大量にくみ上げることで起きる土地が沈下する現象を 2.地盤沈下 という。

➤大都市の周辺で都市の消費者向けに野菜・果実・草花などをつくる農業を 3.近郊農業 という。大阪平野のたまねぎ，房総・三浦半島の草花など。

➤滋賀県の近江盆地中央部にある 4.琵琶湖 は日本一大きい湖。水道水や農業など生活に欠かせない水として使用されてきた。そのため近畿の 5.水がめ といわれている。

➤酒づくりの技術をもつ酒蔵の長を 6.杜氏（とうじ） という。

➤1995年１月， 7.阪神・淡路 大震災。6,000人以上の犠牲者を出した。

➤2005年3月～9月 8.愛知 県で「愛・地球博」が開催された。

➤2007年７月，震度６強の 9.新潟県中越沖地震 が発生，甚大な被害を受けた。震源地が原子力発電所の近くであったため，影響が心配された。

➤2015年３月，北陸新幹線（金沢～長野駅間）が開業した。

➤2016年，伊勢志摩で伊勢志摩 10.サミット が開催された。

➤2024年１月， 11.能登半島地震 が発生。

•second try•

年 月 日( )
: ～ :
( )
am・pm ℃

1.
2.
3.
4.
5.
6.
7.
8.
9.
10.
11.
12.
13.
14.
15.
16.
17.
18.
19.
20.
21.
22.
23.
24.
25.

•first try•

年 月 日( )
: ～ :
( )
am・pm ℃

1.
2.
3.
4.
5.
6.
7.
8.
9.
10.
11.
12.
13.
14.
15.
16.
17.
18.
19.
20.
21.
22.
23.
24.
25.

プラスチェック！

□中部地方の中央部，飛騨山脈・木曽山脈・明石山脈の３つを日本アルプスとい，日本の屋根ともいわれている。

□2025年４～10月，「いのち輝く未来社会のデザイン」をテーマに大阪夢州（ゆめしま）で大阪・関西万博の開催が予定されている。

＊このページで覚えた知識を教師になってどう活かしたい？

＊あ！あれ何だっけ？　確認メモ！

chapter 38 [地理]

東京の三社祭，青森ねぶた祭，さっぽろ雪まつり

関東・東北・北海道地方の自然，農業・産業に関連する特色，地理的な特色，インフラ，近年の動向，発生した災害などについて把握しておこう。

関東・東北・北海道地方

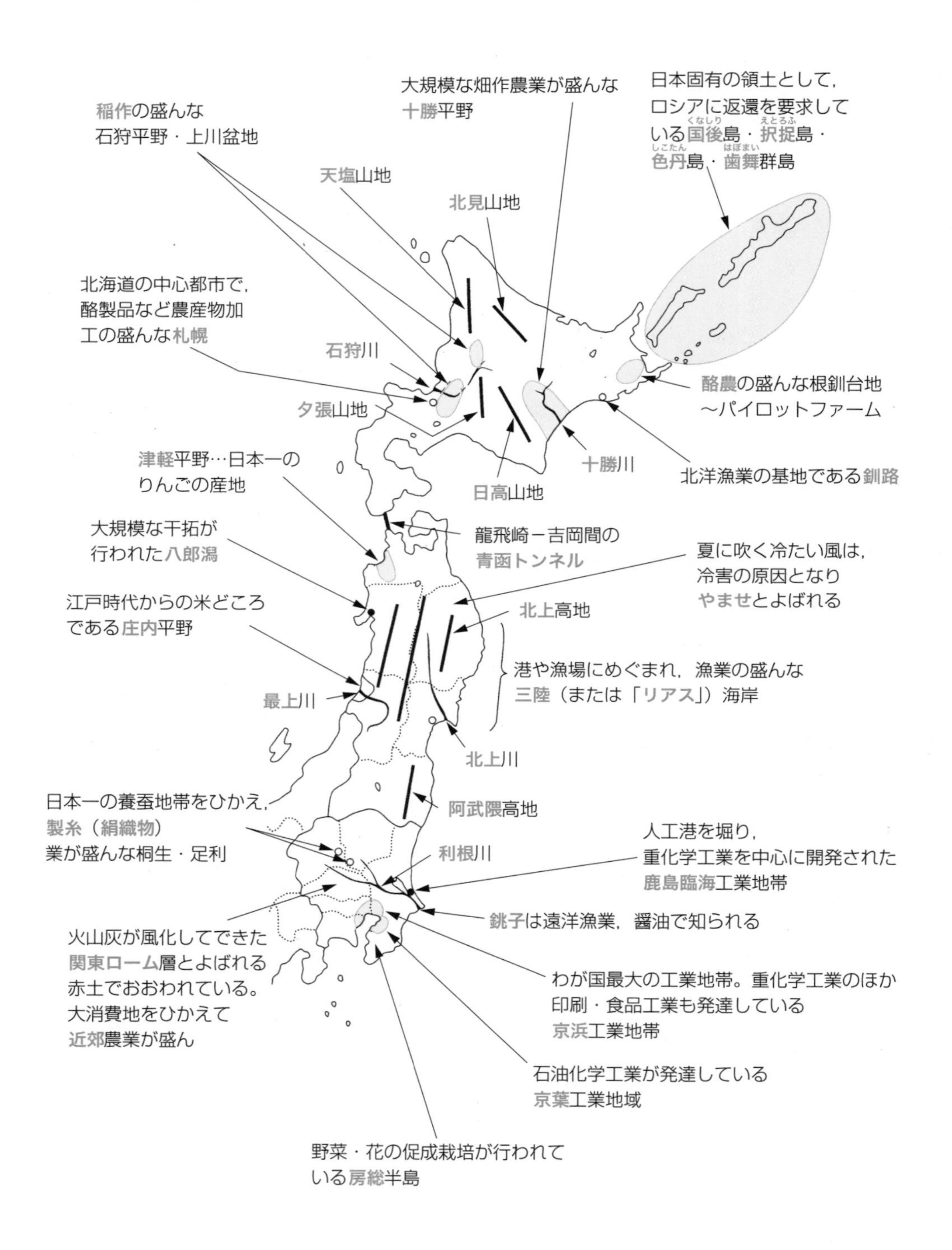

〔関東・東北・北海道地方〕

➤東京近郊は過密状態にあり，騒音・公害・住宅難・交通渋滞・ゴミ問題など生活環境が悪化している（都市問題)。

➤冬期，関東平野一帯に吹く乾燥した冷たい風を 1.からっ風 とよぶ。

➤三陸沖は暖流と寒流の合流する地点である 2.潮目 があり，魚の種類が多く良い漁場となっている。

➤都心部で人口が減少し，都市の周辺部で増加する現象を 3.ドーナツ化現象 という。

➤水産資源の保護のため，1977年７月から，わが国も領海を３カイリから 4.12 カイリに拡大し，200カイリ 5.排他的経済水域 を実施した。

　東経 6.135° 以西の日本海側から東シナ海にかけては200カイリではない。また大隅・対馬・津軽海峡などは沿岸から３カイリが領海で，海峡中央部は公海である。

➤2008年，北海道洞爺湖畔で北海道洞爺湖 7.サミット が開催された。

➤2011年3月11日， 8.東日本大震災 が発生。多くの犠牲者を出し，また，福島第一原発の放射能被害が深刻である。

➤2018年，胆振地方中東部を震源とした 9.北海道胆振東部 地震が発生した。北海道で初めて震度７を記録した。

•second try•	•first try•
年　月　日(　)	年　月　日(　)
：　〜　：	：　〜　：
(　　)	(　　)
am・pm　℃	am・pm　℃
1.	1.
2.	2.
3.	3.
4.	4.
5.	5.
6.	6.
7.	7.
8.	8.
9.	9.
10.	10.
11.	11.
12.	12.
13.	13.
14.	14.
15.	15.
16.	16.
17.	17.
18.	18.
19.	19.
20.	20.
21.	21.
22.	22.
23.	23.
24.	24.
25.	25.

プラスチェック！

□北海道の屈斜路湖は，日本一大きいカルデラ湖。

□宮城県の松島は日本三景の１つ。（ほか京都府の天橋立，広島県の宮島（厳島））

□関東地方を流れる利根川は，日本最大の流域面積で約16,840km²。

＊このページで覚えた知識を教師になってどう活かしたい？

＊あ！あれ何だっけ？　確認メモ！

chapter 39 [地理]

その文化遺産が生み出された歴史的背景に留意

日本は，文化財について，国宝，重要文化財，名勝等として指定・選定・登録・保存を図り，普遍的価値を有するものをユネスコに推薦し世界文化遺産への登録を推進している。

日本の世界遺産

[日本の世界文化遺産(2024年7月現在)]

➤世界遺産とは，1972年国連教育科学文化機関（UNESCO）の総会において採択された「世界遺産条約（世界の文化遺産および自然遺産の保護に関する条約）」に基づいて，世界遺産委員会（21か国）の世界遺産リストに登録されたものを指す。

【自然遺産】

記載年	資産名
1993	1. 屋久 島
1993	白神山地
2005	知床
2011	小笠原諸島
2021	奄美大島，徳之島，沖縄島北部及び西表島

【文化遺産】

記載年	資産名
1993	2. 法隆 寺地域の仏教建造物
1993	3. 姫路 城
1994	古都京都の文化財
1995	白川郷・五箇山の合掌造り集落
1996	原爆ドーム
1996	4. 厳島 神社
1998	古都奈良の文化財
1999	日光の社寺
2000	琉球王国のグスク及び関連遺産群
2004	5. 紀伊 山地の霊場と参詣道
2007	6. 石見 銀山遺跡とその文化的景観
2011	平泉　－仏国土（浄土）を表す建築・庭園及び考古学的遺跡群－
2013	7. 富士 山　－信仰の対象と芸術の源泉－
2014	富岡製糸場と絹産業遺産
2015	明治日本の 8. 産業革命 遺産　製鉄・鉄鋼，造船，石炭産業
2016	ル・コルビュジエの建築作品　－近代建築運動への顕著な貢献－
2017	「神宿る島」宗像・沖ノ島と関連遺産群
2018	長崎と天草地方の潜伏キリシタン関連遺産
2019	百舌鳥・古市古墳群　－古代日本の墳墓群－
2021	北海道・北東北の 9. 縄文 遺跡群
2024	佐渡島の 10. 金山

•second try•

年　月　日(　)
：　〜　：
（　）
am・pm　℃

1.
2.
3.
4.
5.
6.
7.
8.
9.
10.
11.
12.
13.
14.
15.
16.
17.
18.
19.
20.
21.
22.
23.
24.
25.

•first try•

年　月　日(　)
：　〜　：
（　）
am・pm　℃

1.
2.
3.
4.
5.
6.
7.
8.
9.
10.
11.
12.
13.
14.
15.
16.
17.
18.
19.
20.
21.
22.
23.
24.
25.

プラスチェック！

☐日本は世界遺産条約について1992年に締結した。
☐潜伏キリシタン関連遺産は11の資産で構成され，17～19世紀でひそかに信仰を守った歴史がテーマ。
☐上記テーマは①始まり，②形成，③維持・拡大，④変容・終わり，の４期に区分される。

＊このページで覚えた知識を教師になってどう活かしたい？

＊あ！あれ何だっけ？　確認メモ！

西洋思想史は教職教養の教育史ともリンクする

古代ギリシアで生まれた哲学は，世界の哲学の源流である。物事の本質を探っていく哲学的な考え方を知ることは，「主体的・対話的で深い学び」実践のヒントにもなりえる。

西洋の思想

【現代思想に至る流れ】

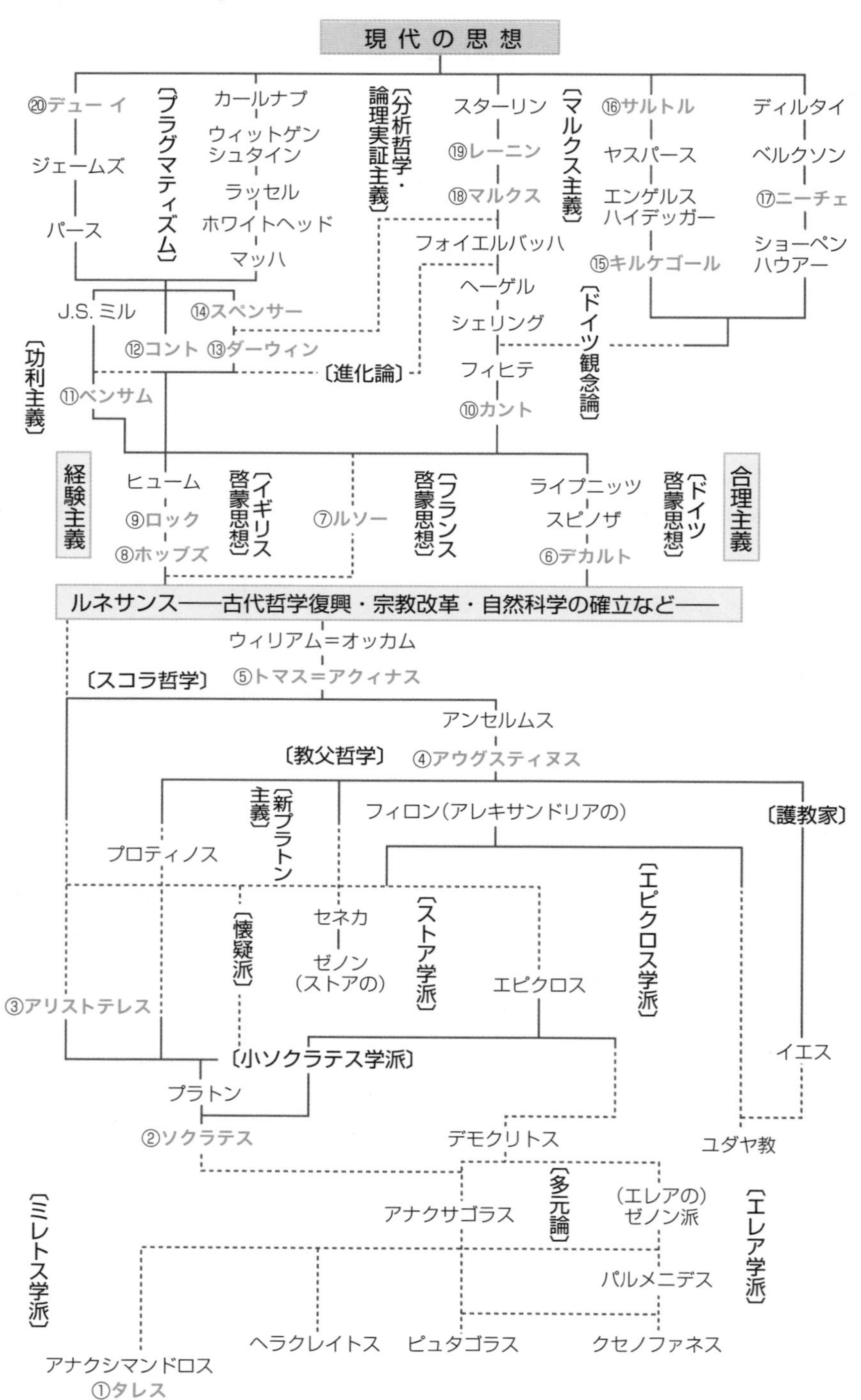

□
□

【西洋の思想家】（①～⑳は左ページ連番各人物の説明）

①科学的真理，宇宙の根元を探った。「万物の根元は［1. 水］である」。
②「［2. 汝自身］を知れ」。［3. 知徳合一］の急務を説いた。
③［4. 経験主義］的な倫理思想を展開。**自然科学**で大きな業績。
④古代キリスト教会最大の思想家。教会の正統的信仰を代表する神学者であり，哲学者。
⑤カトリック教会とアリストテレス哲学を融合し［5. 神学］の権威を確立。教会の立場から学芸総合し［6. スコラ哲学］の最高峰を成した。
⑥「［7. 我］思う，故に［8. 我］あり」。人間が生まれながらにしてもっている理性のみを信頼する**理性論**をとなえた。
⑦代表的著書**『社会契約論』**の中で「［9. 自然］に帰れ」と主張。理知よりも人間本来の自然な感情を重んじた。
⑧『［10. リヴァイアサン］』で，社会の平和と秩序の維持には人間相互に契約して国家をつくり，支配権を君主にゆだねる必要を説いた。
⑨人間の心を［11. 白紙(タブラ・ラサ)］にたとえ，すべての知識は経験によって得られるとする**経験論**を徹底させた。
⑩イギリス経験論と大陸合理論を統合。［12. ドイツ観念論］哲学の祖。
⑪「最大多数の最大幸福」をとなえる［13. 功利主義］の立場から，民主政治を最良の形態として**個人の自由**を尊重。
⑫自然科学の方法を応用して**社会学**を創始。学問の進歩を神学的，形而上学的，実証的の３段階に分け［14. 実証主義］をとなえた。
⑬**『種の起源』**。生存競争と自然淘汰の理論を実証的に展開。
⑭生物進化論の影響をうけ，［15. 哲学］に進化論を取り入れ可知界においては進化の法則があるとした。
⑮客観的な思弁をしりぞけ，真理は**主観**によってのみ捉えられると主張。［16. 実存主義］の祖。
⑯自由な決断による自己拘束と社会参加を［17. アンガージュマン］とよんだ。「**実存主義**はヒューマニズムである」。
⑰資本主義の行き詰まりを反映し，市民的俗物性を攻撃。個性を尊び，キリスト教と近代文明は低俗化したと主張。
⑱人間生活の苦悩は現代の社会構造や経済・制度そのものの欠陥によるとし，**革命**により正常な状態に戻すことができるとした。
⑲マルクス主義を学び，『［18. 帝国主義論］』を著す。［19. ロシア］革命の指導的役割を果たした。
⑳真理の標準が，実際的な生活にどれだけの効果を与えたかによるべきだ，とする［20. プラグマティズム］（実用主義）をとなえた。

•second try•	•first try•
年 月 日( )	年 月 日( )
: ～ :	: ～ :
( )	( )
am・pm ℃	am・pm ℃
1.	1.
2.	2.
3.	3.
4.	4.
5.	5.
6.	6.
7.	7.
8.	8.
9.	9.
10.	10.
11.	11.
12.	12.
13.	13.
14.	14.
15.	15.
16.	16.
17.	17.
18.	18.
19.	19.
20.	20.
21.	21.
22.	22.
23.	23.
24.	24.
25.	25.

プラスチェック！

□ソクラテス…問答法（産婆術），無知の知，想起説，哲学の祖。
□プラトン…ソクラテスの弟子。イデア論，哲人政治。
□アリストテレス…エイドス（形相），質料，万学の祖。

＊このページで覚えた知識を教師になってどう活かしたい？

＊あ！あれ何だっけ？　確認メモ！

春秋・戦国時代に活躍した諸子百家

多くの思想家や学派が現れた古代中国の春秋・戦国時代。孔子，孟子，墨子，老子，荘子，韓非子を中心に確認しておこう。

中国の思想

【現代中国の思想に至る流れ】

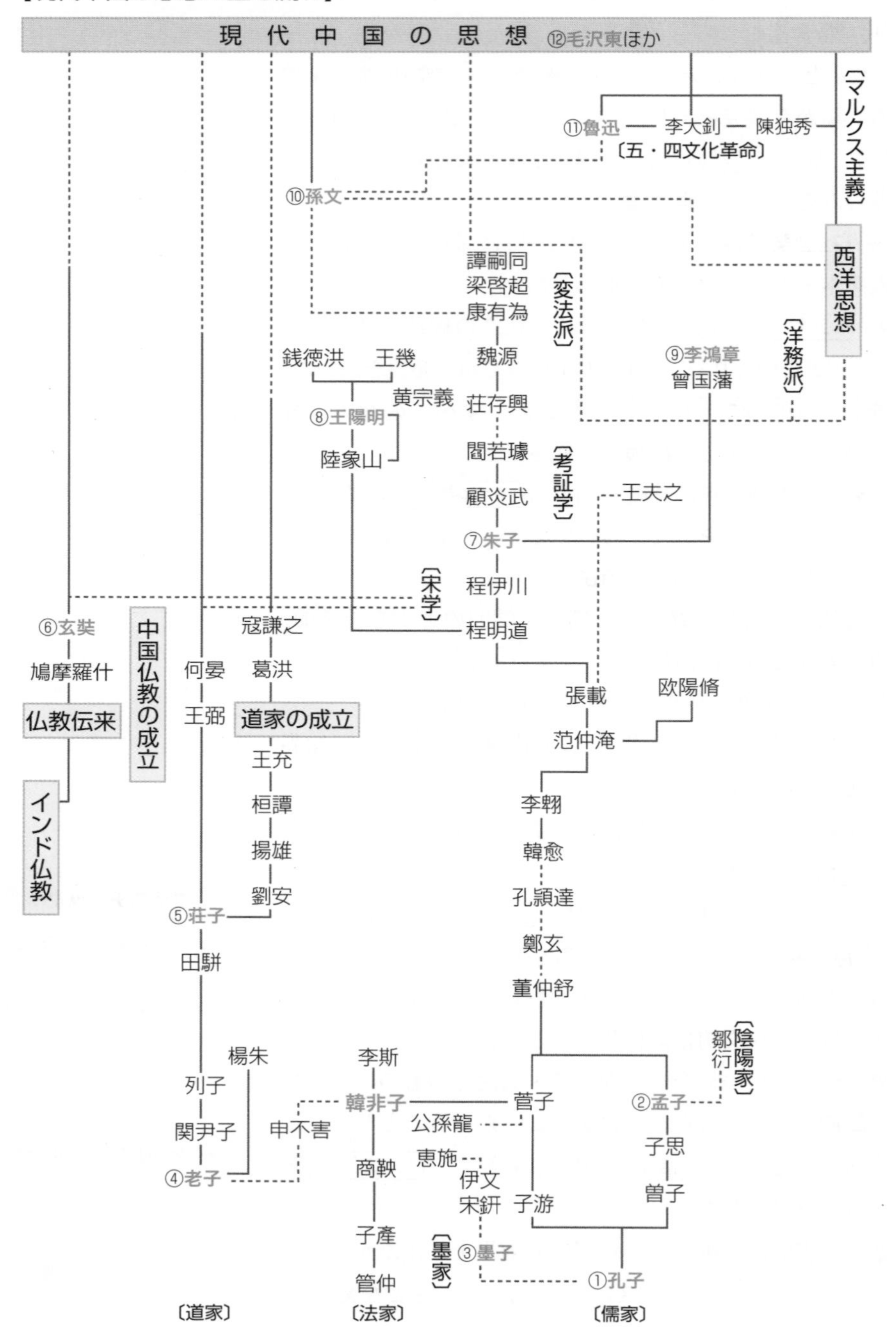

□
□

【中国の思想家】（①〜⑫は左ページ連番各人物の説明）

①**儒家**。周の初期の社会を理想として封建制の復活をとなえた。達成手段として家族的な愛から出発して人倫的な愛である「1. 仁」に到達しようとした。

②人は四端（仁義礼智の芽生えの心）を先天的に備えその性は善とする 2. 性善説 をとなえた。

③ 3. 墨家 の始祖。**無差別愛**（兼愛）を主張し，博愛とそれゆえの非攻，侵略戦争の否定を中心とした。

④ 4. 道家 の始祖。宇宙の根元であるとする道を中心にした思想をとなえた。これに従った無為自然の生き方と自給自足的な小国を理想とした。

⑤**老子**の教えを受け継ぐ。他の人々が束縛されている相対的価値を否定し，無心の世界で絶対的自由に生きる**逍遥遊**の境地を求めた。

⑥唐代初期の大翻訳家。**法相**宗，**倶舎**宗の祖。仏典と戒律との疑問点を原典について究めようとインドに入り，5. 仏典翻訳 に従事した。

⑦伝統的文化に対する批判と新しい解釈を行い，儒学哲学の体系づけを行って，6. 朱子学 として大成。

⑧朱子学によって固定化された儒学にあきたらず実践的学問を大成した。主知主義的な朱子学に対し，主観主義的な 7. 陽明学 を確立した。

⑨**太平天国の乱**の鎮圧，アヘン戦争を通じ洋式の軍事工業を中心とした近代工業の育成に努め，8. 洋務運動 の先駆者となった。

⑩三民主義「9. 民族 主義・10. 民権 主義・11. 民生 主義」をとなえ，**清**を倒し漢民族の独立を達成しようとした。

⑪ヨーロッパの近代思想の影響を受けて，儒教的伝統思想に対する革新思想の普及をはかる**文学革命**を進めた。

⑫ 12. マルクス=レーニン 主義を軸として**中国革命**を推進し，**新民主主義**をとなえて民衆の支持を得，半植民地状態にあった中国の民族独立を達成した。

•second try•	•first try•
年 月 日( )	年 月 日( )
: 〜 :	: 〜 :
( )	( )
am・pm ℃	am・pm ℃
1.	1.
2.	2.
3.	3.
4.	4.
5.	5.
6.	6.
7.	7.
8.	8.
9.	9.
10.	10.
11.	11.
12.	12.
13.	13.
14.	14.
15.	15.
16.	16.
17.	17.
18.	18.
19.	19.
20.	20.
21.	21.
22.	22.
23.	23.
24.	24.
25.	25.

プラスチェック！

□韓非子…信賞必罰を説き法や刑罰を重んじ，富国強兵で中央集権の強化をはかった。

＊このページで覚えた知識を教師になってどう活かしたい？

＊あ！あれ何だっけ？　確認メモ！

chapter 42 ［倫理］

とくに明治時代以降，社会情勢も意識して捉えよう

日本は時代ごとに中国思想に大きく影響を受け，近代化にあたっては欧米からの影響を受けた経緯をもつ。日本的思想の発達や，近代化に関わった人物の思想について確認しよう。

日本の思想

【現代日本の思想に至る流れ】

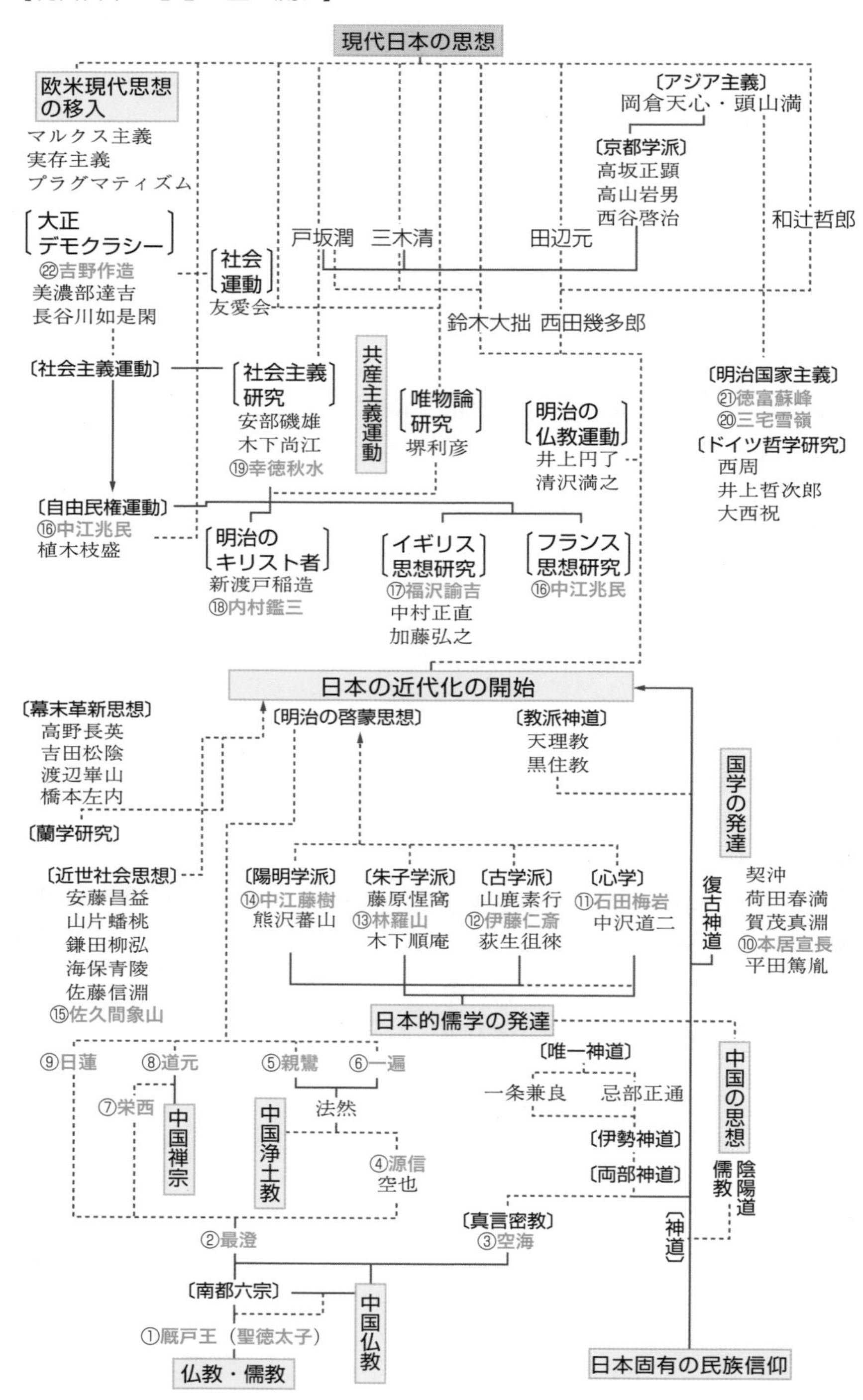

【日本の思想家】 (①～㉒は左ページ連番各人物の説明)

①日本に儒教と仏教を定着させた。仏教を奨励し，為政面で儒教を採用した。憲法 1. 十七条 ，三経義疏を残した。

②**遣唐使**として入唐し，帰朝して**比叡山延暦寺**で，**法華経**を中心とする日本独自の 2. 天台宗 をひらいた。

③入唐後，**高野山**に**金剛峯寺**を建立。 3. 真言宗 をひらく。

④『**往生要集**』を著し，阿弥陀仏の本願を信じて念仏をとなえ極楽往生を願うことをすすめた。

⑤『**教行信証**』を著す。 4. 悪人正機 を説いた。

⑥**時宗**を創始した。

⑦**坐禅**することで人間のうちにある仏性を自覚し，悟りに達しようという 5. 臨済宗 を伝えた。

⑧『**正法眼蔵**』で，仏教の真理や禅について著した。 6. 曹洞宗 の創始者。

⑨『**立正安国論**』を著し， 7. 南無妙法蓮華経 という題目をとなえればその国土はそのまま仏の浄土になると説いた。

⑩日本の古典研究の大成者。『 8. 古事記伝 』を著し，神のつくりたまえる道＝古道を説いた。

⑪神儒仏三教の思想を取り入れ，通俗平易な講話で日常生活に即した**心学**を始めた。

⑫京都堀川に 9. 古義堂 を開く。聖人の道を正しく理解しようと**古義学**をとなえた。

⑬藤原惺窩に師事。日本**朱子学**を確立し，徳川家康に仕えた。

⑭ 10. 日本陽明学 の祖。『翁問答』を著した。

⑮洋学者。進んで西洋の学術を採用すべきだと説いた。

⑯フランスの自由民権論を説く。ルソーの**社会契約論**を訳した。

⑰啓蒙思想家。**明六社**創立に参加し，「脱亜入欧」を主張した。

⑱日本的キリスト教の確立に努める。無教会主義。非戦論。

⑲社会民主党結成に参加。 11. 平民社 を設立し日露戦争に反対を訴えたが大逆事件で刑死した。

⑳日本の伝統や国情に即して，欧米文化を吸収していこうといった 12. 国粋主義 をとなえた。

㉑西欧文化の受容は一般民衆の立場からなされるべきと主張し平民主義をとなえた。

㉒政治の目的が民衆の福利にあり，政策決定が民衆の意向にもとづくべきという 13. 民本主義 をとなえた。

•second try•	•first try•
年 月 日( )	年 月 日( )
: ～ :	: ～ :
( )	( )
am · pm ℃	am · pm ℃
1.	1.
2.	2.
3.	3.
4.	4.
5.	5.
6.	6.
7.	7.
8.	8.
9.	9.
10.	10.
11.	11.
12.	12.
13.	13.
14.	14.
15.	15.
16.	16.
17.	17.
18.	18.
19.	19.
20.	20.
21.	21.
22.	22.
23.	23.
24.	24.
25.	25.

プラスチェック！

［鎌倉新仏教］

□浄土宗 ― 法然，浄土真宗 ― 親鸞，
時　宗 ― 一遍，臨済宗 ― 栄西，
曹洞宗 ― 道元，日蓮宗（法華宗）― 日蓮

＊このページで覚えた知識を教師になってどう活かしたい？

＊あ！あれ何だっけ？　確認メモ！

chapter 43 ［倫理］

宗教の知識はグローバル社会における必須教養

昨今学校においても外国人児童生徒の在籍率が増加している。これからの国際社会においては宗教についての歴史や背景を正しく理解し，多様性を尊重できる姿勢が求められる。

三大宗教と儒教

【仏教】

➤紀元前５世紀，1.ブッダ（シャカ，ガウタマ＝シッダールタ）が2.バラモンに疑問をもち，出家して悟りを開いて説いた教えが仏教である。

➤仏教の思想は絶対的なものは否定し，存在するものすべては相対的なものであるというところに根本がある。

➤ブッダの死後，仏教は3.大乗仏教，4.小乗仏教と２つに大きく分かれた。

➤5.大乗仏教は「**般若経**」を基本に，六波羅蜜多の最初に「**施し**」をあげていることが特徴的。その哲学的側面である「**空**」の思想については，**龍樹**の研究などがある。一方，6.小乗仏教は，厳しい修行により自己の解脱を求めた。日本に伝えられたのは，このうち7.大乗仏教である。

【イスラーム教】

➤イスラーム教は，７世紀の初め，8.アラビア半島において，**ムハンマド（マホメット）**によって起こされた。中心聖典は，9.コーランとよばれるものである。

➤唯一神10.アッラーに帰依し，その教えに従って正しい生活を送ることにより救いを得ることを根本としている。

➤ムハンマド（マホメット）は，それまでの**多神教**，**偶像崇拝**を排撃し，神の前では人間は種族，階級，貧富の差がなく，11.平等であると説いた。

➤イスラーム教徒は，信仰の基本となる６つの「**信**」〔①神（アッラー），②天使，③聖典，④預言者，⑤来世，⑥天命〕と，これに伴う５つの「**行**」〔①信仰告白，②礼拝，③断食，④喜捨，⑤巡礼〕を兼ねそなえなければならないとしている。

➤イスラーム教はイスラーム帝国の拡大とともに発展し，現在三大宗教の１つとなっている。信徒の数は，西アジア，北アフリカを中心に，世界人口の約25％といわれている。

【キリスト教】

➤キリスト教は，12.ユダヤ教を母胎にして，イエス＝キリストによって創始された。イエスは紀元前４年頃，大工の子としてベツレヘムに生まれた。当時の律法主義の社会に対して世界主義的，精神主義的な愛を説き，30歳頃から布教活動を始めた。

➤イエスの死後，13.ペテロ，14.パウロによって，布教活動が行われ世界に広がっていった。ローマ帝国時代に，三位一体説をとなえた初期キリスト教教会最大の教父15.コンスタンティヌス帝によりキリスト教信仰は体系づけられた。またこのときに神への信仰の基礎づけも行われた。

➤キリスト教は，ネロ帝，後にはディオクレティアヌス帝などに迫害をうけたが，313年の**ミラノ勅令**で信仰の自由が認められ，392年に**テオドシウス帝**により16.国教化された。

▶教義は，ヘブライ語で書かれた旧約聖書をもとにギリシア語で書かれた 17. 新約聖書 に記されている。（旧約聖書では神の正しさによる裁きが強調されているのに対し，イエスは，律法の核心は 18. 愛 であるという精神を示した。）

▶イエスの説いている 19. 愛 は**アガペー**といい，自らを捨てても他者を愛する自発的な愛であり，また，人の差別なくすべての人を愛する完全な愛である。この愛が，どんな人間にもほんとうの人間として生きることを自覚させることにつながる。罪人や敵をも愛する人類愛のことで，ここに神の子としての人間尊重，神の前における人間の考え方が示されている。

【儒教】

▶紀元前８～３世紀，中国の 20. 春秋・戦国 時代，有力な諸侯は自国の富国強兵に努めた。強大な政治権力をもつものはなかったので自由な雰囲気があった。

▶このような中，**富国強兵**の新しい考え方が求められ，さまざまな思想が展開された。おもなものは９つに分かれる。

21. 儒 家……**孔子**，曾子，孟子，荀子
22. 道 家……**老子**，荘子
23. 墨 家……墨子
名家……恵施，公孫竜
農家……許行
陰陽家……鄒衍（すうえん）
縦横家……蘇秦，張儀
兵家……孫子，呉子（呉起）
法家……管仲，韓非子，商鞅，李斯

▶儒家によって説かれた儒教は，後の思想に大きな影響を与えた。開祖は 24. 孔子 である。その思想は，「**仁**」が中心であり「仁とは人なり」と孔子が説いているように，あくまでも人間への愛を中心にした考え方であった。孔子の教えはその死後，弟子によって集成された四書の１つである『25. 論語』により，よく知ることができる。

•second try•

年　月　日(　)
：　～　：
(　　)
am・pm　℃

1.
2.
3.
4.
5.
6.
7.
8.
9.
10.
11.
12.
13.
14.
15.
16.
17.
18.
19.
20.
21.
22.
23.
24.
25.

•first try•

年　月　日(　)
：　～　：
(　　)
am・pm　℃

1.
2.
3.
4.
5.
6.
7.
8.
9.
10.
11.
12.
13.
14.
15.
16.
17.
18.
19.
20.
21.
22.
23.
24.
25.

プラスチェック！

□世界（三大）宗教とは，宗教のうち人種，民族，国籍などを超えて広く世界で信仰されている宗教を指すと考えられる。

□ヒンドゥー教…民族宗教。インド独自の宗教。古来の神々を信仰する多神教。

＊このページで覚えた知識を教師になってどう活かしたい？

＊あ！あれ何だっけ？　確認メモ！

chapter 44 ［芸術］

画像等の鑑賞で，自身の印象も学習情報に

古代は文化による建築様式の違いを，ルネサンス以降の多くの流派については，それぞれの代表的な画家とその作品の組み合わせについて押さえておこう。

西洋美術史

【西洋美術の潮流】

➤**ギリシア古典文化**……ヨーロッパ文化の根源の１つ。合理的で人間中心主義。大理石を用いた建築，彫刻が特色。アテネの 1. パルテノン 神殿など。柱の様式：**イオニア，コリント，ドーリア**。

➤ 2. ヘレニズム ……都市**アレクサンドリア**を中心に栄える。写実主義。『ミロのヴィーナス』など。

➤**ビザンティン**……ビザンツ帝国を中心に栄えた。キリスト教**アギア・ソフィア大聖堂**など。

➤ 3. ロマネスク ……10～12世紀頃，北イタリアからおきた**半円アーチ**を基本とする建築様式。ローマ様式に東方様式が加わった。ピサ大聖堂など。

➤**ゴシック**……13～15世紀の北フランス，ドイツ，イギリス等で発展した建築様式。垂直線，大窓，ステンドグラスが特徴。パリの 4. ノートルダム 大聖堂，ドイツの**ケルン大聖堂**，イタリアの**ミラノ大聖堂**など。

➤ 5. ルネサンス ……15～16世紀，古代ギリシア文化への復帰を目的とした文化。 6. ボッティチェッリ 『ヴィーナスの誕生』，**レオナルド＝ダ＝ヴィンチ**『最後の晩餐』，**ミケランジェロ**『ダヴィデ像』『最後の審判』，ラファエロ『グランドゥカのマドンナ』など。

➤ 7. バロック ……壮大，艶麗を特徴とする絶対王政象徴の美術。**ルーベンス**『三美神』，**エル＝グレコ**『聖家族』， 8. レンブラント 『夜警』など。建築では**ヴェルサイユ宮殿**。

➤ 9. ロココ ……フランスを中心とした貴族的で華麗な美術。**ゴヤ**『裸のマハ』など。

➤ 10. 新古典主義 ……理想美を追求。アングル，ダヴィッド。

➤ 11. ロマン主義 ……劇的で動きが激しい。ドラクロワ，ジェリコー。

➤ 12. バルビゾン派 （自然主義）……自然の風物を素直に表現。コロー『真珠の女』， 13. ミレー 『晩鐘』『落穂拾い』など。

➤**レアリスム**……写実主義。鋭い洞察，観察で自然や社会，生活などを表現。ドーミエ，クールベ。

※　自然主義と写実主義は区別なく捉えている場合もある。

➤**印象派**……光の当たり具合で物体は違った色に見えると主張。筆触分割。 14. マネ 『草上の昼食』， 15. モネ 『睡蓮』，**ドガ**『舞台の踊り子』，**ルノワール**『ムーラン・ド・ラ・ガレットの舞踏会』など。

➤ 16. 新印象 派……光と色を科学的に処理。点描の明るい絵。スーラ。

➤**ポスト印象派**……後期印象派。精神的な内容を盛り込み本質の表現をこころみた。 17. セザンヌ 『リンゴとオレンジのある静物』，**ゴッホ**『ひまわり』， 18. ゴーギャン(ゴーガン) 『タヒチの女』など。

➤**象徴主義**……内面的世界，愛，死，生を描いた。 19. ムンク 『叫び』など。

➤**ナビ派**……色彩と形態重視。ボナール。ヴュイヤール。

▶**アヴァンギャルド**……フランス語の軍隊用語で「前衛」の意。文化・芸術・政治分野において前衛的，革新的，実験的な立場をとる人々やその作品をさす。

▶**バウハウス**……ドイツに設立された美術学校。初代校長はモダニズムを代表するドイツの建築家グロピウス。建築をはじめ美術，工芸，彫刻，舞台など総合的な造形の教育を試みた学校。

▶**アール・ヌーヴォー**……フランス語で新しい芸術の意。19世紀末から国際的に流行した装飾の様式。有機的な曲線などが特徴。ギマール『地下鉄の入り口』,クリムト『接吻』。

▶**フォーヴィスム**……**野獣派**。激しい感情を大胆なタッチで原色を用いて表現。20. マティス，ブラマンク。

▶**キュビスム**……**立体派**。自然を分解し，面で再構成。21. ピカソ，ブラック，レジェ。

▶22. エコール・ド・パリ……パリ派。パリに集まった外国人画家の一団。特定の主張なし。23. シャガール，**モディリアニ**，**ユトリロ**，**藤田嗣治**。

▶**未来派**……イタリア。運動性をもった時間・空間の同時表現。バッラ，ボッチョーニ。

▶24. ダダ（ダダイスム）……反理性，反美学，伝統の破壊と否定。アルプ，エルンスト。

▶25. シュルレアリスム……**超現実主義**。夢や無意識の世界，幻想的。ダリ，キリコ。

▶**ポップアート**……大量生産・大量消費の社会をシニカルに表現。ウォーホル，リキテンスタイン，ジョーンズ。

second try	first try
年　月　日（　）	年　月　日（　）
：　～　：	：　～　：
（　）	（　）
am・pm　℃	am・pm　℃
1.	1.
2.	2.
3.	3.
4.	4.
5.	5.
6.	6.
7.	7.
8.	8.
9.	9.
10.	10.
11.	11.
12.	12.
13.	13.
14.	14.
15.	15.
16.	16.
17.	17.
18.	18.
19.	19.
20.	20.
21.	21.
22.	22.
23.	23.
24.	24.
25.	25.

プラスチェック！

- □具象彫刻の作家…ロダン『カレーの市民』『考える人』，ブールデル『弓を引くヘラクレス』『アポロンの首』，マイヨール『イル・ド・フランス』
- □抽象彫刻の作家…ムーア『家族』，アルプの「トルソ」「彩色した木」
- □モビール（動く彫刻）の作家…カルダー

＊このページで覚えた知識を教師になってどう活かしたい？

＊あ！あれ何だっけ？　確認メモ！

chapter 45 ［芸術］

鑑賞の機会をもち，自身の印象も学習情報に

音楽創作は，各時代の社会情勢や思想の影響も受け流派が変遷していったことに留意し，それぞれの代表的な音楽家とその作品の組み合わせについて押さえておこう。

西洋音楽史

ルネサンス

〔15世紀半ば～16世紀終わり頃まで〕

従来の教会音楽に対位法を用いた人間性豊かな作品が生まれた。また，イタリアの**マドリガーレ**，フランスの**シャンソン**など世俗的合唱曲も盛んにつくられた。

バロック

〔1600～1750年〕

声楽の補助的な役割だった**器楽**が発達して独立。**オペラ**，**オラトリオ**などの劇音楽も代表的。

1. ヴィヴァルディ……バイオリン協奏曲『四季』
2. バッハ……音楽の父。『小フーガト短調』『ブランデンブルク協奏曲』
3. ヘンデル……音楽の母。『水上の音楽』『調子のよい鍛冶屋』

古典派

〔1750～1820年〕

当時の啓蒙思潮の合理主義精神を受け，理性・客観性を重んじる。**ソナタ**，**室内楽曲**，**交響曲**，**協奏曲**などの楽曲がつくられた。**管弦楽編成**が整えられた。

4. ハイドン……交響曲の父。弦楽四重奏『皇帝』，交響曲『驚愕』，オラトリオ『天地創造』
5. モーツァルト……音楽の神童。『ジュピター』，歌劇『フィガロの結婚』『魔笛』
6. ベートーヴェン……楽聖。交響曲『英雄』『運命』，ピアノソナタ『月光』

ロマン派（前期）

〔1800～1900年〕

フランス革命で起こった自由主義の影響を受け，主観性が重んじられる。**歌曲**，**器楽曲**を重視。管弦楽編成が拡大され多彩な表現力をもつようになった。

ウェーバー……ドイツ国民歌劇の創始者。歌劇『魔弾の射手』

7. ロッシーニ……イタリア近代歌劇の先駆者。『ウィリアム・テル』『セビリアの理髪師』
8. シューベルト……歌曲の王。『魔王』『ます』『冬の旅』
9. メンデルスゾーン……『真夏の夜の夢』『ヴァイオリン協奏曲ホ短調』
10. ショパン……ピアノの詩人。『雨だれ』『別れの曲』
11. シューマン……ロマン派大作曲家。『謝肉祭』『流浪の民』『トロイメライ』

ロマン派（後期）

前期ロマン派の音楽が，様々な傾向を生じて分派。世界各国でそれぞれの民族意識が高まった影響を受け，**国民楽派**などが登場した。

12. リスト……交響詩の始祖・ピアノの魔術師。『ハンガリー狂詩曲』『愛の夢』
13. ワーグナー……楽劇の創始者。『ニーベルングの指輪』『タンホイザー』
14. J.シュトラウスⅡ世……ワルツ王。ワルツ『美しく青きドナウ』『ウイーンの森の物語』

フォスター……アメリカ民謡の父。『主人は冷たい土の中に』『夢路より』

ブラームス……新古典派。『ハンガリー舞曲』

15. サン=サーンス……交響詩『動物の謝肉祭』『死の舞踏』
16. ビゼー……フランス近代歌劇。組曲『アルルの女』，歌劇『カルメン』

□
□

国民楽派

17. ムソルグスキー……ロシア国民楽派。『展覧会の絵』

18. チャイコフスキー……交響曲『悲愴』，バレエ組曲『白鳥の湖』『くるみ割り人形』

19. ドヴォルザーク……チェコの国民楽派。交響曲『新世界より』

20. スメタナ……チェコの国民楽派。『わが祖国』(モルダウ)

近代・現代

〔19世紀末〜20世紀〕

《印象主義》フランスの印象派絵画や象徴派文学の影響。

21. ドビュッシー……印象主義音楽の確立者。『海』

22. ラヴェル……バレエ音楽『ダフニスとクロエ』『ボレロ』

《表現主義》絵画の影響。

23. シェーンベルク……無調音楽・12音技法の創始者。ウィーン無調楽派。『月に憑かれたピエロ』

《原始主義》

24. ストラヴィンスキー……バレエ音楽『火の鳥』

《民族主義》

バルトーク……国民的なハンガリー音楽の創始者。『管弦楽のための協奏曲』

25. シベリウス……交響詩『フィンランディア』

《その他》

プロコフィエフ……音楽物語『ピーターと狼』，バレエ音楽『ロミオとジュリエット』

ハチャトリアン……バレエ音楽『ガイーヌ』(剣の舞)

グローフェ……音の風景画家。組曲『グランド・キャニオン』

•second try•

年 月 日( )
: 〜 :
( )
am・pm ℃

1.
2.
3.
4.
5.
6.
7.
8.
9.
10.
11.
12.
13.
14.
15.
16.
17.
18.
19.
20.
21.
22.
23.
24.
25.

•first try•

年 月 日( )
: 〜 :
( )
am・pm ℃

1.
2.
3.
4.
5.
6.
7.
8.
9.
10.
11.
12.
13.
14.
15.
16.
17.
18.
19.
20.
21.
22.
23.
24.
25.

プラスチェック！

□近代オペラを確立したのはドイツのグルックといわれる。作品に歌劇『オルフェオとエウリディーチェ』など。古典派。

＊このページで覚えた知識を教師になってどう活かしたい？

＊あ！あれ何だっけ？ 確認メモ！

chapter 46 ［芸術］

日本史の変遷と併せて覚えよう

江戸初期までの建築様式の変遷や，寺・仏閣の建立と仏像彫刻の組み合わせ，また，絵画の作品と作者の組み合わせについて押さえておこう。

日本美術史・日本音楽史―①

①日本美術史

文化	
飛鳥	➤6世紀に大陸から仏教が伝えられ，飛鳥を中心に大陸風の寺院が貴族・豪族により造立。蘇我氏発願の**法興寺**（飛鳥寺），厩戸王（聖徳太子）発願といわれる [1. 法隆寺] （斑鳩寺）など。 ➤彫刻では，**法隆寺金堂釈迦三尊像**など。法興寺の（丈六）**釈迦如来像**は現存する日本最古の仏像。
白鳳	**◎律令国家が形成される清新な雰囲気の文化が起こった。** ➤天武天皇が大官大寺，**薬師寺**を建立。壁画では，**法隆寺金堂壁画**，[2. 高松塚古墳] 壁画など。
天平	**◎中央集権的な国家体制が整い，平城京を中心に貴族的で仏教的な文化が栄えた。唐の最盛期の文化の影響を受けた国際色豊かな文化。** ➤聖武天皇による [3. 国分寺]，国分尼寺の建立。
弘仁・貞観	**◎平安遷都後に新時代を築こうとする生気があふれる。密教芸術に特徴。** ➤彫刻では，[4. 一木造] のものが作られた。
国風	**◎摂関時代の頃，大陸文化の吸収・消化と遣唐使中止の影響から日本風の文化が生まれた。藤原文化ともいう。** ➤貴族の住宅として [5. 寝殿造] が発達。藤原頼通により建立された**平等院鳳凰堂**など。 ➤絵画では，巨勢金岡（こせのかなおか）などによる**大和絵**。漆器に金銀の粉を蒔きつける**蒔絵**も発達した。 ➤この時代の仏像は，仏師定朝（じょうちょう）による [6. 寄木造] の手法で作られた。
院政期	**◎平安末期，地方の豪族が勢力をもち始め，文化も地方に伝播していった。** ➤奥州藤原氏により平泉に [7. 中尊寺金色堂] が創建。ほか，豊後に阿弥陀堂建築の**富貴寺大堂**（ふきじおおどう）が創建。
鎌倉	**◎公家が文化の担い手であるも，武士や庶民に支持された新しい文化が生み出されていった。** ➤建築では，日本的な特色をもつ**和様**のほか，大陸から新たに [8. 大仏様] （天竺様），**禅宗様**（唐様）が伝えられた。**大仏様**は，東大寺再建のため重源によって用いられた。中期には，和様と新様式の一部を取り入れた**折衷様**（**新和様**）が生まれた。 ➤彫刻では，運慶・湛慶父子と快慶により写実的で剛健な作品が作り出された。 ➤絵画では，藤原隆信・藤原信実父子の**似絵**（にせえ）。
室町	**◎南北朝の動乱期を背景とする南北朝文化，義満時代の北山文化，義政時代の東山文化がある。** ➤建築では，義満により**鹿苑寺金閣**が，義政により**慈照寺銀閣**が建立。庭園様式では [9. 枯山水]。住宅建築では [10. 書院造] が用いられた。 ➤絵画では，宋，元から [11. 水墨画] が伝えられ，**雪舟**によって大成された。狩野正信・元信父子は水墨画に大和絵の技法を取り入れ狩野派をおこした。雪舟の代表作に『山水長巻（四季山水図巻）』『秋冬山水図』など。**狩野元信**の代表作に『大仙院花鳥図』などがある。

(安土・)桃山	◎**各地との経済・文化の交流が盛んで，外国との交易も活発であったため，新鮮味豊かで，豪華・壮大な文化に。** ➤建築では，12. 城郭。城郭の殿舎を飾る欄間彫刻が盛んに。 ➤絵画では，『唐獅子図屏風』『洛中洛外図屏風』の 13. 狩野永徳，『山水図屏風』の海北友松（かいほうゆうしょう），長谷川等伯など。
江戸初期（寛永）	◎**幕藩体制にやや自由をおさえられた文化が展開された。** ➤建築では，**日光東照宮**などの 14. 霊廟建築。神社仏閣の**権現造**（ごんげん）。桂離宮に代表される 15. 数寄屋造。 ➤絵画では，狩野探幽や『風神雷神図屏風』の**俵屋宗達**。
元禄	◎**幕藩体制が整い，町人が台頭。鎖国により，日本独自の文化が上方を中心に形成されていった。** ➤絵画では，16. 尾形光琳の『紅白梅図屏風』『燕子花（かきつばた）図屏風』など。『見返り美人図』の 17. 菱川師宣は版画浮世絵の祖。
化政	◎**文化の中心が上方から江戸に移る。躍動的な精神はなくなり，退廃的，刹那的・享楽的な作品が多くみられた。** ➤絵画では，浮世絵が盛んに。『弾琴美人（だんきんびじん）』の鈴木春信は**錦絵**を発案。18. 喜多川歌麿は『婦女人相十品』などの**美人画**。**風景画**では，19. 葛飾北斎の『富嶽三十六景』，20. 歌川広重の『東海道五十三次』など。**南画**では，池大雅（いけのたいが）と与謝蕪村の合作『十便十宜図』が代表的。**洋風画**（西洋画）では，『不忍池図（しのばずのいけず）』の司馬江漢や亜欧堂田善（あおうどうでんぜん）など。
明治	◎**政府が指導的な立場で推進し，江戸時代の封建的な文化から，欧米の近代的な文化を取り入れた新しい文化の創造をしていこうとした。** ➤絵画では，『悲母観音』の**狩野芳崖**や『竜虎図』の**橋本雅邦**により新傾向の日本画が創造された。洋画では，『湖畔』の 21. 黒田清輝，久米桂一郎により外光派の白馬会がつくられた。 その他，『黒き猫』の菱田春草，『鮭』の 22. 高橋由一，『収穫』の浅井忠，『南風』の和田三造，『天平の面影』の藤島武二，『海の幸』の青木繁が代表的。 ➤建築では，ニコライ堂の**コンドル**，日本銀行本店の**辰野金吾**，赤坂離宮の 23. 片山東熊らが西洋建築の様式を用いた。 ➤彫刻も西洋の技術が取り入れられた。『老猿』の**高村光雲**，『坑夫』『女』の荻原守衛（おぎわらもりえ）（碌山）など。

second try 年 月 日( ) : ～ : am・pm ℃

first try 年 月 日( ) : ～ : am・pm ℃

1.
2.
3.
4.
5.
6.
7.
8.
9.
10.
11.
12.
13.
14.
15.
16.
17.
18.
19.
20.
21.
22.
23.
24.
25.

プラスチェック！

□国宝『鳥獣人物戯画』は，京都府高山寺に伝わる国宝。平安時代末期～鎌倉時代初期にかけて作成されたといわれる。

□茶道，書道，華道，日本庭園，書道，水墨画などの日本文化は，鎌倉～室町時代に伝来した禅宗からはじまったとされる。

＊このページで覚えた知識を教師になってどう活かしたい？

＊あ！あれ何だっけ？　確認メモ！

chapter 47 ［芸術］

伝統芸能として現代につづく雅楽，能楽，浄瑠璃

時代ごとに生まれた邦楽の種類とその特徴について確認しよう。明治以降の代表的な作品と作者の組み合わせについて押さえておこう。

日本美術史・日本音楽史―②

大正	**◎第一次世界大戦後，工業が発展し，都市化が進み，文化も大衆のものとなった。** ➤日本画では，『生々流転』の［1. 横山大観］が日本美術院を再興，『大原御幸』の**下村観山**らが活躍した。洋画では，『金蓉』の**安井曾太郎**，『桜島』の**梅原龍三郎**，また『麗子像』の［2. 岸田劉生］が参加した春陽会が注目された。 ➤彫刻では，『墓守』の**朝倉文夫**，『手』の［3. 高村光太郎］など。
昭和	**◎昭和に入ると，それまで西洋の新しい美術の摂取に余念のなかった日本の美術界も，独自の表現の在り方を問われるようになった。** ➤日本画では，『漣』『花菖蒲』『筍』など巧みに単純化した画風の**福田平八郎**，奥深い象徴的世界を確立して『赤松』『鯉』などを描いた**徳岡神泉**，『鳴門』『吉野』『醍醐』の**奥村土牛**らが活躍。 　風景画家として多くの人々の支持を集めた［4. 東山魁夷］は，『残照』『行く秋』『唐招提寺障壁画』などの作品を残した。 ➤洋画では，『眼のある風景』『馬』などを残した**靉光**（あいみつ）や，『梳る女』『裸婦』の**林武**など。 　［5. 平山郁夫］はシルクロードをテーマに文化の伝播を描くとともに，世界各地の文化遺跡の保存・修復のために「文化財赤十字」運動を提唱した。 ➤版画では，自らの木版画を「板画」と表現し版画以外にも油絵など多くの作品を残した［6. 棟方志功］が国際的にも知られる。［7. 池田満寿夫］は，1966年のヴェネツィア・ビエンナーレ展で国際版画大賞を受賞し様々な分野において活躍した。 ➤高度経済成長のさなか開催された1970年の大阪万博では，［8. 岡本太郎］が『太陽の塔』を制作，彫刻や工芸や舞台装置など総合的に前衛芸術を推進した。 ➤建築では，1964年東京オリンピック屋内競技場（代々木体育館）・東京都新都庁舎の［9. 丹下健三］，大阪府茨木市の光の教会や淡路夢舞台を設計した［10. 安藤忠雄］など。

②日本音楽史

平安	［11. 雅楽］…………①神楽歌，久米歌，大和歌，東遊（歌）などの在来音楽。 ②狭義の雅楽。管絃。舞楽（左方，右方に分けられる）。 ③当時の民謡などが貴族社会で洗練された**催馬楽**（さいばら），また貴族社会で生まれた漢詩文の歌唱である**朗詠**など。 ［12. 声明］（しょうみょう）…………仏教の経典を朗唱する宗教音楽で，その起源はインド。外来の梵讃・漢讃に対して，日本語で作られた**和讃**が生まれた。

鎌倉	13. 平曲	**平家物語**を琵琶の伴奏で語る音楽。室町時代に隆盛を極め，盲人の専業とされた。
鎌倉	田楽	農民の儀式から発達した芸能。
鎌倉	14. 猿楽	奈良時代に中国から伝来した**散楽**をもとにして発展したもの。
室町	15. 能楽	田楽，猿楽などの要素を取り入れて，**観阿弥・世阿弥**父子によって大成された。音楽・演劇・舞踊・美術が統合された芸術。
江戸	16. 浄瑠璃	**三味線**を伴奏にした語り物。**人形劇**と結びついて発達した。竹本義太夫が**義太夫節**を創始。
江戸	17. 長唄	歌舞伎音楽として発生した。
江戸	箏曲	北九州の筑紫箏をもとにして**八橋検校**が現在の基礎をつくった。
江戸	尺八音楽	普化宗の僧，**虚無僧**が読教の代わりに尺八を吹いた。中期に現れた黒沢琴古によって琴古流がおこった。
明治	18. 滝廉太郎	『花』『荒城の月』『箱根八里』などを作曲。
明治	宮城道雄	『春の海』『水の変態』などを作曲。
明治	中山晋平	『砂山』『てるてる坊主』『波浮の港』などを作曲。
明治	19. 山田耕筰	『この道』『赤とんぼ』『待ちぼうけ』『からたちの花』『ペチカ』『砂山』などを作曲し，日本最初の交響楽団である日本交響楽協会を育成した。
大正	新日本音楽	**宮城道雄**らが中心。邦楽の伝統に洋楽の要素をとり入れた新しい音楽。
大正	20. 成田為三	『浜辺の歌』などを作曲。
大正	21. 中田　章	『早春賦』などを作曲。
昭和	22. 中田喜直	『夏の思い出』などを作曲。
昭和	三浦　環	オペラ歌手。『蝶々夫人』など。
昭和	大中寅二	『椰子の実』などを作曲。
昭和	小山清茂	『管弦楽のための木挽歌』などを作曲。

•second try•

年　月　日(　)

：　〜　：

am・pm　℃

1.
2.
3.
4.
5.
6.
7.
8.
9.
10.
11.
12.
13.
14.
15.
16.
17.
18.
19.
20.
21.
22.
23.
24.
25.

•first try•

年　月　日(　)

：　〜　：

am・pm　℃

1.
2.
3.
4.
5.
6.
7.
8.
9.
10.
11.
12.
13.
14.
15.
16.
17.
18.
19.
20.
21.
22.
23.
24.
25.

プラスチェック！

- □「今様」は，平安時代中後期に宮廷で流行した歌謡を指す。
- □雅楽の曲「越天楽」に歌詞をつけた「越天楽今様」は，小学校第６学年の歌唱共通教材に指定されている（歌詞は第２節まで）。

＊このページで覚えた知識を教師になってどう活かしたい？

＊あ！あれ何だっけ？　確認メモ！

chapter 48 [英語]

文構造や文法の知識はコミュニケーションを支える

異文化理解が必要とされる現代，きめの細かい言語理解が求められる。とくに第２・第５文型については，繊細で自在な英語表現にも留意できるようにしたい。

英語32文型—①

1．S+V+O(n. or pron.)

Tom has a [1. good] memory. （トムは記憶力がよい。）

She lived a happy life. （同族目的語／彼女は幸福な生活をおくった。）

2．S+V+to-infinitive

I don't like [2. to] be flattered. （お世辞を言われるのがいやだ。）

3．S+V+n.(pron.)+to-infinitive

I expect you [3. to] do your duty. （君が本分を尽くすことを私は期待する。）

The rain caused the river to rise. （無生物主語／雨で川が増水した。）

4．S+V+n.(pron.)+<to be> C(n. or a.)

Do you think him to [4. be] a good student？ （彼を良い学生だと君は思うか？）

5．S+V+n.(pron.)+root-infinitive

Did you hear the bell [5. ring] ？ （君はベルが鳴るのを聞いたか？）……知覚

We will have him do the work. （彼にその仕事をさせよう。）……使役

6．S+V+n.(pron.)+present participle

I saw the thief [6. running] away. （泥棒が逃げていくのをみた。）

7．S+V+n.(pron.)+a.

I [7. found] the box empty. （その箱が空だとわかった。）

8．S+V+n.(pron.)+n.

They [8. named] the ship 'Queen Mary'. （彼らはその船をクィーン・メリー号と命名した。）

9．S+V+n.(pron.)+past participle

Can you [9. make] yourself understood in English？ （英語で用が足せるか？）

I had a new suit made. （私は新しいスーツを作らせた）……使役

I had a new suit stolen. （私は新しいスーツを盗まれた）……受身

10. S+V+n.(pron.)+adv.(phr. or cl.)

He took his hat [10. off]. （彼は帽子を脱いだ。）

11. S+V+that-cl.

I believe [11. that] Jimmy is honest.

（ジミーは正直だと私は信じている。）

12. S+V+n.(pron.)+that-cl.

I told him that it was true.

（それは本当だと私は彼に言いました。）

13. S+V+conj.+to-infinitive

I don't know [12. how] to thank you enough.

（何とお礼を申してよいのやら私には分かりません。）

14. S+V+n.(pron.)+conj.+to-infinitive

He taught me how to play chess.

（彼はチェスのさし方を教えてくれた。）

15. S+V+conj.+cl.

Nobody knows [13. what] he is doing.

（彼が何をしているか誰も知らない。）

16. S+V+n.(pron.)+conj.+cl.

Can you tell me [14. how] high Mt. Fuji is ?

（富士山の高さがどれだけか言えますか？）

*S=主語（Subject），V=動詞（Verb），O=目的語（Object）
*C=補語（Complement）
*infinitive=不定詞，n.=名詞（noun），pron.=代名詞（pronoun）
*root-infinitive=原形不定詞
*participle=分詞
*a.=形容詞（adjective）
*adv.=副詞（adverb），phr.=句（phrase），cl.=節（clause）
*conj.=接続詞（conjunction）

second try	first try
年 月 日( )	年 月 日( )
: ～ :	: ～ :
( )	( )
am · pm ℃	am · pm ℃
1.	1.
2.	2.
3.	3.
4.	4.
5.	5.
6.	6.
7.	7.
8.	8.
9.	9.
10.	10.
11.	11.
12.	12.
13.	13.
14.	14.
15.	15.
16.	16.
17.	17.
18.	18.
19.	19.
20.	20.
21.	21.
22.	22.
23.	23.
24.	24.
25.	25.

プラスチェック！

[書き換えで意味が異なるto不定詞と動名詞]

He stopped <u>to smoke</u>.
（彼は立ち止まってたばこを吸った。）

↓↑

He stopped <u>smoking</u>.
（彼はたばこを吸うのをやめた。）

*このページで覚えた知識を教師になってどう活かしたい？

*あ！あれ何だっけ？　確認メモ！

chapter 49
［英語］

例文で知らなかった英単語は一緒に覚えていこう

和文の部分的英訳の際には，まずは全訳してみよう。和文の意味をよく消化してから，できるところから英訳にとりかかれば，何とかなることも少なくない。

英語32文型―②

17. S+V+gerund

They stopped 1. talking . （彼らは話をやめた。）

18. S+V+n.(pron.)+preposition+preposition's object

She bought a doll 2. for her daughter. （彼女は娘に人形を買ってやった。）

19. S+V+I.O+D.O

Please 3. give her my best regards. （彼女によろしくね。）

I'll tell you an interesting story. （君に面白い話をしてあげよう。）

20. S+V+adverbial modifier

My cigar will 4. last <me> about half an hour. （私の葉巻は約30分もつ。）

21. S+V

Time 5. flies . （光陰矢のごとし。）

There was no wind. （風が少しもなかった。）

22. S+V+S.C.

His father is a merchant. （彼の父は商人です。）

Art is long, life is short. （芸術は長く，人生は短い。）

23. S+V+adv.(phr. or cl.)

Please come in. （どうぞお入り下さい。）

He arrived home 6. late last night. （彼は昨夜遅く帰宅した。）

24. S+V+preposition+preposition's object

What are you 7. looking for ? （何を探しているのですか？）

He insisted 8. on going out in the rain. （彼は雨の中を行くと言い張った。）

25. S+V+to-infinitive

Akio worked hard 9. to support his large family.

（大勢の家族を養うためにアキオは精を出して働いた。）

26. S+V+n.(pron.)+to-infinitive

I have [10. no] friend to help me.

(私には助けてくれる友がいない。)

There are many difficulties [11. to] overcome.

(克服すべき困難が多くある。)

27. S+V+n.+preposition+n.(pron.)

He has a great interest [12. in] natural history.

(彼は博物誌に深い関心をもつ。)

They had a full discussion [13. on] the matter.

(彼らはその件に関して十分に議論した。)

28. S+V+n.+that-cl.(同格節でthatは絶対に省略できない。)

He has an idea [14. that] money is everything.

(彼は金がすべてであるという考えをもっている。)

29. S+V+n.(+pron.)+conj.+phr.(or cl.)

I have no idea ([15. of]) what it is like.

(それがどんなものか私には見当がつかない。)

30. S+V+a.+to-infinitive

That question is [16. hard] to answer.

(その質問に答えるのは難しい。)

31. S+V+a.+preposition+n.(pron.)

He is [17. afraid] of punishment. (彼は罰を恐れている。)

32. S+V+a.(+prep)+phr.(or cl.)

I'm sorry that I can't accept your invitation.

(残念ながらご招待をお受けできません。)

*gerund=動名詞
*preposition=前置詞
*I.O=間接目的語, D.O=直接目的語, adverbial=副詞的, modifier=修飾語
*s.c.=主格補語

•second try•

年 月 日( )
: 〜 :
( )
am・pm ℃

1.
2.
3.
4.
5.
6.
7.
8.
9.
10.
11.
12.
13.
14.
15.
16.
17.
18.
19.
20.
21.
22.
23.
24.
25.

•first try•

年 月 日( )
: 〜 :
( )
am・pm ℃

1.
2.
3.
4.
5.
6.
7.
8.
9.
10.
11.
12.
13.
14.
15.
16.
17.
18.
19.
20.
21.
22.
23.
24.
25.

プラスチェック！

[さらに例文！]

□17.…My shoes want repairing.
(私の靴は修繕の必要があるのです。)

□31.…This medicine is good for a headache.
(この薬は頭痛に効く。)

*このページで覚えた知識を教師になってどう活かしたい？

*あ！あれ何だっけ？ 確認メモ！

chapter 50 ［英語］

書き換えの知識は，英語表現の幅を広げる

不定詞，能動態・受動態，比較級・最上級，感嘆文など，中・高で学習した構文の確認をはじめとして多くの例文に当たろう。

同意異型文章書き換え―①

➤(a) This milk is so hot that the baby cannot drink it.
(b) This milk is [1. too] hot [2. for] the baby to drink.

➤(a) There is no man [3. but] loves his own country.
(b) Every man loves his own country.

➤(a) [4. Almost] all the foreign students were not present.
(b) Some foreign students were present.

➤(a) None of the foreign students were present.
(b) [5. All] the foreign students were absent.

➤(a) Unless you start at once, you will miss the last train.
(b) Start at once, [6. or] you will miss the last train.

➤(a) This is a very beautiful flower.
(b) [7. What] a beautiful flower this is !

➤(a) This flower is very beautiful.
(b) [8. How] beautiful this flower is !

➤(a) I have not enough money, so I can't buy the book.
(b) [9. Not] having enough money, I can't buy the book.

➤(a) It is said that Minori was beautiful.
(b) Minori is said to **have been** beautiful.

➤(a) He made me go home against my will.
(b) I was made **to go** home against my will by him.

➤(a) She saw a man run out of he house.
(b) A man was seen **to run** out of the house by her.

□
□

➤(a) Did you say to him, "If you should fail again, what would you do ?"
(b) Did you [10. ask] him what [11. he] would do if he should fail again ?

➤(a) She is proud that her son won the first prize.
(b) She is proud [12. of] her son's [13. having] [14. won] the first prize.

➤富士山は日本一高い山。
(a) Mt.Fuji is **the** highest mountain in Japan.〈最上級〉
(b) Mt.Fuji is **higher** than **any** other mountain in Japan.〈比較級〉
(c) Nothing is **higher** than Mt.Fuji in Japan.〈〃〉
(d) There is **nothing higher** than Mt.Fuji in Japan〈〃〉
(e) Nothing is **so** high **as** Mt.Fuji.〈原級〉
(f) There is nothing **so** high **as** Mt.Fuji.〈〃〉

➤(a) Whenever I read this book, I find a new meaning in it.
(b) I never read this book [15. without] [16. finding] a new meaning in it.

➤(a) I came back to Japan from America three years ago.
(b) It **is** three years since I came back to Japan from America.
(c) Three years [17. have] [18. passed] since I came back to Japan from America.

➤(a) He insisted that I should go right away.
(b) He insisted on [19. my] [20. going] right away.

➤(a) The teacher is ashamed that he did such a thing.
(b) The teacher is ashamed of [21. having] [22. done] such a thing.

➤(a) When shall [23. he] come ?(何時に彼を来させましょうか?)
(b) When shall I let him come ?

➤(a) They not only come late but also are often absent.
(b) They come late [24. and] are often absent.

•second try•	•first try•
年 月 日( )	年 月 日( )
: 〜 :	: 〜 :
( )	( )
am・pm ℃	am・pm ℃
1.	1.
2.	2.
3.	3.
4.	4.
5.	5.
6.	6.
7.	7.
8.	8.
9.	9.
10.	10.
11.	11.
12.	12.
13.	13.
14.	14.
15.	15.
16.	16.
17.	17.
18.	18.
19.	19.
20.	20.
21.	21.
22.	22.
23.	23.
24.	24.
25.	25.

プラスチェック!

[意味上で区別:
have(or get)+object(物)+過去分詞]
□使役→ I had my watch repaired.
(私は私の時計をなおしてもらった。)
□受け身→ I had my watch stolen.
(私は私の時計を盗まれた。)

*このページで覚えた知識を教師になってどう活かしたい?

*あ!あれ何だっけ? 確認メモ!

書き換えの知識は，伝え方の選択肢を広げる

前置詞の用法は理解しておこう。また，文意を論理的に理解して，表裏一体となる同意異型文のストックを増やしていこう。

同意異型文章書き換え―②

➤(a) If it were not for the sun, we could not live.
(b) [1. But] for the sun, we could not live.

➤(a) Without Yamaji 's help, I could not have studied in America.
(b) If it [2. had] not been [3. for] Yamaji 's help, I could not have studied in America.
(山路君の援助がなかったら，私はアメリカで研究できなかったでしょう。)

➤誰が偉くなるかわからない。
(a) It is [4. impossible] to know who will become great.
(b) There is [5. no] [6. knowing] who will become great.
(c) We cannot know who will become great.

➤(a) The old teacher treated me like a three-year-old child.
(b) The old teacher treated me [7. as] if I were a three-year-old child.

➤(a) Natsuko looks younger than as she is.
(b) Natsuko is [8. older] than as she looks.

➤(a) [9. Unless] you leave this room, I will call in the guard.
(b) Leave this room, or I will call in the guard.

➤(a) I am sure [10. that] he will give you satisfaction.
(b) I am sure of [11. his] [12. giving] you satisfaction.

➤(a) He was always honest, though he was poor.
(b) He was always honest in [13. spite] [14. of] being poor.
(c) He was poor, [15. but] he was always honest.

➤(a) You are very kind to say so.
(b) It is very kind [16. of] you to say so.

➤(a) He was sorry to have to leave so soon.
(b) He was sorry [17. that] he [18. had] to leave so soon.

➤(a) This picture reminds me [19. of] my old happy days.
(b) I **am reminded of** my old happy days [20. by] this picture.

➤昨日寺西君は久しぶりに江の島に行ったよ。
(a) Yesterday Teranishi went to Enoshima [21. after] a long interval.
(b) Yesterday Teranishi visited Enoshima **where** he **had** not been **for** a long time.

➤(a) He did it easily.
(b) He did it [22. with] ease.

【略語の綴り】

➤PTA……[23. Parent]-Teacher Association
➤OHP……Over Head Projector
➤ICT……Information and Communication Technology
➤UNESCO……United Nations Educational, Scientific and Cultural Organization（国連教育科学文化機関）
➤UNICEF……United Nations Children's Fund（国連児童基金）
➤ASEAN……Association of South-East Asian Nations（東南アジア諸国連合）
➤EU……European Union（欧州連合）
➤GNI……Gross National Income（国民総所得）
➤ILO……International Labor Organization（国際労働機関）
➤IMF……International Monetary Fund（国際通貨基金）
➤JIS……Japanese [24. Industrial] Standards（日本産業規格）
➤NATO……North Atlantic Treaty Organization（北大西洋条約機構）
➤OPEC……Organization of Petroleum Exporting Countries（石油輸出国機構）
➤WHO……World [25. Health] Organization（世界保健機関）

•second try•	•first try•
年　月　日(　)	年　月　日(　)
：　～　：	：　～　：
(　　)	(　　)
am · pm　℃	am · pm　℃
1.	1.
2.	2.
3.	3.
4.	4.
5.	5.
6.	6.
7.	7.
8.	8.
9.	9.
10.	10.
11.	11.
12.	12.
13.	13.
14.	14.
15.	15.
16.	16.
17.	17.
18.	18.
19.	19.
20.	20.
21.	21.
22.	22.
23.	23.
24.	24.
25.	25.

プラスチェック！

[実用英語にも注意]

☐I am sorry to have kept you waiting.
（お待たせしてすみませんでした。）

☐Do you know how old he is?（彼は何歳だか君は知っていますか。）, How old do you think he is?（彼は何歳だと君は思いますか。）

＊このページで覚えた知識を教師になってどう活かしたい？

＊あ！あれ何だっけ？　確認メモ！

chapter 52 ［政治］

国民主権は民主政治の根幹，憲法の基本的原則

日本は，国民主権の立憲君主国である。日本国憲法制定の経緯と三大原則，また，戦前と戦後における内容の違いについても確認しておこう。

国民主権

重要な条文

- 日本国民は，（略）政府の行為によって再び戦争の惨禍が起ることのないようにすることを決意し，ここに 1. 主権 が国民に存することを宣言し，この**憲法**を確定する。そもそも国政は，国民の厳粛な信託によるものであって，その権威は国民に由来し，その権力は国民の代表者がこれを行使し，その福利は国民がこれを享受する。（略）日本国民は，恒久の平和を念願し，（略）平和のうちに生存する権利を有することを確認する。……憲法前文
- 天皇は，日本国の 2. 象徴 であり日本国民統合の象徴であって，この地位は，主権の存する日本国民の総意に基く。……憲法第１条
- 天皇の国事に関するすべての行為には，**内閣**の助言と承認を必要とし，内閣が，その責任を負う。……憲法第３条
- 天皇は，国会の指名に基いて，**内閣総理大臣**を任命する。……憲法第６条①
- 天皇は，内閣の指名に基いて，最高裁判所の長たる**裁判官**を任命する。……憲法第６条②

【憲法制定の歴史】

(年)	
1868	明治維新 ←薩長土肥の出身者による藩閥政治
1874	民撰議院設立の建白書 ← 3. 板垣退助 ・後藤象二郎らが政府に提出
1881	国会開設の勅諭 ←10年後に国会を開くことを約束
1885	内閣制度実施 ← 4. 伊藤博文 が初代内閣総理大臣
1888	枢密院設置 ←憲法草案を審議
1889	5. 大日本帝国憲法 発布
1890	第１回帝国議会開会 ←選挙権は25歳以上で直接国税を15円以上納税している男子に限る
1916	6. 吉野作造 が「民本主義」発表 ←以後大正デモクラシーが盛んになる
1925	普通選挙法制定 ←選挙権は 7. 25 歳以上の男子に限る。あわせて治安維持法を制定
1938	国家総動員法
1945	ポツダム宣言受諾 ←外国による初めての占領
1946	日本国憲法公布（11月３日）
1947	日本国憲法施行（５月３日）

□
□

【日本国憲法】

日本国憲法の三大原則
①国民主権
② 8.平和主義 （戦争放棄）
③基本的人権の尊重

日本国民の三大義務
①教育を受けさせる義務
②勤労の義務
③ 9.納税 の義務

【天　皇】

➤天皇の地位……憲法第１条

天皇は，日本国の 10.象徴 であり日本国民統合の象徴であって，この地位は， 11.主権 の存する日本国民の総意に基く。

➤天皇の国事行為

○国事行為……憲法第３条
内閣の 12.助言と承認 が必要で，内閣が 13.責任 を負う

○任命……憲法第６条
① 14.国会 の指名にもとづき内閣総理大臣を任命
② 15.内閣 の指名にもとづき最高裁判所長官を任命

○国事行為……憲法第７条
①法令の公布／憲法改正，法律，政令など
② 16.国会 の召集／内閣の決定による
③ 17.衆議院 の解散／内閣の助言と承認による

•second try•	•first try•
年　月　日(　)	年　月　日(　)
：　〜　：	：　〜　：
(　　)	(　　)
am · pm　℃	am · pm　℃
1.	1.
2.	2.
3.	3.
4.	4.
5.	5.
6.	6.
7.	7.
8.	8.
9.	9.
10.	10.
11.	11.
12.	12.
13.	13.
14.	14.
15.	15.
16.	16.
17.	17.
18.	18.
19.	19.
20.	20.
21.	21.
22.	22.
23.	23.
24.	24.
25.	25.

プラスチェック！

[大日本帝国憲法]
□1889年制定，欽定憲法
□主権者／天皇，君主主権主義
[日本国憲法]
□1946年制定，民定憲法
□主権者／国民，国民主権主義

＊このページで覚えた知識を教師になってどう活かしたい？

＊あ！あれ何だっけ？　確認メモ！

chapter 53 ［政治］

日本の国連での分担金負担，加盟国中第３位

国際社会において今後どのような国際貢献ができるか？日本の安全と防衛，国際社会における役割について，一国民として教師として，多面的・多角的に捉えられる知識が必要である。

平和主義と国際連合

重要な条文

- 日本国民は，正義と秩序を基調とする国際平和を誠実に希求し，国権の発動たる戦争と，武力による威嚇又は武力の行使は，**国際紛争**を解決する手段としては，永久にこれを［1. 放棄］する。……憲法第９条①
- 前項の目的を達するため，陸海空軍その他の戦力は，これを**保持**しない。国の［2. 交戦権］は，これを認めない。……憲法第９条②

【平和主義（戦争放棄）】

➤憲法前文

（略）日本国民は，恒久の平和を念願し，（略）平和のうちに［3. 生存］する権利を有することを確認する。

➤憲法第９条

①**戦争放棄**……国際紛争の解決手段にしない

②**戦力の不保持**……陸海空軍その他の戦力は保持しない

③**交戦権の否認**……他国との［4. 交戦権］の否認

➤自衛隊の創設

1950年　朝鮮戦争　➡1952年　警察予備隊　➡1954年　保安隊　➡自衛隊

➤憲法と自衛隊

文民支配（統制）の原則……自衛隊の出動は，国家が承認し，［5. 内閣総理大臣］が命令する。

➤憲法第９条解釈の問題点と訴訟

①自衛隊は戦力になるか（長沼ナイキ基地訴訟）

②在日米軍は戦力になるか（砂川訴訟）

③自衛権は認められているか

➤非核三原則

「**持た**ず，**作ら**ず，［6. 持ちこま］せず」（1971年国会決議）

➤国際平和維持活動（PKO）

地域紛争の再発防止や停戦の監視などを行う国連の活動　➡停戦監視団，選挙監視団などの派遣

【国際連合のしくみ】

おもな機関名	仕 事 内 容
7. 事務局	国連諸機関が決めた仕事を行う。 職員は国際公務員。
8. 総会	毎年 9. 9 月に全加盟国が参加する通常総会， 他に要請で行う特別総会，緊急総会の３種類。
10. 安全保障理事会	５常任理事国（英米仏中露）と10非常任理事国（任期２年，毎年半数が改選）を含む 11. 9 か国以上の賛成で決定。常任理事国は 12. 拒否権 を有する。
13. 経済社会理事会	経済・社会・人権等に関する国際問題を処理する。
14. 信託統治理事会	信託統治地域の施政・監督をする。
15. 国際司法裁判所	国連の司法機関，裁判官は15名。

※　常任理事国数を増やすことなどの国連改革が，日本，ドイツ，インド，ブラジル（G4）を中心として進められている。

【G20】

➤金融・世界経済に関する首脳会合。Group of Twentyの略。

➤先進国に新興国を加えた主要20か国・地域のことで，G7（アメリカ，カナダ，イギリス，ドイツ，フランス，イタリア，日本，EU（欧州連合））に加え，ロシア，インド，ブラジル，中国，インドネシア，南アフリカ，メキシコ，オーストラリア，アルゼンチン，サウジアラビア，韓国，トルコが加わる。

➤2008年世界的な金融危機を受けて世界経済の立て直しが急務課題となり，G20の首脳会合や財務大臣・中央銀行総裁会合が開かれるようになった。

•second try•

年　月　日(　)

:　〜　:

am・pm　℃

1.
2.
3.
4.
5.
6.
7.
8.
9.
10.
11.
12.
13.
14.
15.
16.
17.
18.
19.
20.
21.
22.
23.
24.
25.

•first try•

年　月　日(　)

:　〜　:

am・pm　℃

1.
2.
3.
4.
5.
6.
7.
8.
9.
10.
11.
12.
13.
14.
15.
16.
17.
18.
19.
20.
21.
22.
23.
24.
25.

プラスチェック！

[国連総会で設立された国連の下部機関]

□国連開発計画（UNDP），国連環境計画（UNEP），国連人口基金（UNFPA），国連難民高等弁務官事務所（UNHCR），国連大学（UNU），国連児童基金（UNICEF），国連女性機関（UN Women），世界食糧計画（WFP）など

＊このページで覚えた知識を教師になってどう活かしたい？

＊あ！あれ何だっけ？　確認メモ！

chapter 54 ［政治］

基本的人権の理念は人類の自由獲得への努力成果

議会の提唱，市民革命，啓蒙思想家らの活躍によって，基本的人権が享受されるようになった。基本的人権の保障は現代においても人類共通の課題であることを理解しよう。

基本的人権の重要宣言

〔マグナ=カルタ（大憲章）〕1215年

イギリスのジョン王に対し封建領主たちが，課税に貴族の承認を要することなど63条を突きつけた。「王といえども 1. 法 に従う」。

〔権利の請願〕1628年

イギリス国王チャールズ1世に対し，2. 議会 が提出。議会の同意のない課税や不法逮捕に反対した。

➤ 3. ピューリタン革命 （1642～1649年／イギリス）

➤ 4. 名誉革命 （1688～1689年／イギリス）

〔権利の章典〕1689年

イギリスの 5. 名誉革命 のときにウィリアム3世とメアリ2世が権利の宣言を受け入れて制定した。「国王は君臨すれども 6. 統治 せず」。

〔『市民政府二論』ロック〕1690年

イギリスの 7. 名誉革命 を理論的に支持し，アメリカ独立や 8. フランス革命 に影響を与え， 9. 基本的人権 を提唱した。

〔『法の精神』モンテスキュー〕1748年

フランスの啓蒙思想家。イギリスの立憲政治を支持し，アメリカ合衆国憲法に彼の 10. 三権分立 の考えが取り入れられる。

〔『社会契約論』ルソー〕1762年

フランスの啓蒙思想家。フランス絶対王政を批判し，フランス革命に影響を与え， 11. 国民主権 を提唱した。

➤ 12. アメリカ独立戦争 （1775年／アメリカ）

〔アメリカ独立宣言〕1776年

アメリカの独立に際し，13州がイギリスの支配から独立するために行った宣言。 13. トマス=ジェファーソン の起草。

➤合衆国憲法制定 （1787年（発効は1788年）／アメリカ）

➤ 14. フランス革命 （1789年／フランス）

〔フランス人権宣言〕1789年

フランス革命のときに，国民議会が採択した宣言文。15.ラ＝ファイエット の起草。

➤ 16.第一次世界大戦 （1914～1918年）

〔ワイマール（ヴァイマル）憲法〕1919年（ドイツ）

第一次世界大戦後国土は荒廃し，失業者の数が増大して過度のインフレが生じたことに対し，国民の権利として世界で初めて 17.社会権 を保障した。

➤ 18.第二次世界大戦 （1939～1945年）

〔世界人権宣言〕1948年

第３回国連総会において採択された自由権・社会権に関する世界宣言。法的拘束力はなかったため，1966年 19.国際人権規約 を採択し，拘束力をもたせた。

〔児童（子ども）の権利に関する条約〕（1994年：日本批准）

戦乱や飢饉，難民等から子どもの人権を保障。

> **第１条** この条約の適用上，児童とは， 20.18歳未満 のすべての者をいう。ただし，当該児童で，その者に適用される法律によりより早く成年に達したものを除く。
>
> **第２条①** 締約国は，その管轄の下にある児童に対し，児童又はその父母若しくは法定保護者の人種，皮膚の色，性，言語，宗教，政治的意見その他の意見，国民的，種族的若しくは社会的出身，財産，心身障害，出生又は他の地位にかかわらず，いかなる 21.差別 もなしにこの条約に定める権利を尊重し，及び確保する。

•second try•

年　月　日(　)

:　～　:

am・pm　℃

1.
2.
3.
4.
5.
6.
7.
8.
9.
10.
11.
12.
13.
14.
15.
16.
17.
18.
19.
20.
21.
22.
23.
24.
25.

•first try•

年　月　日(　)

:　～　:

am・pm　℃

1.
2.
3.
4.
5.
6.
7.
8.
9.
10.
11.
12.
13.
14.
15.
16.
17.
18.
19.
20.
21.
22.
23.
24.
25.

プラスチェック！

□アメリカは合衆国憲法において，三権分立（立法＝議会，行政＝大統領，司法＝裁判所）が明確化された。

□国連は，1965年の人種差別撤廃条約，1979年の女子差別撤廃条約などの活動にも取り組んでいる。

＊このページで覚えた知識を教師になってどう活かしたい？

＊あ！あれ何だっけ？　確認メモ！

chapter 55 [政治]

いじめも重大な人権侵害。子供たちにどう指導する？

身体・精神・経済活動の自由，社会権，参政権など，基本的人権を保障する憲法の規定を確認しよう。また，憲法改正の場合の手続きについて押さえておこう。

基本的人権の尊重

重要な条文

- 国民は，すべての 1. 基本的人権 の享有を妨げられない。この憲法が国民に保障する基本的人権は，侵すことのできない永久の権利として，現在及び将来の国民に与えられる。……憲法第11条
- この憲法が国民に保障する自由及び権利は，国民の不断の努力によって，これを保持しなければならない。又，国民は，これを濫用してはならないのであって，常に**公共の福祉**のためにこれを利用する責任を負う。……憲法第12条
- すべて国民は，個人として 2. 尊重 される。生命，自由及び幸福追求に対する国民の権利については，**公共の福祉**に反しない限り，立法その他の国政の上で，最大の尊重を必要とする。……憲法第13条
- すべて国民は，法の下に 3. 平等 であって，人種，信条，性別，社会的身分又は門地により，**政治的**，**経済的**又は**社会的関係**において，差別されない。……憲法第14条①
- すべて公務員は，全体の**奉仕者**であって，一部の奉仕者ではない。……憲法第15条②

【国民の三大義務】

① 4. 教育 を受けさせる義務…憲法第26条
② 5. 勤労 の義務…憲法第27条
③ 6. 納税 の義務…憲法第30条

【憲法改正の手続き】

国会の発議

衆議院
総議員の 7. 3分の2 以上の賛成

参議院
総議員の 8. 3分の2 以上の賛成

→

国民投票

9. 過半数 の賛成

→

公　布

10. 天皇 が国民の名で公布

□
□

【憲法に規定される基本的人権の種類】

種類		内容
自由権	身体の自由	奴隷的拘束・苦役からの自由（18条） 法定手続きの保障（31条） 不当な 11. 逮捕 ・抑留・拘禁からの自由，住居の不可侵（33～35条） 拷問・残虐な刑罰の禁止， 12. 黙秘権 の保障（36～39条）
	精神活動の自由	13. 思想 ・良心の自由（19条） 14. 信教 の自由（20条） 集会・結社・言論・出版の自由，通信の秘密（21条） 15. 学問 の自由（23条）
	経済活動の自由	居住・移転・ 16. 職業選択 の自由（22条） 17. 財産権 の不可侵（29条）
平等権		個人の尊重（13条） 18. 法 の下の平等（14条） 両性の本質的平等（24条） 政治上の平等（44条）
社会権		生存権（25条） 教育を受ける権利（26条） 勤労の権利（27条） 勤労者の 19. 団結権 ・団体交渉権・団体行動権の保障（28条）
基本的人権を保障するための権利	参政権	選挙権と被選挙権（15条，44条，93条） 請願権（16条） 最高裁判所裁判官の 20. 国民審査 権（79条） 地方自治特別法に対する 21. 住民投票 権（95条） 憲法改正の 22. 国民投票 （96条）
	請求権	国・地方公共団体に対する損害賠償請求権（17条） 23. 裁判 を受ける権利（32条，37条） 無罪の判決を受けたときの刑事補償請求権（40条）

【新しい人権】

➤環境権（日照権・眺望権）
➤ 24. 知る 権利（→ 情報公開法・情報公開制度）
➤プライバシーの権利
➤ 25. 知的財産 権
➤自己決定権

•second try•

年　月　日（　）
：　～　：
（　）
am・pm　℃

1.
2.
3.
4.
5.
6.
7.
8.
9.
10.
11.
12.
13.
14.
15.
16.
17.
18.
19.
20.
21.
22.
23.
24.
25.

•first try•

年　月　日（　）
：　～　：
（　）
am・pm　℃

1.
2.
3.
4.
5.
6.
7.
8.
9.
10.
11.
12.
13.
14.
15.
16.
17.
18.
19.
20.
21.
22.
23.
24.
25.

プラスチェック！

［国民投票法］
□日本国憲法の改正手続に関する法律。2010年施行。
□憲法第96条の日本国憲法の改正について，国民投票と憲法改正の発議の手続を定めている。
□投票年齢は，満18歳以上の者。

＊このページで覚えた知識を教師になってどう活かしたい？

＊あ！あれ何だっけ？　確認メモ！

国会議員選挙は主権者にとって重要で基本的な機会

国会は日本における三権分立のうち立法権を担当する。選挙権が18歳以上となり，高校生の意識向上や小・中学校から国家・社会の形成者としての資質を養う教育が求められている。

国会

重要な条文

- 国会は，国権の**最高機関**であって，国の唯一の 1. 立法機関 である。……憲法第41条
- 衆議院議員の任期は，**4**年とする。但し，衆議院解散の場合には，その期間満了前に終了する。……憲法第45条
- 参議院議員の任期は，**6**年とし，**3**年ごとに議員の**半数**を改選する。……憲法第46条
- この憲法の改正は，各議院の総議員の**3分の2**以上の賛成で，国会が，これを発議し，国民に提案してその承認を経なければならない。この承認には，特別の**国民投票**又は国会の定める選挙の際行われる投票において，その 2. 過半数 の賛成を必要とする。……憲法第96条①
- 憲法改正について前項の承認を経たときは，**天皇**は，**国民**の名で，この憲法と一体を成すものとして，直ちにこれを公布する。……憲法第96条②

【国会のしくみ】

	衆議院	参議院
議員数	3. 465 人	4. 248 人
任期	4年	6年
選挙権	18歳以上	18歳以上
被選挙権	5. 25 歳以上	6. 30 歳以上
解散	あり	なし
選挙	7. 小選挙区比例代表並立制 176人　比例代表制 289人　小選挙区制	選挙区比例代表並立制 100人　8. 比例代表制 148人　選挙区制（大選挙区制）

【国会の種類】

種類	回数	召集・その他	会期
9. 通常国会	年1回	1月中，おもに次年度の予算の審議	150日間
10. 臨時国会	不定	いずれかの議院の総議員の 11. 4分の1 以上の要求により内閣が召集	不定
12. 特別国会	不定	総選挙の日から 13. 30 日以内にすべての案件に先立って内閣総理大臣の指名を行う	不定
14. 緊急集会	不定	衆議院解散中，国に緊急の必要があるとき 15. 参議院 のみで国会を開くが，あくまでも臨時のものであり，次の国会の開会後10日以内に衆議院の同意がないと無効になる	不定

【国会の仕事（憲法の規定）】

①内閣総理大臣の指名・信任

② 16. 法律 の制定，予算の議決，条約の承認など

③ 17. 弾劾裁判所 の設置……裁判官に対し，非行や怠慢があればその裁判官の罷免を決定できる

④憲法改正の発議

⑤ 18. 国政調査権

【衆議院の優越】

種　類	内　容
19. 法律 の議決権	衆議院で可決した法律案とは異なる議決を参議院がしたとき，または衆議院の可決後国会休会中の期間を除き60日以内に参議院が議決しないとき，衆議院で出席議員の３分の２以上の多数で再可決すれば成立。
20. 予算 の先議権	両議院の議決が異なるときは両院協議会を開いて調整を図り，一致しないとき，または衆議院の可決後に参議院が国会休会中の期間を除いて30日以内に議決しないときは，衆議院の議決が国会の議決になる。
21. 条約 の承認権	予算の議決の規定を準用。
22. 内閣総理大臣 の指名	両議院の指名が異なって両院協議会を開いても意見が一致しないとき，または衆議院の指名後に国会休会中の期間を除いて10日以内に参議院が指名しないときは，衆議院の指名が国会の指名になる。
23. 内閣不信任決議	衆議院にのみ有す。

【国会の審議】

①本会議（議員全員）……総議員 24. 3分の1 以上の出席で議決。

②委員会（常任委員会と特別委員会）……委員 25. 2分の1 以上の出席で議決。

•second try•

年　月　日(　)

：　～　：

☼ ☁ ☂ (　　)

am・pm　℃

1.
2.
3.
4.
5.
6.
7.
8.
9.
10.
11.
12.
13.
14.
15.
16.
17.
18.
19.
20.
21.
22.
23.
24.
25.

•first try•

年　月　日(　)

：　～　：

☼ ☁ ☂ (　　)

am・pm　℃

1.
2.
3.
4.
5.
6.
7.
8.
9.
10.
11.
12.
13.
14.
15.
16.
17.
18.
19.
20.
21.
22.
23.
24.
25.

プラスチェック！

□委員会審議の際は，利害関係のある者や専門的な知識をもった者を招いて公聴会を開き，意見を聴く。

＊このページで覚えた知識を教師になってどう活かしたい？

＊あ！あれ何だっけ？　確認メモ！

chapter 57 ［政治］

衆議院総選挙では総辞職で民意を反映した新内閣へ

内閣は日本における三権分立のうち行政を担当する。内閣の構成や具体的な仕事内容について押さえておこう。また，各省庁の編成など行政機関についても確認しておこう。

内閣

重要な条文

- **行政権**は，内閣に属する。……憲法第65条
- 内閣は，行政権の行使について，国会に対し連帯して**責任**を負う。……憲法第66条③
- **内閣総理大臣**は，国会議員の中から国会の議決で，これを指名する。この指名は，他のすべての案件に先だって，これを行う。……憲法第67条①

【内閣の地位】

行政の最高責任機関，他の行政機関を**指揮監督**する。

【議院内閣制】

内閣総理大臣および内閣が，国会の信任の上に成り立ち，国会に対して連帯して責任を負う。

【内閣の構成】

A　内閣総理大臣

①選任　1. 国会 が指名し天皇が任命する

②資格　2. 国会議員 であること

3. 文民 であること

B　国務大臣

①選任　4. 内閣総理大臣 が任命する

②資格　文民であること

※ 5. 過半数 は国会議員より選出

※ 6. 閣議 ……総理大臣と国務大臣の会議，全員一致制

【内閣の総辞職】

①衆議院で不信任の決議案を可決か信任案を否決した場合，10日以内に衆議院を解散するか 7. 総辞職 しなければならない。

②衆議院議員の総選挙後の初めての国会（**特別国会**）の召集のとき。

③**内閣総理大臣**が欠けたとき。

【内閣の仕事】

①法律にもとづいて行政を行い，そのために必要な 8. 政令 を定める。
②外交関係を処理し，外国と 9. 条約 を結ぶ。
③ 10. 予算 や法律案をつくり，国会に提出する。
④国家公務員に関する事務（任命・監督など）を行う。
⑤受刑者の刑を減刑したり免除したりする。
⑥ 11. 国会 の召集を決定する。
⑦ 12. 衆議院 の解散を決定する。
⑧最高裁判所の長官を**指名**し，他の裁判官を**任命**する。
⑨天皇の国事行為に， 13. 助言と承認 を与える。

【行政機関】

内閣府	宮内庁，金融庁，消費者庁， 16. こども家庭庁 公正取引委員会，国家公安委員会―警察庁， 個人情報保護委員会，カジノ管理委員会
14. デジタル庁	首相が長で国全体のデジタル化を主導
15. 復興庁	首相が長で府省庁を束ね復興政策推進
総務省	消防庁， 公害等調整委員会
法務省	出入国在留管理庁，公安調査庁， 公安審査委員会
外務省	
財務省	国税庁
文部科学省	スポーツ庁，文化庁
厚生労働省	中央労働委員会
農林水産省	林野庁，水産庁
経済産業省	資源エネルギー庁，特許庁，中小企業庁
国土交通省	観光庁，気象庁，海上保安庁， 運輸安全委員会
環境省	原子力規制委員会
防衛省	防衛装備庁

•second try•

年 月 日( )
: ～ :
( )
am · pm ℃

1.
2.
3.
4.
5.
6.
7.
8.
9.
10.
11.
12.
13.
14.
15.
16.
17.
18.
19.
20.
21.
22.
23.
24.
25.

•first try•

年 月 日( )
: ～ :
( )
am · pm ℃

1.
2.
3.
4.
5.
6.
7.
8.
9.
10.
11.
12.
13.
14.
15.
16.
17.
18.
19.
20.
21.
22.
23.
24.
25.

プラスチェック！

□デジタル庁はデジタル・トランスフォーメーション（DX）の推進をしている。
□DXは，デジタル技術の活用・開発を通し社会制度や組織文化をも変革するような取組を指す概念。
□首相の直属機関で内閣府の外局として，こども家庭庁が2023年４月１日に設置された。

＊このページで覚えた知識を教師になってどう活かしたい？

＊あ！あれ何だっけ？　確認メモ！

chapter 58 ［政治］

公正な裁判で国民の権利を守り社会の秩序を維持

裁判所は日本における三権分立のうち司法を担当する。裁判の種類や，正しい裁判実現のための三審制度，国民が司法に参加する裁判員制度について理解しよう。

裁判所

重要な条文

■すべて 1. 司法権 は，最高裁判所及び法律の定めるところにより設置する**下級裁判所**に属する。……憲法第76条①

■すべて 2. 裁判官 は，その**良心**に従い独立してその職権を行い，この憲法及び法律にのみ**拘束**される。……憲法第76条③

【司法権の意味と独立】

事件などを法を適用して裁く権利。立法・行政から**独立**してこれを行う。

【裁判官の指名】

A　最高裁判所

長官　　……3. 内閣 が指名し 4. 天皇 が任命する

他の裁判官……5. 内閣 が任命する

B　下級裁判所

最高裁判所の指名した名簿にもとづき 6. 内閣 が任命する

【裁判所の種類】

A　7. 簡易裁判所……軽い訴訟を扱う裁判所。**民事事件**は訴額140万円を超えない請求事件，**刑事事件**では罰金以下の比較的軽い罪の訴訟事件等について，第一審裁判権。

B　8. 家庭裁判所……家庭事件の審判・調停，**非行のある少年**の事件について審判。

C　9. 地方裁判所……通常の民事・刑事事件の**第一審**と，簡易裁判所における民事事件の**控訴審**を行う。

D　10. 高等裁判所……下級裁判所のうち最上位。おもに**第二審**を扱う。

E　11. 最高裁判所……憲法によって設置された唯一にして最高の裁判所。**司法裁判権**を持つ。

※2005年より 12. 知的財産 高等裁判所を設置。

【三審制度（一般的な例）**】**

最高裁判所 ← **高等**裁判所 ← **地方**裁判所

13. 上告　　14. 控訴

【裁判の種類】

A　15. 民事裁判……個人や団体の財産上の争いや身分上の権利職務についての争いを内容とする裁判

訴えた側 ➡ 16. 原告　　訴えられた側 ➡ 17. 被告

B　18. 刑事裁判……強盗・放火・殺人など法律（刑法）で定められている犯罪行為を内容とする裁判

訴えた側 ➡ 19. 検察官　　訴えられた側 ➡ 20. 被告人

【三権分立】

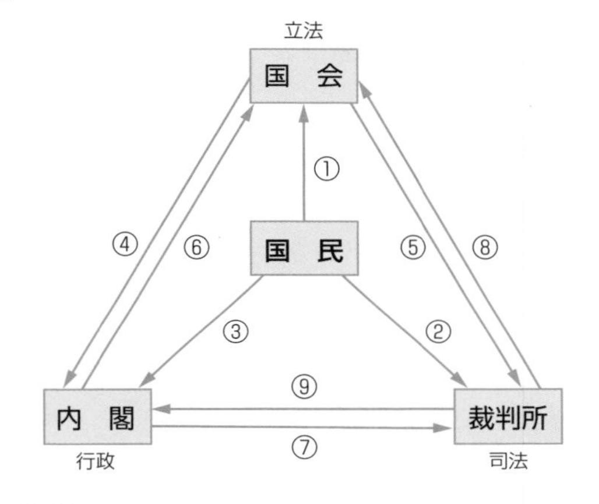

➤国民の権利

① 21. 国会議員 の選挙

②最高裁判所裁判官の 22. 国民審査

③世論

➤国会の権利

④内閣総理大臣の指名，内閣不信任決議

⑤ 23. 弾劾裁判

➤内閣の権利

⑥ 24. 衆議員 の解散，国会に対して連帯責任

⑦最高裁判所の，長官の指名およびその他の裁判官の任命

➤裁判所の権利

⑧違憲立法審査権（法令審査権）

⑨政令，命令，処分などの違憲審査

•second try•	•first try•
年　月　日(　)	年　月　日(　)
：　～　：	：　～　：
(　　)	(　　)
am · pm　℃	am · pm　℃
1.	1.
2.	2.
3.	3.
4.	4.
5.	5.
6.	6.
7.	7.
8.	8.
9.	9.
10.	10.
11.	11.
12.	12.
13.	13.
14.	14.
15.	15.
16.	16.
17.	17.
18.	18.
19.	19.
20.	20.
21.	21.
22.	22.
23.	23.
24.	24.
25.	25.

プラスチェック！

［裁判員制度］

□2009年施行。国民の視点・感覚の裁判への反映と国民の司法参加を目的としている。

□有罪・無罪，量刑等を裁判官と一緒に話し合い（評議）をして決定（評決），判決を下すしくみ。

□このような制度は，世界で取り入れられている。

＊このページで覚えた知識を教師になってどう活かしたい？

＊あ！あれ何だっけ？　確認メモ！

chapter 59
［政治］

地方公共団体の知識は教育法規・原理にもリンク

政府は住民に身近な行政を地域住民が自らの判断と責任において地域の諸課題に取り組めるための地方分権改革を進めている。地域の一員として自治意識を養っていくことが大切だ。

地方自治

重要な条文

- 地方公共団体の組織及び運営に関する事項は，地方自治の本旨に基いて，法律でこれを定める。……憲法第92条
- 地方公共団体には，法律で定めるところにより，その議事機関として**議会**を設置する。……憲法第93条①
- 地方公共団体の長，その議会の議員及び法律の定めるその他の吏員は，その地方公共団体の 1. 住民 が，直接これを**選挙**する。……憲法第93条②
- 地方公共団体は，その**財産**を管理し，**事務**を処理し，及び行政を**執行**する権能を有し，法律の範囲内で条例を制定することができる。……憲法第94条

【地方自治の本旨】

A　住民自治

地域社会（地方公共団体）の政治は， 2. 住民 の手で自らが行う。

B　団体自治

地方公共団体は，自治権をもつ 3. 団体 として国の干渉を受けない。

【地方公共団体の機能】

地方公共団体は，その財産を管理し，事務を処理し，および行政を執行する機能を有し，法律の範囲内で 4. 条例 を制定することができる。

【地方公共団体の仕事】

①公営事業

○水道・交通（電車・バス）・ガスなどの運営

②施設の設置と管理

○幼稚園・ 5. 学校 ・病院などの設置

○し尿・ゴミ処理など

○堤防・住宅などの建設と管理

③法定受託事務

○ 6. 国政 選挙

○生活保護などの社会保障

○ 7. 戸籍 ・保健・国民年金など国の仕事

【地方公共団体の首長】

A　資格　知事……8. 30 歳以上　市町村長……**25**歳以上

B　任期　9. 4 年　ただしリコールがある

C　権限　事務管理と執行，委任事務，予算の編成

【地方議会】

A　議員の資格　**25**歳以上

B　選出の任期　住民の直接選挙，10. 4 年

C　仕事　① 11. 条例 の制定・改廃

②予算の議決や決算の認定など

③ 12. 地方税 の賦課徴収

【直接請求権】

①国民解職（解職請求）：13. リコール

公職にある者を任期終了前に住民の意思で**罷免請求**すること

②国民（住民）投票：リファレンダム

憲法改正や特別法の制定時に国民が**直接投票**して決めること

③国民発案：イニシアティブ

条例の制定・改廃の要求など**地方公共団体**に立法提案すること

【地方財政】

14. 地方税 ……地方公共団体の**自主財源**

15. 国庫支出金 ……国が地方公共団体に**支出**するお金。使途が**限定**される

16. 地方交付税交付金 ……国が地方公共団体に**交付**するお金。地方財政の不均衡を是正し，平等な公共サービス実現のための交付金

➤地方税の収入が不足した場合，国からの地方交付税交付金・国庫支出金にたより，**地方債**を発行する

•second try•

年　月　日(　)
：　〜　：
☀ ☁ ☂ (　)
am · pm　℃

1.
2.
3.
4.
5.
6.
7.
8.
9.
10.
11.
12.
13.
14.
15.
16.
17.
18.
19.
20.
21.
22.
23.
24.
25.

•first try•

年　月　日(　)
：　〜　：
☀ ☁ ☂ (　)
am · pm　℃

1.
2.
3.
4.
5.
6.
7.
8.
9.
10.
11.
12.
13.
14.
15.
16.
17.
18.
19.
20.
21.
22.
23.
24.
25.

プラスチェック！

□地方公共団体の事務仕事は，法定受託事務（法令によって委託されるもの）と，それ以外を指す自治事務に分類される。

□「「地方自治」は民主主義の学校である」（ブライス）

＊このページで覚えた知識を教師になってどう活かしたい？

＊あ！あれ何だっけ？　確認メモ！

chapter 60 ［経済］

経済政策も歴史から学ばれる

時の制度や技術の発展において，何をどのように生産・消費し，経済活動が行われていたのか，様々な経済思想とともに，経済面の歴史として概略を確認しよう。

経済の思想，経済史

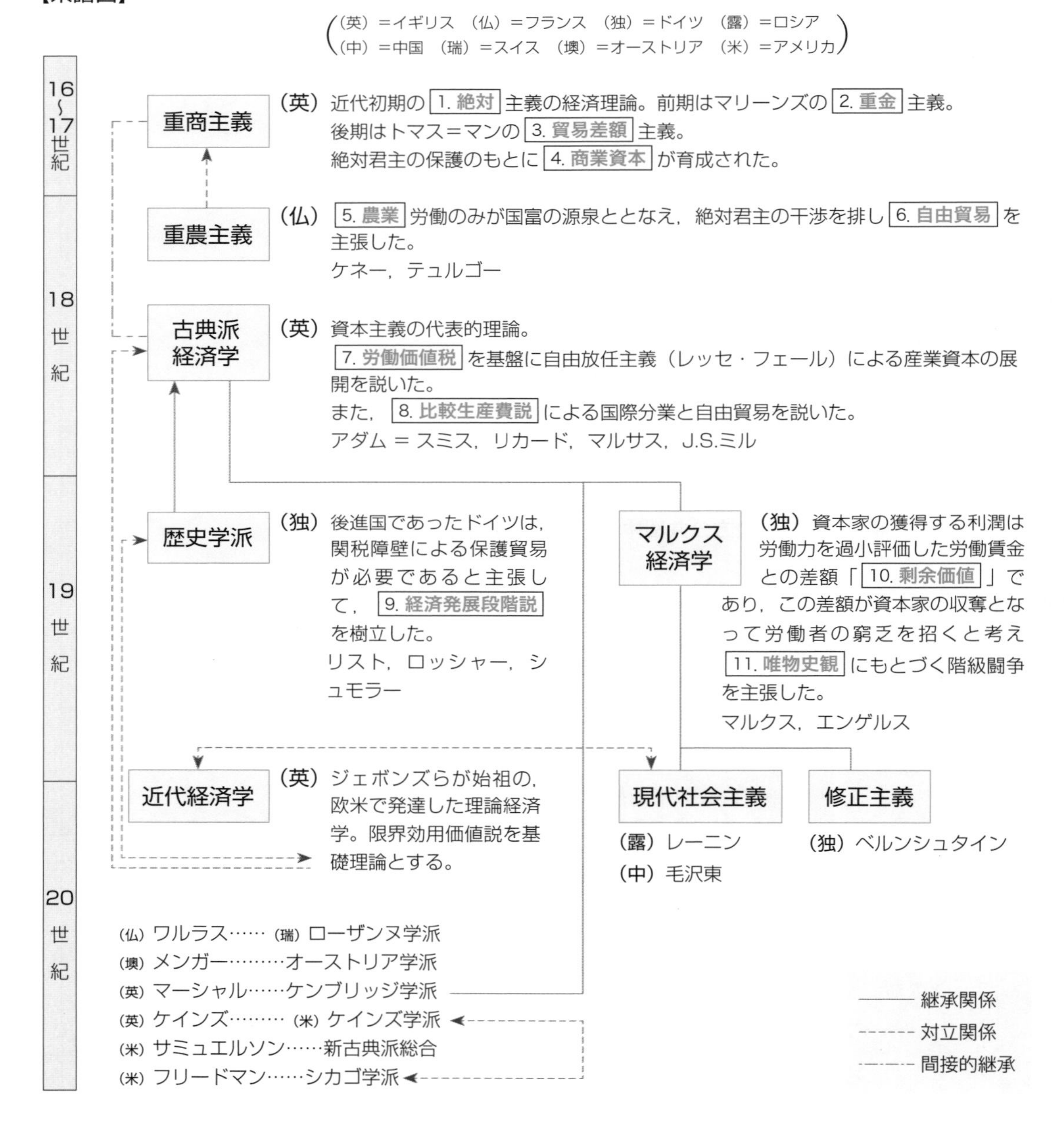

□
□

【経済史】

時期	区分	内容
~4世紀	原始	〔自給自足経済〕 原始共同社会による生産手段の共有。社会構成員の間には 12.貧富 の差，階級分化はない。13.自給自足 の自然採集経済で狩猟と漁撈(ぎょろう)が中心。
		〔古代奴隷経済〕 生産手段の私的所有化。手段を失った人間は 14.奴隷 に。
~15世紀	古代	〔商品経済の発生〕 15.石器 から 16.鉄器 へ労働用具の発達。
		〔都市国家の形成〕 商品経済の発達により貴族，商人，手工業が都市に集中。 フェニキア，ギリシア，ローマなど。
	封建	〔荘園制経済の発達〕 村落共同体を基礎に，17.領主 による農奴の身分制支配。 階級関係。荘園は独立の 18.経済 単位。
		〔ギルドの発生〕 都市の住民（商工業者）は，営業の独占と組合員の相互扶助を目的とする 19.ギルド （同業者組合）を組織。 マニュファクチュア（20.工場制手工業）の形成。
~19世紀		〔地理上の発見〕 ヨーロッパ人が新航路を発見。三角貿易の成立。商人資本の台頭。
	資本主義	〔産業革命〕 機械の発明による生産方法の根本的変革。大量生産の土台。 21.資本主義 社会の確立。貨幣資本の蓄積。22.資本家 と労働者の分化。工場制機械工業の成立。23.産業資本 の台頭。
20世紀		〔独占資本主義〕 24.金融資本 による産業支配。少数巨大企業が独占的利潤を追求する。帝国主義，ファシズム。
	社会主義	〔社会主義経済〕 25.生産手段 はすべて国有または人民の共有。階級の廃止。計画経済。能力に応じて働き，働きに応じて分配を受ける。
		〔修正資本主義（混合経済）〕 公共投資。経済の計画化。 社会保障による福祉国家。 〔マネタリズム〕 政府の介入排除。市場原理尊重。

•second try•

年 月 日( )
： ～ ：
( )
am · pm ℃

1.
2.
3.
4.
5.
6.
7.
8.
9.
10.
11.
12.
13.
14.
15.
16.
17.
18.
19.
20.
21.
22.
23.
24.
25.

•first try•

年 月 日( )
： ～ ：
( )
am · pm ℃

1.
2.
3.
4.
5.
6.
7.
8.
9.
10.
11.
12.
13.
14.
15.
16.
17.
18.
19.
20.
21.
22.
23.
24.
25.

プラスチェック！

［ケインズ］
□マクロ経済学の誕生。
□有効需要の原理をとなえる。
□著書『雇用・利子および貨幣の一般理論』。

＊このページで覚えた知識を教師になってどう活かしたい？

＊あ！あれ何だっけ？　確認メモ！

chapter 61

［経済］

家計は消費と貯蓄で企業の生産や投資と密接に関連

高等学校学習指導要領家庭基礎の内容では，家計の構造や生活と経済・社会との関わりがあげられている。経済活動について理解し，実生活から知識を生かしていくことが望ましい。

経済学理論―①

【生産と所得】

(1)生産　　生産とは，人間が自然や原材料を加工・変形・移動させることによって，財やサービスを生み出す経済活動。

生産の三要素　　［1. 土地］・［2. 労働］・［3. 資本］をいう。

(2)迂回生産　　生産効率をよくするため最終生産物の生産の前に，原材料・半製品・機械などの中間生産過程を置くこと。

(3)再生産　　財の生産が繰り返される過程を再生産過程という。

①［4. 単純再生産］……同規模の生産の繰り返し。社会発展はない。

②［5. 拡大再生産］……生産規模が拡大し経済の成長が図られる場合。

③［6. 縮小再生産］……戦争・恐慌などにより生産規模が縮小する場合。

(4)所得　　生産要素の使用に対する報酬として，家計・企業に支払われる代価。

①**勤労所得**……雇用労働者が得る所得。賃金。（雇用者所得）

②［7. 財産所得］……資本や土地を提供した人が得る利子・配当・地代。

③**個人業主所得**……商店・医師・農家など自分で事業を営んで得る所得。

④**事業所得**……企業利潤

【家計と消費】

(1)家計　　生産物（財・サービス）について最終的な［8. 消費活動］を営む経済主体。

収入　①勤労所得（雇用者所得）　②財産所得　③個人業主所得

支出　①消費　②［9. 貯蓄］　③［10. 租税］

- 支出
  - 実支出
    - 消費支出（食料費・住居費・光熱費・水道費・被服費・教育費・雑費・その他）
    - 非消費支出（租税・社会保障費・その他）
  - 実支出以外の支出（貯蓄・保険料）

(2)消費関数　　消費は［11. 所得］の大きさにより決定される。これを消費関数という。

消費性向　①**平均消費性向**……所得のうち消費に支出される割合（比率）。

②**限界消費性向**……所得の**増加**に対する消費の増加の割合（比率）。

(3)家計の法則

① 12.エンゲル の法則……消費支出に占める**食料費**の割合から家計の状況を判断する。家計の所得が高いほど，エンゲル係数は**小さく**なるとした。

②**シュワーベの法則**……家計が豊かになるほど**住居費**は増えるが，消費支出に占める割合は小さくなるとした。

(4)貯蓄

将来の利用を目的とした貨幣・財の蓄え（銀行預金・郵便貯金・保険料・有価証券など）。

$$\text{家計貯蓄率}(\%)=\frac{\text{貯蓄額}}{\text{実収入}-\text{非消費支出}}\times 100$$

【国民経済と経済主体】

(1)国民経済

13.国際経済 に対するもので，政治的な国家領域を単位とする経済。

(2)経済主体

14.家計 ・ 15.企業 ・ 16.政府 の3つをさす。

(3)経済の循環

財の 17.生産 ・ 18.流通 ・ 19.分配 ・ 20.消費 が繰り返されること。経済の循環は(2)の3つの経済主体間で行われる。

【資本の区分と循環】

資本の区分

①**不変資本**……工場・機械・原材料などの生産手段に投じられた資金。

② 21.可変資本 ……労働力の購入に充てられた資金（賃金）。

使用のしかた（形態別）

➤ 22.固定資本 ……機械のように生産過程で繰り返し使用されその価値を減じていく物的資本。

➤ 23.流動資本 ……原材料・燃料・労働力の購入部分のように，1回の使用で価値をすべて他の生産物に移してしまうもの。

調達のしかた

➤ 24.自己資本 ……企業自身の手で調達した株式・内部留保資金など。

➤ 25.他人資本 ……企業が外部から調達した借入金・社債など。

•second try•

年 月 日( )

: ～ :

( )

am・pm ℃

1.
2.
3.
4.
5.
6.
7.
8.
9.
10.
11.
12.
13.
14.
15.
16.
17.
18.
19.
20.
21.
22.
23.
24.
25.

•first try•

年 月 日( )

: ～ :

( )

am・pm ℃

1.
2.
3.
4.
5.
6.
7.
8.
9.
10.
11.
12.
13.
14.
15.
16.
17.
18.
19.
20.
21.
22.
23.
24.
25.

プラスチェック！

[貯蓄性向]

□平均貯蓄性向…所得のうち貯蓄にまわされる割合（比率）。

□限界貯蓄性向…所得の増加に対する貯蓄の増加の割合（比率）。

□限界貯蓄性向＝1－限界消費性向

＊このページで覚えた知識を教師になってどう活かしたい？

＊あ！あれ何だっけ？　確認メモ！

chapter 62 ［経済］

制約ある経済的資源をどう生産・分配・消費するか

経済活動の市場は取引をする財やサービスによって複数存在し，相互に結びついて経済社会の分業と交換のしくみを形成している。需要曲線の変化が表す意味などについて理解しよう。

経済学理論―②

【国富と国民所得】

(1)国富

一定時点において一国が保有する資産・富の合計。国民経済の過去からの蓄え（ストック）の概念であり，[1. 国民所得]を生み出す元手である。ある1つの国がある時点でもつ財産を金額にして表したもの。

> 国富＝個人資産（土地や住宅など）
> ＋企業資産（工場，機械，設備，在庫など）＋社会資本＋対外資産

(2)国内総生産

一定期間（通常1年間）に，一国内の生産活動によって新たに生み出された財・サービスの付加価値の合計。

国内総生産は，[2. GDP]（Gross Domestic Product）と表される。

＊[3. 総生産額]……一国内で生産・販売の過程で授受した金額の合計。

＊[4. 国民総所得]（GNI）……国内総生産に海外からの所得の純受取分を足した金額。（従来のGNP：国民総生産）。

(3)三面等価の原則

経済活動は，**生産→分配→支出**の経済循環を繰り返す。これらは同一の価値の流れを異なった側面から捉えたにすぎないため，生産面からみたGDP＝分配面からみたGDP＝支出面からみたGDPとなる。

(4)経済成長率

景気状況を判断する際，基本的な判断材料になるのが経済成長率である。経済成長率は**GDP**の伸び率を意味し，通常**対前年(度)比**で表される。経済成長率は，通常物価の変動による影響分を引いた実質経済成長率が利用される。

【現代の市場と企業】

(1)市場　財・サービスの買手（[5. 需要者]）と売手（[6. 供給者]）が取引をする場。

(2)売手の数　一者……独占，二者……[7. 複占]，三者以上……[8. 寡占]，多数の場合を**完全市場**。

(3)価格　商品の[9. 交換]価値を貨幣額で表したもの。

労働価値説　投下した[10. 労働量]によって価格が決定される。

限界効用価値説　与えられた財の最後の一単位，限界効用により[11. 価格]が決定される。

一物一価の原則　**ジェボンズ**が提唱した法則で，完全な[12. 自由競争]下では，同一財貨には同一価格が成立し，ある商品の価格は1つしかないことを示す。

□
□

(4)価格の決定

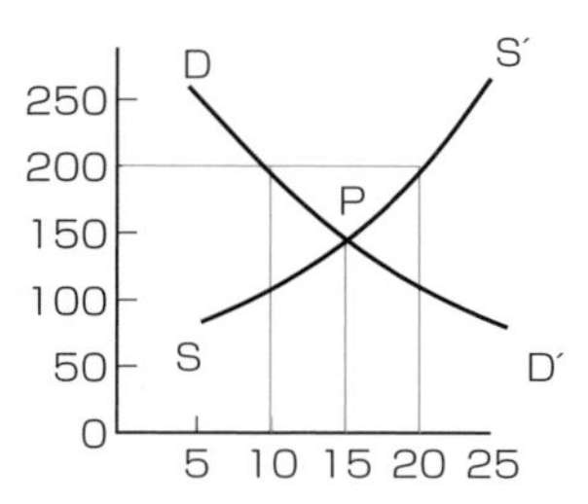

＊縦軸：価格，横軸：需要量・供給量
＊D～D'：需要曲線　＊S～S'：供給曲線
＊P：自由（均衡）価格

➤需要曲線は価格の**低下**に伴い**需要**が大。
➤供給曲線は価格の**上昇**に伴い**生産**が大。

(5)価格機構

13. プライス・メカニズム ……価格の変動を通じ，社会全体の供給量と需要量の**均衡**を保つ。

価格の自動調節機能

需要が供給を**上回る**と価格が**上昇**し，それとともに需要は減少し供給は増加して，両者は一致する。需要が供給を**下回る**と**下落**する。

(6)価格の種類

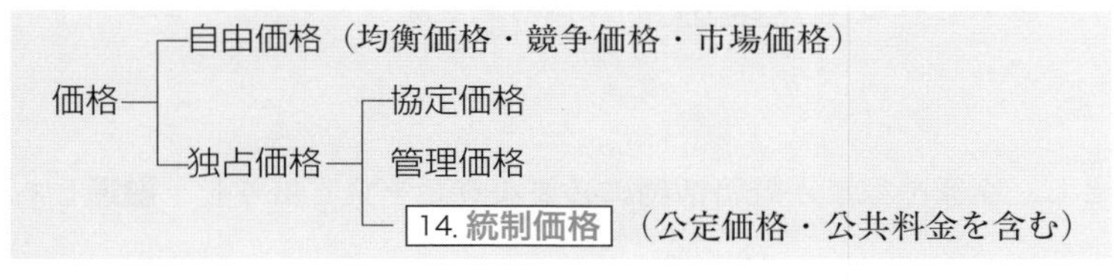

(7)独占価格

➤協定価格……寡占企業どうしが協定した価格。
➤管理価格…… 15. プライス・リーダー となった大企業が提唱する価格に他企業を追随させる。暗黙の価格協定。

(8)企業集中

① 16. カルテル （**企業連合**）……同業企業が価格・生産・販売等の協定を結び市場支配を図る。
② 17. トラスト （**企業合同**）……1つの株式会社に合併。
③ 18. コンツェルン （**企業連携**）……持株会社（親会社）が各分野の企業を支配・統合。
④ 19. コングロマリット （**複合企業**）……事業分野が全く異なる企業を吸収合併。

•second try•	•first try•
年　月　日(　)	年　月　日(　)
：　～　：	：　～　：
(　　)	(　　)
am・pm　℃	am・pm　℃
1.	1.
2.	2.
3.	3.
4.	4.
5.	5.
6.	6.
7.	7.
8.	8.
9.	9.
10.	10.
11.	11.
12.	12.
13.	13.
14.	14.
15.	15.
16.	16.
17.	17.
18.	18.
19.	19.
20.	20.
21.	21.
22.	22.
23.	23.
24.	24.
25.	25.

プラスチェック！

□シンジケート…カルテル独立の共同販売機関を設け，加盟企業がこれを通して販売する組織。
□マルチナショナル・エンタープライズ（多国籍企業）…世界各国に生産と販売の拠点をもつ企業。
□独占禁止法…私的独占の禁止及び公正取引の確保に関する法律。公正取引委員会を設置。

＊このページで覚えた知識を教師になってどう活かしたい？

＊あ！あれ何だっけ？　確認メモ！

chapter 63 [経済] 金融取引は情報の不確実性が生じるため信用が重要

金融における資金の需給は，金融市場の金利変化や株式市場・債券市場の動向等で調節される。銀行・証券会社ほか金融機関の役割や間接金融・直接金融のしくみを併せて理解しよう。

金融―①

【貨幣と通貨制度】

(1)貨幣　商品 1. 交換 の媒介物。

貨幣の機能
①**価値尺度手段**……商品の価値を貨幣で表示し，**交換**を可能にする。
② 2. 交換手段 ……生産者から消費者へ商品を流通させる。流通手段。
③ 3. 価値貯蔵手段 ……貨幣を蓄えて商品価値そのものを貯蔵する。

(2)通貨　流通（交換）手段や支払手段として実際に機能している貨幣。

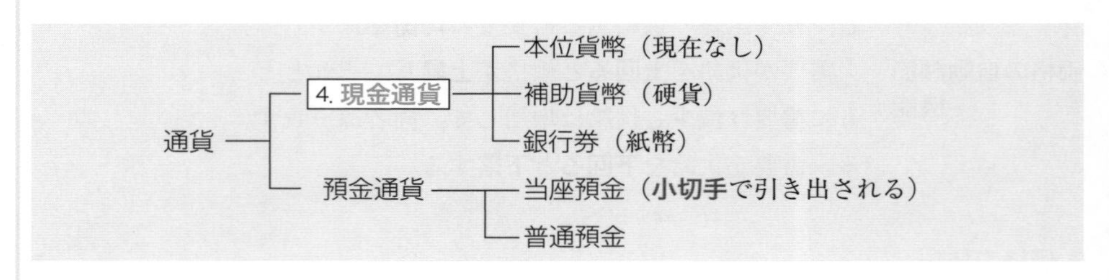

(3) 5. 暗号資産　インターネット上で取引される 6. 仮想通貨 。投機対象となっている。

【金融】

(1)金融とは　金融機関を媒介とし，企業や家計が経済活動に必要な資金を貸し借りし，**融通**しあうこと。

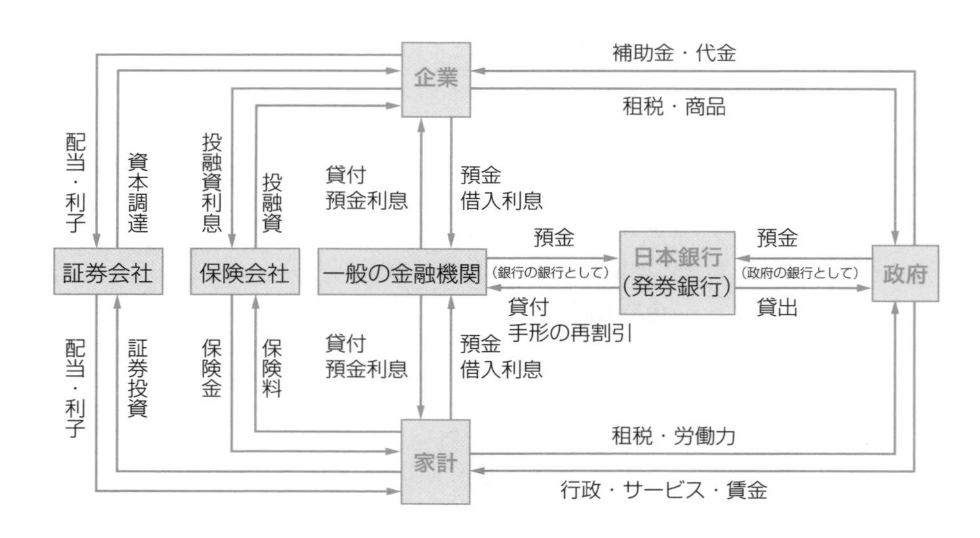

□
□

(2)金融の種類

貸出先による区分
➤**産業金融**……企業の経営に必要な産業資金。
➤ 7. 消費金融 ……個人の生活資金，国および地方公共団体の財政資金。

期間による区分
➤**長期金融**…… 8. 設備資金 や産業開発資金にまわす１年以上の融通。
➤**短期金融**…… 9. 運転資金 にまわす１年以内の融通。

範囲による区分
➤**国内金融**……国内における資金の融通。
➤ 10. 国際金融 ……国際間にまたがる資金の融通。

調達方法による区分
➤**直接金融**…… 11. 株式 ・社債・公債などの 12. 有価証券 を発行し，必要な資金を直接調達する方法。
➤**間接金融**……資金の供給者が金融機関に預け入れ，需要者は金融機関から借り入れる方法。

(3)銀行の三大業務

13. 預金 ， 14. 貸付 ， 15. 為替 。
為替とは遠隔地者間における資金の受払いをいう。

(4)中央銀行

①わが国では 16. 日本銀行 であり，資本金の過半数は 17. 政府 が出資。
② 18. 日本銀行券 の発行。唯一の発券銀行。
③ 19. 銀行 の銀行。手形の 20. 再割引 や 21. 有価証券 を担保に市中銀行に貸付を行う。この時の利率を「基準割引率および基準貸付利率」という。また，預金の受入れも行う。
④ 22. 政府 の銀行。政府に代わり 23. 国庫金 の保管や出納を行う。また， 24. 国債 の発行や償還などの事務を行う。この機能によって税金が国庫へ入ったり，各行政官庁のさまざまな必要経費が国庫から出たりする。
⑤金融政策の執行機関。

•second try•

年 月 日( )
: 〜 :
( )
am · pm ℃

1.
2.
3.
4.
5.
6.
7.
8.
9.
10.
11.
12.
13.
14.
15.
16.
17.
18.
19.
20.
21.
22.
23.
24.
25.

•first try•

年 月 日( )
: 〜 :
( )
am · pm ℃

1.
2.
3.
4.
5.
6.
7.
8.
9.
10.
11.
12.
13.
14.
15.
16.
17.
18.
19.
20.
21.
22.
23.
24.
25.

プラスチェック！

□管理通貨制度…政府と中央銀行が通貨の発行量や発行条件を管理する制度。日本では1931年に採用。
□グレシャムの法則…「悪貨は，良貨を駆逐する」。

＊このページで覚えた知識を教師になってどう活かしたい？

＊あ！あれ何だっけ？　確認メモ！

chapter 64 ［経済］

経済活動の過程で景気変動は不可避

国民生活の安定のためには，物価や景気の動向を判断しながら政府や中央銀行の適切な政策が必要となる。金融政策の種類や物価に関わる用語について把握しておこう。

金融—②

【金融政策】

政府や中央銀行が**通貨量**を調整し，景気と物価の安定を図る経済政策。

	金融緩和政策（景気停滞時）	金融引締め政策（景気過熱時）
金利政策	基準割引率・基準貸付利率引下げ	基準割引率・基準貸付利率引上げ
公開市場操作	買いオペレーション	売りオペレーション
預金準備率操作	引下げ	引上げ

金利政策

「**基準割引率**および**基準貸付利率**」を上下させることで貸出しの抑制・促進を行う。

公開市場操作

➤ 1. オープン・マーケット・オペレーション ……中央銀行が金融市場において国債などの有価証券を売買することで資金量を調節し，景気の調整を行う政策。

➤ 2. 買いオペレーション ……中央銀行が市中銀行などから有価証券を**買い入れる**ことで，通貨を供給し民間の資金を増やす政策。

➤ 3. 売りオペレーション ……中央銀行が市中銀行などへ手持ちの有価証券を**売り出す**ことによって，民間の資金を中央銀行へ吸収する政策。

【物価問題】

(1)インフレ

通貨膨張ともいい， 4. 通貨 が必要量を超えて増発された結果 5. 商品 量に対して 6. 通貨 量が過剰となり，貨幣価値が下落して 7. 物価 が騰貴する状態。あるいは，供給に対して需要超過となった状態をいう。

原因による分類

➤**ディマンド・プル・インフレ**…… 8. 需要 インフレ〔需要側の原因〕
需要の増加に対し，供給の増加が伴わずにおこるインフレ。

➤**コスト・プッシュ・インフレ**…… 9. 費用 インフレ〔供給側の原因〕
コストの上昇が生産・販売価格に影響を与えて生じるインフレ。

進行形態による分類

➤**クリーピング・インフレ**（しのびよるインフレ）
10. 管理通貨 制度特有のインフレであり， 11. 経済成長政策 によって促進される。

➤**ギャロッピング・インフレ**（駆け足のインフレ）
12. 物価 の上昇が比較的高率で急速となるインフレ。

➤ 13. ハイパー・インフレ （超インフレ）
生産能力が限界に達し物不足が生じ，短期間に物価が急上昇するインフレ。

インフレ対策	①総需要抑制策 ○ [14. 金融政策] …基準割引率および基準貸付利率引上げ，売りオペレーション，預金準備率引上げ ○**財政政策**…公共投資削減，社会保障給付減少，増税 ②供給促進策 生産性向上，輸入促進，価格安定政策 ③その他（原因に応じて） 賃金上昇抑制，円高誘導，規制緩和など
インフレ収束	ディス・インフレは，物価上昇率が低下していく状況のこと。
インフレギャップ	**総需要**が総供給（生産量）を上回る場合の両者の差。物価上昇につながる。
物価スライド制	賃金や金利などを一定の方式により物価に連動させること。**インデクセーション**ともよばれる。
(2)デフレ	**通貨収縮**ともいい，[15. 通貨] が必要量以下に収縮し，[16. 商品] 量に対して [17. 通貨] 量が減少となるため，貨幣価値が上昇して [18. 物価] が下落する状態。あるいは**需要**に対して**供給超過**となった状態をいう。デフレが進行すると，生産は縮小し，失業者が増加して，**不況**（不景気）となる。
デフレスパイラル	悪循環に陥った状況（物価の下落→企業の収益の悪化→賃金引下げ・消費低迷→物価の下落）。
デフレ対策	インフレ対策の逆になる。
デフレ解消	リフレーションは，計画的に統制された通貨再膨張のこと。
デフレギャップ	総供給（生産量）が**総需要**を上回る場合の両者の差。
(3)スタグフレーション	不況下の物価高といわれる現象について，スタグネーション（[19. 景気停滞]）とインフレーションを合成した名称。
スタグフレーション対策	➤独占禁止法の適正な運用→管理価格の排除 ➤所得政策→賃金上昇抑制

•second try•

年 月 日( )

: 〜 :

( )

am · pm ℃

1.
2.
3.
4.
5.
6.
7.
8.
9.
10.
11.
12.
13.
14.
15.
16.
17.
18.
19.
20.
21.
22.
23.
24.
25.

•first try•

年 月 日( )

: 〜 :

( )

am · pm ℃

1.
2.
3.
4.
5.
6.
7.
8.
9.
10.
11.
12.
13.
14.
15.
16.
17.
18.
19.
20.
21.
22.
23.
24.
25.

プラスチェック！

□基準年の物価を100として現在の物価を指数化したものを物価指数とよぶ。
□企業物価指数は日本銀行が，消費者物価指数は総務省統計局が作成する。
□景気は，好況→後退→不況→回復と循環していく。急激な後退を恐慌とよぶ。

＊このページで覚えた知識を教師になってどう活かしたい？

＊あ！あれ何だっけ？　確認メモ！

chapter 65 [経済]

納税者として税金の用途に関心をもつことが大切

政府は市場経済において，市場システムを機能させたり，民間部門では十分な供給が難しい財やサービスの提供，所得再分配や経済の安定化などを図る役割がある。

財政

【財政構造と役割】

(1)財政

財政は，国民経済から所得の一部を［1. 歳入］として受け入れ，それを［2. 歳出］として支出する。国の財政を処理する権限は［3. 国会］の議決にもとづいて行使され，予算は［4. 内閣］が作成し国会の議決を経て成立する。

(2)財政制度

予算，決算と公金の処理手続である会計をいう。

予算　4月1日から3月31日までの一会計年度の財政収入である［5. 歳入］と，財政の機能を果たすための財政支出である［6. 歳出］の計画。

決算　**財政収入**と**財政支出**の結果報告であり，会計検査院の検査を経て，内閣が検査報告とともに国会に提出し，国会の承認を受ける。

国家予算　①**一般会計**……国の通常の活動に伴う会計。
②**特別会計**……国の特定の事業，特定の資金運用を行うための会計。
③**政府関係機関予算**……国が出資する法人の中で国会の予算審議にかなう法人の予算。

【租税・公債・地方財政】

(1)租税

➤徴税主体の違いで［7. 国税］と［8. 地方税］に分かれる。
➤税の性質の違いで**直接税**と［9. 間接税］に分かれる。

国税　国庫の収入の中心となる税。

地方税　地方公共団体の収入の中心。**道府県税**と**市町村税**に分かれる。

直接税　租税の納付者と負担者が**同じ**である税。一定税率により直接納める。

関接税　租税の納付者と負担者とが**異なる**税。商品購入等の対価の支払いに，一定税率の税金を負担する。納税者は売手で負担者は商品の買手（**租税の転嫁**）。

(2)租税の種類

	国　税	地 方 税
直接税	所得税・法人税・相続税・贈与税等	道府県民税・市町村民税・事業税・固定資産税等
間接税	消費税・酒税・関税等	地方消費税・ゴルフ場利用税・入湯税等

(3)租税の構造

➤日本の直接税は，個人が負担する［10. 所得税］と企業が納める［11. 法人税］が中心。前者は所得が増えるほど税率が高くなる［12. 累進課税］で，後者は原則として所得によって税率の異ならない［13. 比例税］である。
➤一方，［14. 間接税］は，実質的に低所得者層の負担が大きくなる［15. 逆進］的な［16. 大衆課税］である。

(4)消費税	あらゆる商品・サービスなどへの課税を原則とし（非課税商品等は例外），価格に対し同一の税率を適用して課す間接税。
(5)公債	国および地方公共団体の**歳入**が不足した際に，必要な資金を調達するために発行される**債券**。
発行主体による分類	➤ 17. 国債 ……国が発行する公債。 ➤**地方債**…… 18. 地方公共団体 が発行。
発行方法による分類	➤**公募債**……不特定多数に販売。 ➤**交付公債**……資格者へ現金給付代わりに交付。
国債の分類	➤ 19. 赤字国債 ……一般会計不足分を補うため発行。 ➤**建設国債**……公共事業財源のため発行。
(6)地方財政	20. 地方公共団体 の行政活動の経費。**普通会計**と**特別会計**からなる。 ➤**歳入**……地方税，地方交付税，地方債，国庫支出金，地方譲与税など。 ➤**歳出**……教育費，土木費，民生費，公債費，総務費，衛生費，商工費，農林水産業費，警察費，消防費など。

【財政政策】

(1)裁量的財政政策	政府が経済状況に応じて実施する意図的な景気調整。**フィスカル・ポリシー**。
景気の自動調整装置	21. ビルト・イン・スタビライザー という。累進課税制度や社会保障制度を財政構造自体に組み入れておくと，財政が自動的に景気を調整する機能。
有効需要	実際に購買力を有する需要。財政の働きにより 22. 有効需要 を増大させれば経済成長には成功するが， 23. インフレ を招くことにもなる。
財政投融資	財投債などにより金融市場から調達した資金を，公庫や独立行政法人などの 24. 財投機関 に投入する。
ポリシー・ミックス	国が景気調整を効果的に行うために 25. 財政政策 ・為替政策などを組み合わせた経済政策。

•second try•	•first try•
年　月　日(　)	年　月　日(　)
：　～　：	：　～　：
am・pm　℃	am・pm　℃
1.	1.
2.	2.
3.	3.
4.	4.
5.	5.
6.	6.
7.	7.
8.	8.
9.	9.
10.	10.
11.	11.
12.	12.
13.	13.
14.	14.
15.	15.
16.	16.
17.	17.
18.	18.
19.	19.
20.	20.
21.	21.
22.	22.
23.	23.
24.	24.
25.	25.

プラスチェック！

[現代の財政の役割]

□資源配分の調整（公共サービスの提供，社会資本の充実），所得の再配分と社会保障の充実（国民の所得格差の調整），景気の調整と総需要の管理，物価の安定，経済成長の促進。

＊このページで覚えた知識を教師になってどう活かしたい？

＊あ！あれ何だっけ？　確認メモ！

chapter 66 ［経済］

国家や国際機構等の協力で国際経済問題の解決を

為替相場変動による輸出入への影響についてしっかり理解しておこう。また，国際経済の安定と成長のための日本の役割について留意しながら，貿易問題等の把握をしていこう。

国際経済

(1)貿易の種類

- ➤ 1. 自由貿易 ……国が外国との貿易に何も制限をしない。
- ➤ 2. 保護貿易 ……国が特定の産業を保護し育成するために貿易を制限する。
- ➤ 3. 加工貿易 ……原料を輸入して製品を輸出する。

(2)国際組織

- ➤ 4. 国際通貨基金 （IMF）……1945年，加盟国が出資して，貿易の不均衡の調整に必要な短期資金を供給し，国際間の**為替レート**の安定を目的とした機関。
- ➤ 5. 国際復興開発銀行 （IBRD）……1946年，加盟国が出資して，加盟国の復興・開発のための長期資金の供給を行う。また，発展途上国のために投資が容易にできるように保証・融資をする。
- ➤ 6. 世界貿易機関 （WTO）……1995年GATT（関税と貿易に関する一般協定）に代わり世界貿易の自由化と秩序維持を目的に発足。

(3)国際収支

7. 国際収支 ……一定期間（通常１年）一国の対外支払いと受け取りの集計。
IMFマニュアルの改正に伴い，1996年１月から実施。

- 8. 経常収支 ……貿易・サービス収支，所得収支，経常移転収支の合計。
  - 9. 貿易・サービス収支 ……商品，輸送・旅行等サービス分野の取引。
  - 10. 所得収支 ……雇用者報酬と投資収益。
  - 11. 経常移転収支 ……国際機関への拠出，無償資金援助，労働者の送金等。
- 12. 資本収支 ……投資収支とその他の資本収支の合計。
  - 13. 投資収支 ……直接投資，証券投資等。
  - その他の資本収支……資本移転，特許権の処分や所得等。
- 外貨準備増減

(4)円高円安

➤ 14. 円高

○為替相場で相手の外貨に対する円の価値が**高く**なる状態。

○輸入品は安くなるが，輸出企業は差損を生じる。

➤ 15. 円安

○同様に為替相場で円の価値が**低く**なる状態。

○輸出は差益が上がるが，輸入品は高くなる。

〈例1〉240万円の自動車を輸出する場合
＊円高になると1ドル＝120円⇒1ドル＝100円
→アメリカでは2万ドルの自動車が2万4,000ドルに値上がりするので輸出は不利
＊円安になると1ドル＝100円⇒1ドル＝120円
→アメリカでは2万4,000ドルから2万ドルに値下がりするので売れやすくなり輸出は有利

〈例2〉10ドルのCDを輸入する場合
＊円高になると1ドル＝120円⇒1ドル＝100円
→日本では1,200円から1,000円に値下がりするので売れやすくなるため輸入は有利
＊円安になると1ドル＝100円⇒1ドル＝120円
→日本では1,000円から1,200円に値上がりするので売れにくくなるため輸入は不利

(5)国際間の貿易問題

➤ 16. 貿易摩擦

貿易国間の著しい貿易収支の不均衡から，国内経済に悪影響をおよぼし，その結果貿易国間で政治的，経済的な利害の対立が起こること。

➤ 17. 南北貿易

おもに北半球に多い先進工業国と南半球に多い発展途上国との間の貿易。おもに発展途上国は原料の輸出にたより，先進工業国は原料を輸入し製品を発展途上国に輸出する。そのため発展途上国では貿易上赤字が多くなり，自国の工業が成長しにくく，やがては原料が枯渇するといった問題もある。

➤ 18. 産業の空洞化

貿易摩擦の解消や為替相場の影響，国内の高賃金などを避けるため製造業が海外に生産拠点を設ける。そのため国内の雇用の減少，失業者の増大など産業構造に大きな問題が生じる。

•second try•

年 月 日( )
: 〜 :
( )
am・pm ℃

1.
2.
3.
4.
5.
6.
7.
8.
9.
10.
11.
12.
13.
14.
15.
16.
17.
18.
19.
20.
21.
22.
23.
24.
25.

•first try•

年 月 日( )
: 〜 :
( )
am・pm ℃

1.
2.
3.
4.
5.
6.
7.
8.
9.
10.
11.
12.
13.
14.
15.
16.
17.
18.
19.
20.
21.
22.
23.
24.
25.

プラスチェック！

□アメリカにおける貿易と財政の「双子の赤字」で1971年にドルと金の交換を停止，ニクソン・ショックが起こる。1973年，変動為替相場制に移行。

□経済連携協定（EPA）…２以上の国・地域で自由貿易協定（FTA）の要素（物品及びサービス貿易の自由化）に知的財産の保護や投資等を含め締結する協定。

＊このページで覚えた知識を教師になってどう活かしたい？

＊あ！あれ何だっけ？　確認メモ！

chapter 67 ［社会・労働］

健康で文化的な最低限度の生活を営む権利の具現

社会保障制度を持続可能にするには次世代の受益と負担を考慮しなければならない。自助・共助・公助における，現在の制度について把握しよう。

社会保障と家族

【わが国の社会保障】

(1)社会保障の体系

社会保障とは，疾病・負傷・老齢・災害・失業・貧困・障害などの国民の生活不安を取り除き，国民福祉を実現するための国家的施策のこと。

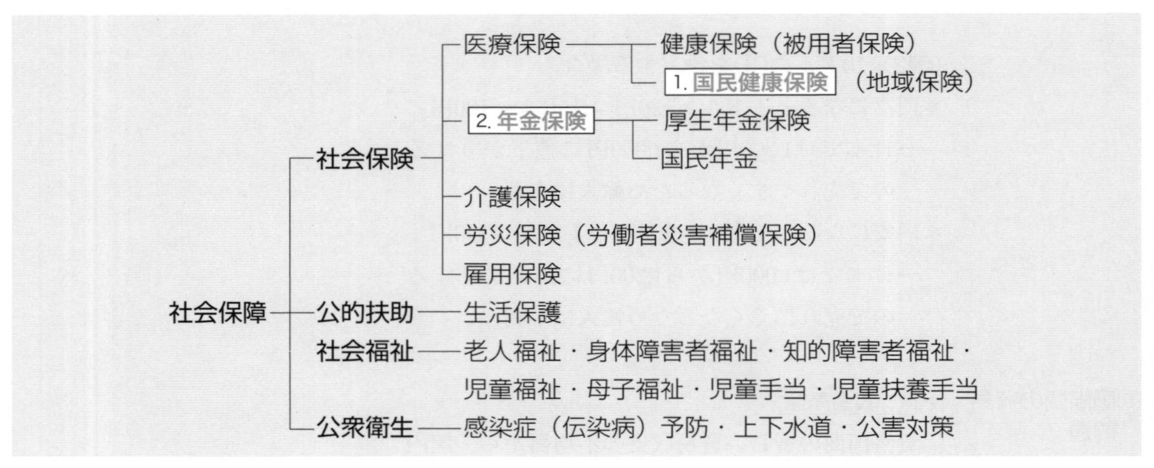

(2)介護保健

2000年４月から実施された介護保険は，3. 40 歳以上の国民を被保険者として，介護が必要な人に在宅や施設でのサービスを提供する。

(3)公的扶助（生活保護）

4. 生活 扶助・**教育**扶助・**住宅**扶助・**医療**扶助・**介護**扶助・**出産**扶助・**生業**扶助・**葬祭**扶助の８種。

【財政政策】

(1)少子社会

1997年に子供の数が高齢者人口よりも少なくなり，わが国は少子社会となった。また2023年の 5. 合計特殊出生率 （一人の女性が一生に生む子供の数）は1.20で，ここ数年連続で前年を下回っている。

育児・介護休業法

1999年施行。育児または家族の介護を行う労働者等に対する支援措置。一定期間の休業取得が可能。

(2)高齢社会

全人口に占める 6. 65 歳以上の 7. 高齢者 の割合は，1970年に7%であったものが1994年には14%を超え，わが国は高齢化社会から高齢社会に突入した。

ノーマライゼーション

障害のある者とそうでない者が，共に暮らし，生活できるようにすることやその概念をいい，障害者と健常者が互いに助け合い，共住し，共生する社会・地域・医療・家族などをめざす。

【家族と親族】

(1)家族

➤**核家族**…夫婦中心の家族。

➤ 8. 直系家族 …中心の家族。

(2)親族の範囲

親族とは，9. 6親等 内の血族・10. 配偶者 ・11. 3親等 内の姻族を指す。

➤**血族**…自分と血縁のある者。

➤**姻族**…12. 配偶者 と血縁のある者。

➤**尊属**…父母と同列以上にある血族。

➤**卑属**…子供と同列以下にある血族。

➤**直系**…親子関係によって結ばれている者。その他は 13. 傍系 。

※　親等…親族関係の遠近をはかる尺度。

【婚姻・親権】

※　民法の一部を改正する法律が2022年４月１日から施行され，成年年齢が20歳から18歳に引き下げられた。

(1)婚姻適齢

婚姻は，14. 18 歳にならなければ，することができない。……民法第731条

(2)親権

父母の**共同親権**（子が**未成年**の間）。

＊ 15. 監護及び教育 の権利義務（子の人格を尊重するとともに，その年齢及び発達の程度に配慮しなければならず，かつ，16. 体罰 その他の，子の心身の**健全な発達**に有害な影響を及ぼす**言動**をしてはならない。）

＊居所の指定　＊職業の許可

＊財産管理・法定代理の権利義務

(3)親権喪失の審判

父又は母による 17. 親権 の行使が著しく困難又は不適当であることで子の利益を著しく害するときは，18. 家庭裁判所 は，その親族，未青年後見人等の請求によって，その親権喪失の 19. 審判 をすることができる。

•second try•

年　月　日(　)
:　〜　:
(　)
am・pm　℃

1.
2.
3.
4.
5.
6.
7.
8.
9.
10.
11.
12.
13.
14.
15.
16.
17.
18.
19.
20.
21.
22.
23.
24.
25.

•first try•

年　月　日(　)
:　〜　:
(　)
am・pm　℃

1.
2.
3.
4.
5.
6.
7.
8.
9.
10.
11.
12.
13.
14.
15.
16.
17.
18.
19.
20.
21.
22.
23.
24.
25.

プラスチェック！

□均分相続…相続人が共同して相続財産を承継する場合，相続人の間で平等に分割する相続形態。

□日本の民法では均分相続を原則としている。

□配偶者の相続分は特別扱いを受ける。

＊このページで覚えた知識を教師になってどう活かしたい？

＊あ！あれ何だっけ？　確認メモ！

chapter 68 地球環境保全と経済発展が双方持続可能な模索

［社会・労働］

近年の継続する地球環境問題として，生物多様性危機，オゾン層破壊，熱帯雨林現象，砂漠化，などがあげられる。人類は様々な方策を求められている。動向について確認しておこう。

環境問題と国民生活

【環境基本法】

目的（第1条）

この法律は，環境の保全について，基本理念を定め，並びに国，地方公共団体，［1. 事業者］及び国民の責務を明らかにするとともに，環境の保全に関する施策の基本となる事項を定めることにより，環境の保全に関する施策を総合的かつ計画的に推進し，もって現在及び将来の国民の健康で文化的な［2. 生活］の確保に寄与するとともに人類の［3. 福祉］に貢献することを目的とする。

【公害の発生】

⑴公害の歴史

①足尾銅山［4. 鉱毒］事件（1880年頃）
栃木県の足尾銅山から廃棄された鉱毒が原因で，農作物等に損害を与えた。

②別子銅山［5. 煙害］問題（1900年頃）
愛媛県の別子銅山から発生した煙が農作物に被害を与えた。

③日立鉱山煙害問題（1910年頃）
茨城県の日立鉱山から発生した［6. 亜硫酸ガス］の排出で，工場周辺の山林や農作物に被害を与えた。

⑵四大公害訴訟

①［7. イタイイタイ］病……富山県神通川下流域で，大正時代頃から発生した**カドミウム**中毒。

②［8. 水俣］病……熊本県の水俣地区周辺で1956年頃から発生した**有機水銀**中毒。

③［9. 四日市ぜんそく］……三重県四日市市の石油コンビナート周辺で，1960年頃から発生した**硫黄酸化物**による健康被害。

④［10. 新潟水俣］病……第二水俣病ともいう。新潟県阿賀野川下流域で，1965年頃から発生した**有機水銀**中毒。

⑶新公害

光化学スモッグ，ごみ，日照権侵害，近隣騒音など都市公害をはじめとして，開発公害，ハイテク汚染，**環境ホルモン**，**アスベスト**，［11. 微小粒子状物質］（**PM2.5**）による被害などが問題となっている。

【環境と取り組み】

⑴公害立法

➤1967年に［12. 公害対策基本法］が制定。1971年に環境庁設置（→2001年に環境省へ）。

➤1972年に**公害防止条例**が全都道府県で施行。企業と**公害防止協定**を結ぶ自治体増加。

➤1973年に環境基本法が制定。

➤1997年には 13.環境アセスメント法 （**環境影響評価法**）が制定。

(2)国際協力

➤1972年，ストックホルムで「かけがえのない地球」をスローガンに国連人間環境会議が開催され， 14.人間環境(ストックホルム)宣言 が採択。**国連環境計画**（**UNEP**）が設立された。

➤1992年リオデジャネイロで「持続可能な開発」をスローガンに**国連環境開発会議**（**地球サミット：UNCED**）が開催され，21世紀への環境行動計画「アジェンダ21」が採択。 15.気候変動枠組 （地球温暖化防止）条約， 16.生物多様性 （生物の種などの多様性の保全）条約などが結ばれた。

➤1997年には第３回気候変動枠組条約締約国会議（COP3）で「 17.京都議定書 」が，2015年には第21回の同会議（COP21）で世界の平均気温上昇を抑えるとする「 18.パリ協定 」が採択された。

➤2015年「**持続可能な開発目標**（ 19.SDGs ）」が国連サミットで採択。誰一人取り残さない 20.持続可能 で多様性と包摂性のある社会の実現のため，2030年を年限とする貧困，飢餓，保健，教育，エネルギー，気候変動，平和など**17の国際目標**を指す。

【人口問題】

(1)ドーナツ化現象とスプロール現象

都市部の人口が減少し周辺部の人口が増加して起こることを 21.ドーナツ化 現象，無秩序に都市が郊外に向かって拡大していくことを 22.スプロール 現象（虫食い現象）という。

(2)Uターン，Jターン，Iターン

大都市から地方へと人口が戻っていく現象をUターン現象，地方から中規模都市へと移動する場合を 23. Jターン 現象，Iターンは都会から地方へと移住する現象をいう。

•second try•	•first try•
年　月　日(　)	年　月　日(　)
：　～　：	：　～　：
(　　)	(　　)
am・pm　℃	am・pm　℃
1.	1.
2.	2.
3.	3.
4.	4.
5.	5.
6.	6.
7.	7.
8.	8.
9.	9.
10.	10.
11.	11.
12.	12.
13.	13.
14.	14.
15.	15.
16.	16.
17.	17.
18.	18.
19.	19.
20.	20.
21.	21.
22.	22.
23.	23.
24.	24.
25.	25.

プラスチェック！

□環境基本法における公害の定義…大気の汚染，水質の汚濁，土壌の汚染，騒音，振動，地盤の沈下，悪臭。
□1972年，汚染者負担の原則（PPP）がOECDの環境委員会で採択された。
□『人口論』マルサス（1798）。

＊このページで覚えた知識を教師になってどう活かしたい？

＊あ！あれ何だっけ？　確認メモ！

労働力不足がAIやロボットで代替する時代へ

学校においても教師のこれまでの働き方を見直し，勤務時間管理の徹底や学校・教師が担う業務の明確化・適正化などの働き方改革が進められている。

労働基本権，労働条件

【労働三法】

➤ 1. 労働基準法

①労働条件は，労働者が 2. 人 たるに値する生活を営むための必要を充たすべきものでなければならない。　②この法律で定める労働条件の基準は 3. 最低 のものであるから，労働関係の当事者は，この基準を理由として労働条件を 4. 低下 させてはならないことはもとより，その向上を図るように努めなければならない。（第1条：目的）

➤ 5. 労働組合法

○労働組合の結成のしかた。

○労働条件などについて会社と組合が協約（労働協約）する。

○使用者が不当に解雇するなど労働者の権利を侵してはならない（不当労働行為）。

➤ 6. 労働関係調整法

○労働委員会による労働争議の解決への助力。

【労働三権】

7. 団結 権，8. 団体交渉 権，9. 団体行動 権

【労働条件】

労働基準法では，労働条件に関する**最低基準**を定めている。

➤賃金の支払の原則

直接払，**通貨**払，**全額**払，**毎月**払，**一定期日**払。

➤労働時間（始業～終業時刻から休憩時間を除いた時間）の原則

１週 10. 40 時間以内，１日 11. 8 時間以内。

➤時間外・休日労働

法定労働時間を超えて労働者を働かせる場合には，あらかじめ「時間外労働・休日労働に関する協定」を締結して 12. 労働基準監督署長 に届け出なければならない（**36協定**（**サブロク協定**））。36協定により延長できる労働時間は原則として**月45時間**以内，**年360時間**以内。

➤休憩・休日

勤務時間の途中で，1日の労働時間が 13. 6 時間を超える場合には少なくとも**45分**，8時間を超える場合には少なくとも**60分**の休憩。**毎週**少なくとも**1**回，あるいは**4週間**を通じて**4**日以上の休日。

➤災害補償

療養補償，休業補償，障害補償，遺族補償，打切補償，分割補償，葬祭料

➤解雇

客観的に 14.合理的 な理由を欠き， 15.社会通念上 相当と認められない場合，労働者をやめさせることはできない。社会の常識に照らして納得できる理由が必要とされる。合理的な理由があり解雇を行う際には，少なくとも**30日前の解雇予告**か**30日分**以上の**平均賃金**（**解雇予告手当**）の支払いが必要である。

【雇用形態】

○正社員

○有期労働契約……原則**3**年。専門的労働者は**5**年。

○派遣社員（派遣労働者）……法律上の雇い主は派遣会社。

○パートタイム労働者（短時間労働者）

○フリーランス（業務委託・請負契約）

【パワーハラスメント（パワハラ）】

職場におけるパワーハラスメントとは，職場において行われる 16.優越的 な関係を背景とした言動で，業務上必要かつ相当な範囲を超えたものにより，労働者の就業環境が害されるものを指す。

同僚または 17.部下 による言動で，その言動を行う者が業務上必要な知識や豊富な経験を有しており，その者の協力を得なければ業務の円滑な遂行を行うことが 18.困難 である場合も含まれる。

【メンタルヘルス】

近年，仕事上のストレスからのメンタルヘルス不調に関して問題となっている。会社は労働者に対し**1年以内**ごとに**1回**の 19.ストレスチェック を行わなければならない（会社規模等条件あり）。

【働き方改革，仕事と生活の調和】

➤平成30年，働き方改革を推進するための関係法律の整備に関する法律が公布。 20.長時間労働 の是正，**多様で柔軟な働き方**の実現，雇用形態にかかわらない 21.公正 な待遇の確保等のための措置など。

➤厚生労働省は，国民的な取組の大きな方向性を示す「仕事と生活の調和（ 22.ワーク・ライフ・バランス ）憲章」，企業や働く者等の効果的な取組，国や地方公共団体の施策を示す「仕事と生活の調和推進のための行動指針」を掲げている。

•second try•

年　月　日(　)
🕒　:　～　:
☼ ☁ ☂ (　　)
am・pm　℃
😀 😐 ☹ 😵 😫

1.
2.
3.
4.
5.
6.
7.
8.
9.
10.
11.
12.
13.
14.
15.
16.
17.
18.
19.
20.
21.
22.
23.
24.
25.

•first try•

年　月　日(　)
🕒　:　～　:
☼ ☁ ☂ (　　)
am・pm　℃
😀 😐 ☹ 😵 😫

1.
2.
3.
4.
5.
6.
7.
8.
9.
10.
11.
12.
13.
14.
15.
16.
17.
18.
19.
20.
21.
22.
23.
24.
25.

プラスチェック！

□働き方の多様化などから，仕事を通じ経験・スキルを蓄積していき自己実現を図るプロセス（キャリア形成）が重要視されている。

□リスキリング…新しい職業に就くためや，現在の職業で必要とされるスキルの大幅な変化に適応するためのスキルを新たに得ること。

＊このページで覚えた知識を教師になってどう活かしたい？

＊あ！あれ何だっけ？　確認メモ！

基礎の基礎，四則計算をしっかり確認

符号や分数の扱いに十分注意して計算しよう。方程式は文章問題の式を立てる際に必要となる考え方でもあるため，計算という段階で誤らないよう確実に解けるようにしておこう。

数と計算―①

【文字式】

(1) $8x-3(x-2)=$ 1. $5x+6$

(2) $\frac{1}{2}(3x+4y)-\frac{2}{3}(x+3y)=$ 2. $\frac{5}{6}x$

(3) $27x^2y\div(-3y)=$ 3. $-9x^2$

(4) $(-2a^2)^2\div 6a^3\times(-3a)=$ 4. $-2a^2$

(5) $5x-3.6x\div(-0.9)=$ 5. $9x$

(6) $\frac{2}{3}\times(-6x)+0.25\times(-4x)=$ 6. $-5x$

【方程式 】

基本のカクニン

➤ 1次方程式の解法

▷$x-\frac{x-1}{2}=3-5x$　←両辺を2倍して，分母をはらう。

7. $2x$ $-(x-1)=6-$ 8. $10x$　←xを左辺へ移項して，まとめる。

$11x=5$

$x=\frac{5}{11}$

➤2次方程式の解法

▷$x^2-4x-12=0$　を解くと？

（因数分解による方法）

$x^2-4x-12=0$

$(x-6)($ 9. $x+2$ $)=0$

$\therefore\ x=$ 10. $6,-2$

▷$x^2-5x+2=0$　を解くと？

（解の公式による方法）

$x=$ 11. $\frac{-b\pm\sqrt{b^2-4ac}}{2a}$ を利用

$x^2-5x+2=0$

$x=\frac{5\pm\sqrt{25-8}}{2}=$ 12. $\frac{5\pm\sqrt{17}}{2}$

【二重根号】

二重根号のはずし方

$\sqrt{p\pm2\sqrt{q}}$　のとき， 13. $a+b$ $=p$， 14. ab $=q$となる2数a，b（$a>b>0$）を見つけ，

$\sqrt{a}\pm\sqrt{b}$　の形に直す。

基本のカクニン

▷$\sqrt{8\pm2\sqrt{12}}$ の二重根号をはずすと？

15. 6+2 $=8$， 16. 6×2 $=12$だから

$\sqrt{8\pm2\sqrt{12}}=\sqrt{6+2\pm2\sqrt{6\times2}}=$ 17. $\sqrt{6}\pm\sqrt{2}$

【連立方程式】

基本のカクニン

▷次の連立方程式の解は？

$$\begin{cases} x+2y+3z=6 \cdots\cdots ① \\ 2x+y+4z=8 \cdots\cdots ② \\ x+y+2z=5 \cdots\cdots ③ \end{cases}$$

①－③（xを消去）

$$\begin{array}{rr} & x+2y+3z=6 \\ -) & x+\ y+2z=5 \\ \hline & y+\ z=1 \cdots\cdots ④ \end{array}$$

①×2－②（xを消去）

$$\begin{array}{rr} & 2x+4y+6z=12 \\ -) & 2x+\ y+4z=\ 8 \\ \hline & 3y+2z=\ 4 \cdots\cdots ⑤ \end{array}$$

④×３－⑤（yを消去）

$$\begin{array}{rr} & 3y+3z=3 \\ -) & 3y+2z=4 \\ \hline & z=-1 \end{array}$$

④に代入

$y+(-1)=1$

$\therefore\ y=2$

$y=2$，$z=-1$を①に代入

$x+$ 18. 4 $+($ 19. −3 $)=6$

$x=5$

$\therefore\ x=5,\ y=2,\ z=-1$

【最大公約数，最小公倍数】

基本のカクニン

▷24と40の最大公約数，最小公倍数は？

①
```
2) 24  40
2) 12  20
2)  6  10
    3   5
```

最大公約数 $2\times2\times2=8$

最小公倍数 $2\times2\times2\times3\times5=120$

②素因数分解の利用

$24=2^3\times3$
$40=2^3\times5$ → 最大公約数 20. 2^3 $=8$

最小公倍数 21. 2^3 × 22. 3 × 23. 5 $=120$

•second try•

年　月　日（　）
：　〜　：
（　）
am・pm　℃

1.
2.
3.
4.
5.
6.
7.
8.
9.
10.
11.
12.
13.
14.
15.
16.
17.
18.
19.
20.
21.
22.
23.
24.
25.

•first try•

年　月　日（　）
：　〜　：
（　）
am・pm　℃

1.
2.
3.
4.
5.
6.
7.
8.
9.
10.
11.
12.
13.
14.
15.
16.
17.
18.
19.
20.
21.
22.
23.
24.
25.

プラスチェック！

［１次方程式の応用問題（例）］

□３個の連続した自然数がある。３個の和は99である。３個の自然数はそれぞれいくつか。

⇒まん中の数をxとすると，その前の数は $x-1$，その後の数は $x+1$ となる。

$(x-1)+x+(x+1)=99\quad 3x=99\quad x=33$

＊このページで覚えた知識を教師になってどう活かしたい？

＊あ！あれ何だっけ？　確認メモ！

chapter 71 ［数学］

解答に求められている単位（変換）にも注意

知っていると便利と思われるものを含め，公式を覚えておこう。文章問題では，何を求められているのかをよく確認し，方程式を導いて解けるようにしよう。

数と計算―②

【食塩水】

食塩水の濃度の求め方

$$\frac{\text{溶質}}{\text{溶液（溶媒＋溶質）}}\times 100 \longrightarrow \frac{\text{食塩}}{\text{食塩水（1. 水＋食塩）}}\times 100$$

基本のカクニン

▷水95g，食塩5gの食塩水の濃度は？

$$\frac{5}{95+5}\times 100 = \boxed{2.\ 5}\ \%$$

▷10%の食塩水100gと，20%の食塩水150gをまぜると何%の食塩水ができる？

10%の食塩水100g中の食塩の重さは，$0.1\times 100=10$g

20%の食塩水150g中の食塩の重さは，$0.2\times 150=30$g

$$\frac{\boxed{4.\ 10+30}}{\boxed{3.\ 100+150}}\times 100 = \boxed{5.\ 16}\ \%$$

【数列の和】

$$\sum_{k=1}^{n} k = 1+2+3+\cdots\cdots+n = \frac{n(\boxed{6.\ n+1})}{2}$$

$$\sum_{k=1}^{n} k^2 = 1^2+2^2+3^2+\cdots\cdots+n^2 = \frac{n(n+1)(\boxed{7.\ 2n+1})}{6}$$

$$\sum_{k=1}^{n} k^3 = 1^3+2^3+3^3+\cdots\cdots+n^3 = \left\{\frac{n(n+1)}{\boxed{8.\ 2}}\right\}^2$$

公式を使用しない求め方

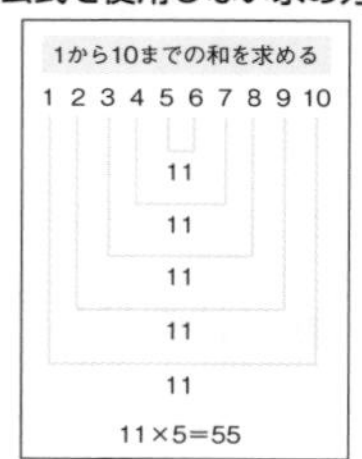

基本のカクニン

▷1から20までの和は？

$$\frac{\boxed{9.\ 20}(\boxed{10.\ 20+1})}{2} = 210$$

【2次方程式の解の和と積】

$ax^2+bx+c=0$ の，2つの解をそれぞれ α，β とすると，$\boxed{11.\ \alpha+\beta} = -\dfrac{b}{a}$，$\boxed{12.\ \alpha\beta} = \dfrac{c}{a}$

基本のカクニン

▷$x^2+3x+4=0$　の，2つの解の和と積は？

（和）　$\alpha+\beta=$ 13. $-\frac{3}{1}$ $=-3$　　（積）　$\alpha\beta=$ 14. $\frac{4}{1}$ $=4$

【速度】

$\boldsymbol{x=vt}$　（x＝移動距離，v＝速度，t＝時間）

基本のカクニン

▷50分間に，自動車で60km進んだ。この車の平均速度は時速何kmになる？

50分＝ 15. $\frac{5}{6}$ 時間，$v=$ 16. $\frac{x}{t}$ より

$v=$ 17. 60 $\div\frac{5}{6}=72$（km/h）

▷A地点からB地点まで自転車で往復するのに，行きは平均3m/s，帰りは平均3.6m/sの速さで走った。往復の平均の速さは？

A地点からB地点までの距離をxとすると，

往復したのだから，$2x$となる。かかった時間は，

行きが 18. $\frac{x}{3}$ ，帰りが 19. $\frac{x}{3.6}$ 　$v=\frac{x}{t}$より，

$v=2x\div\left(\frac{x}{3}+\frac{x}{3.6}\right)=\frac{2x\times \boxed{20.\ 10.8}}{6.6x}\fallingdotseq \boxed{21.\ 3.27}$（m/s）

【2進法】

基本のカクニン

▷10進法→2進法

2) 12 余り
2) 6 …0
2) 3 …0
　 1……1

∴　12→ 22. 1100(2)

▷2進法→10進法

1 1 0 0(2)

2^0の位（$2^0=1$）

2^1の位

2^2の位

2^3の位

$2^3\times1+2^2\times1+2^1\times0+$ 23. 2^0 $\times0=12$

•second try•

年　月　日(　)

：　～　：

(　　)

am・pm　℃

1.
2.
3.
4.
5.
6.
7.
8.
9.
10.
11.
12.
13.
14.
15.
16.
17.
18.
19.
20.
21.
22.
23.
24.
25.

•first try•

年　月　日(　)

：　～　：

(　　)

am・pm　℃

1.
2.
3.
4.
5.
6.
7.
8.
9.
10.
11.
12.
13.
14.
15.
16.
17.
18.
19.
20.
21.
22.
23.
24.
25.

プラスチェック！

［割合の計算］

□原価 x 円に，そのα％の利益を見込んで，定価を y 円とした場合…$y=x+x\times\frac{\alpha}{100}=x\left(1+\frac{\alpha}{100}\right)$

□定価 y 円を，そのβ％値引きで，売値を z 円とした場合…$z=y-y\times\frac{\beta}{100}=y\left(1-\frac{\beta}{100}\right)$

＊このページで覚えた知識を教師になってどう活かしたい？

＊あ！あれ何だっけ？　確認メモ！

chapter 72 ［数学］

因数分解は，共通する因数を見つけ出そう

不等式の計算では，符号が逆になった場合の不等号の向きについて注意しよう。因数分解については公式を覚えておこう。

式の展開，因数分解，不等式

【式の展開公式】

① $(a+b)^2=a^2+$ 1. $2ab$ $+b^2$

② $(a-b)^2=a^2-$ 2. $2ab$ $+b^2$

③ $(a+b)(a-b)=a^2-b^2$

④ $(x+a)(x+b)=x^2+(a+b)x+$ 3. ab

⑤ $(a+b)^3=a^3+$ 4. $3a^2b$ $+3$ 5. ab^2 $+b^3$

⑥ $(a-b)^3=a^3-$ 6. $3a^2b$ $+3ab^2-b^3$

⑦ $(a+b+c)^2=a^2+b^2+c^2+$ 7. $2ab$ $+$ 8. $2bc$ $+$ 9. $2ca$

⑧ $(a+b)(a^2-ab+b^2)=$ 10. a^3+b^3

⑨ $(a-b)(a^2+ab+b^2)=$ 11. a^3-b^3

➤問題 (1) $(x-4)(x^2+4x+16)=$ 12. x^3-64

(2) $(2x-3y)(2x+5y)=$ 13. $4x^2+4xy-15y^2$

(3) $(2x-3y)(4x^2+6xy+9y^2)=$ 14. $8x^3-27y^3$

(4) $(2a-b+3c)^2=$ 15. $4a^2+b^2+9c^2-4ab-6bc+12ca$

【因数分解の公式（複号同順）】

① $ta\pm tb\pm tc=t(a\pm b\pm c)$

② $a^2\pm 2ab+b^2=(a\pm b)^2$

③ $a^2-b^2=(a+b)(a-b)$

④ $x^2+(a+b)x+ab=$ 16. $(x+a)(x+b)$

⑤ $acx^2+(bc+ad)x+bd=$ 17. $(ax+b)(cx+d)$

⑥ $a^3\pm b^3=(a\pm b)(a^2\mp ab+b^2)$

⑦ $a^3\pm 3a^2b+3ab^2\pm b^3=$ 18. $(a\pm b)^3$

➤問題 (1) $5a^3b-45ab^3=$ 19. $5ab(a+3b)(a-3b)$

(2) $x^3+2x^2y-x-2y=$ 20. $(x+1)(x-1)(x+2y)$

(3) $x^3+3x^2+3x+1=$ 21. $(x+1)^3$

【不等式】

不等号（<，>）の向きは，両辺に負の数（－）をかけたり，負の数で割ったときは，不等号の向きが逆になる。

基本のカクニン

▷ $-5x+2>12$を解くと？

$-5x>10$

両辺を－5で割る。（不等号の向きが逆になる）

22. $x<-2$

【連立不等式】

基本のカクニン

▷次の連立不等式の解は？

$$\begin{cases} 3x-4>5 \cdots\cdots ① \\ 6x+2<8 \cdots\cdots ② \end{cases}$$

①より

$3x-4>5$

$3x>9$

$x>3$

②より

$6x+2<8$

$6x<6$

$x<1$

② $x<1$　① $x>3$

23. 解なし

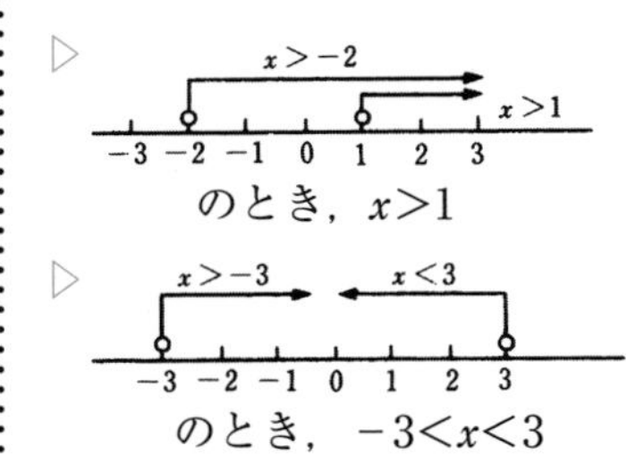

▷ のとき，$x>1$

▷ のとき，$-3<x<3$

➤問題 (1) $\begin{cases} 2x+3>x+2 \\ 3x>4x+2 \end{cases}$　24. 解なし

(2) $\begin{cases} 5x-8>-x+2 \\ 2x+5\leqq 3x+2 \end{cases}$　25. $x\geqq 3$

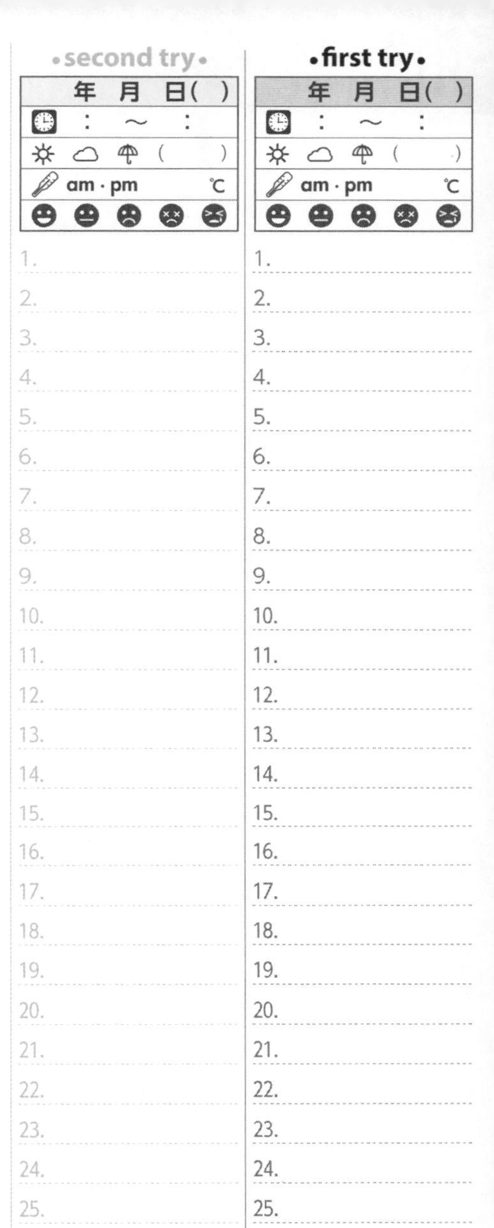

プラスチェック！

［さらに因数分解！］

□ $x^3+2x^2-x-2=(x+1)(x-1)(x+2)$

□ $x^2-y^2+2y-1=(x-y+1)(x+y-1)$

□ $x^2+y^2-2xy-2yz+2xz=(x-y)(x-y+2z)$

＊このページで覚えた知識を教師になってどう活かしたい？

＊あ！あれ何だっけ？　確認メモ！

chapter 73 ［数学］

複雑な図形の面積は，図形で足し算・引き算

いろいろな平面図形について，面積を求める公式を覚えておこう。また，角度や辺の長さの求め方について確認しておこう。

図形

【円周角・中心角】

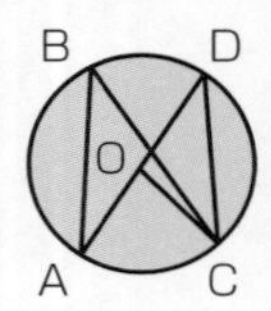

円周角……∠ABC＝∠ADC

1つの孤の上に立つ円周角は，［1. すべて等しい］。

中心角……∠AOC＝2∠ABC

同じ孤の中心角は，円周角の［2. 2倍］。

【円すい】

体積Vの求め方　　$V=\frac{1}{3}\pi r^2 h$　（πは円周率，rは半径，hは高さ）

基本のカクニン

▷右の図は円すいの展開図である。扇形の中心角 x を求めると？

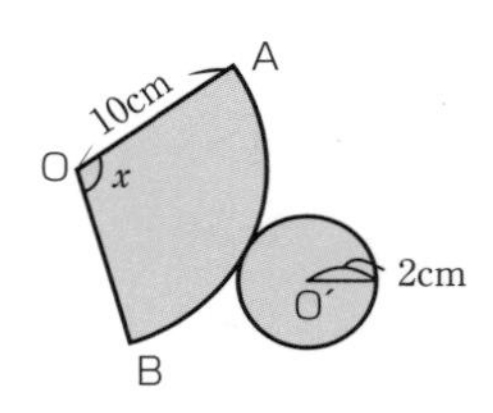

［3. 孤AB］の長さは，O′の［4. 円周］と等しい。

$2\times2\times\pi=4\pi$

一方，円Oの円周は，$2\times10\times\pi=20\pi$

ゆえに，孤ABは，円Oの円周の［5. 5分の1］の長さ。

$360°\times\frac{1}{5}=\underline{72°}$

【三角形の辺の長さ】

基本のカクニン

▷次の三角形で，BC//DEのとき，DEの長さを求めると？

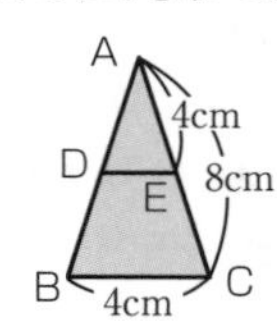

△ABCと△ADEは［6. 相似］である。DEをxとすると

$8:4=4:x$　$8x=16$　$\underline{x=2\text{(cm)}}$

▷左下の三角形で，AC//DE，CD//EF，BF＝8cm，FD＝6cmのとき，ADの長さを求めよ。

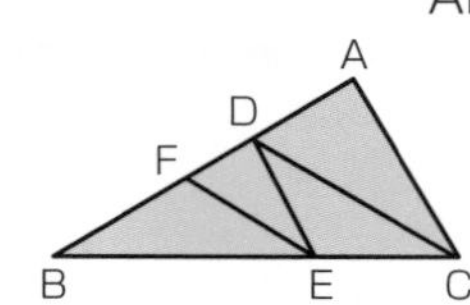

△BDEと△BACは相似。［7. △DEF］と［8. △ACD］は相似。

ADをxとすると

［9. 8］：6＝［10. 14］：x　　$8x=84$　　$\underline{x=10.5\text{(cm)}}$

□
□

【三角形の面積（S：面積）】

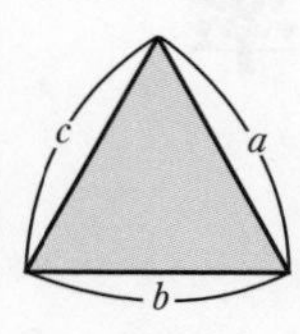

3辺の長さが分かっているとき

$$S=\sqrt{s(s-a)(s-b)(s-c)}$$

ただし，$s=\frac{1}{2}($ 11. $a+b+c$ $)$

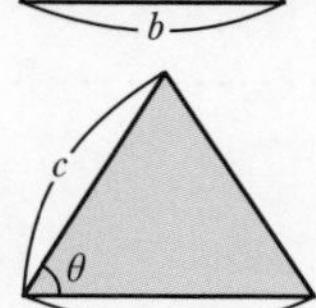

2辺とその間の角が分かっているとき

$$S=\frac{1}{2}bc \text{ 12. } \sin\theta$$

基本のカクニン

▷次の三角形の面積は？

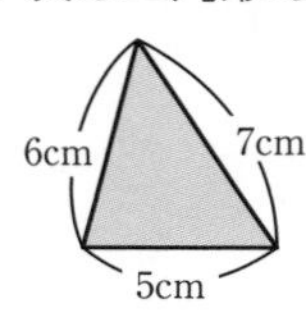

$S=\frac{1}{2}($ 13. $7+5+6$ $)=9$

$S=\sqrt{9 \text{ 14. } (9-7)(9-5)(9-6)}$

$=\sqrt{216}$

$=$ 15. $6\sqrt{6}$ (cm^2)

▷次の三角形の面積は？

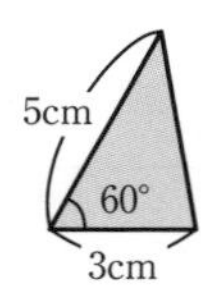

$S=\frac{1}{2}\times3\times5\times$ 16. $\sin60^\circ$

$=$ 17. $\frac{15\sqrt{3}}{4}$ (cm^2)

➤面積の応用問題：斜線部の面積は？

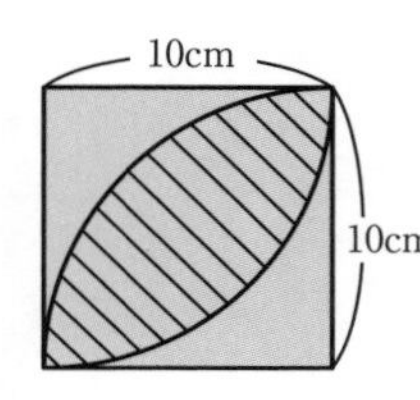

①正方形の面積は　$10\times10=100$ (cm^2)

②図中の扇形１つの面積は

$10\times10\times\pi\times$ 18. $\frac{1}{4}$ $=25\pi$ (cm^2)

③斜線部＝左上の扇形＋右下の扇形－正方形

$=2\times25\pi-100=$ 19. $50\pi-100$ (cm^2)

•second try•

年 月 日( )
🕒 ： 〜 ：
☼ ☁ ☂ （　　）
am・pm ℃

1.
2.
3.
4.
5.
6.
7.
8.
9.
10.
11.
12.
13.
14.
15.
16.
17.
18.
19.
20.
21.
22.
23.
24.
25.

•first try•

年 月 日( )
🕒 ： 〜 ：
☼ ☁ ☂ （　　）
am・pm ℃

1.
2.
3.
4.
5.
6.
7.
8.
9.
10.
11.
12.
13.
14.
15.
16.
17.
18.
19.
20.
21.
22.
23.
24.
25.

プラスチェック！

［三平方の定理］

□直角三角形において，
$a^2+b^2=c^2$
（ただしcが一番長い辺）

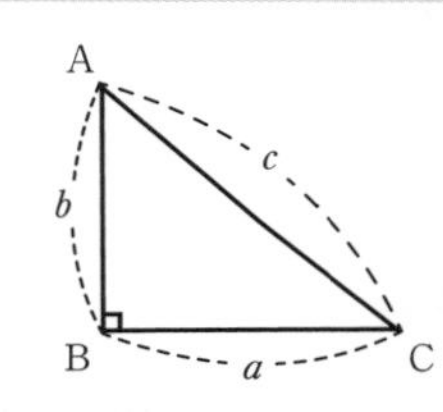

＊このページで覚えた知識を教師になってどう活かしたい？

＊あ！あれ何だっけ？　確認メモ！

chapter 74 順列と組み合わせは違いを明確に理解しよう

［数学］

関数は，グラフから交点や面積を求める手順を確認しておこう。順列や組み合わせは，知っていると便利と思われる公式について覚えておこう。

関数，順列・組み合わせ・確率

【グラフの交点】

基本のカクニン

▷斜線部の面積は？（座標上1を1cmとする）

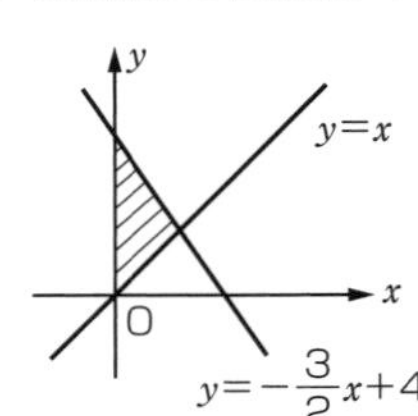

$y=x$ と $y=-\dfrac{3}{2}x+4$ の交点の座標を求める。

$x=-\dfrac{3}{2}x+4 \qquad x=\dfrac{8}{5}$

斜線部は，底辺の長さが 1. 4 ，高さが 2. $\dfrac{8}{5}$ の三角形。 $4\times\dfrac{8}{5}\times\dfrac{1}{2}=\dfrac{16}{5}$ （cm^2）

▷次のグラフの交点の座標は？

x 座標は，$2x^2=x+1$

$2x^2-x-1=0$

$(2x+1)$ 3. $(x-1)$ $=0 \qquad x=-\dfrac{1}{2},\ 1$

それぞれ y 座標は，

$-\dfrac{1}{2}+1=\dfrac{1}{2} \qquad 1+1=2$

4. $\left(-\dfrac{1}{2},\dfrac{1}{2}\right)(1,2)$

【三角関数】

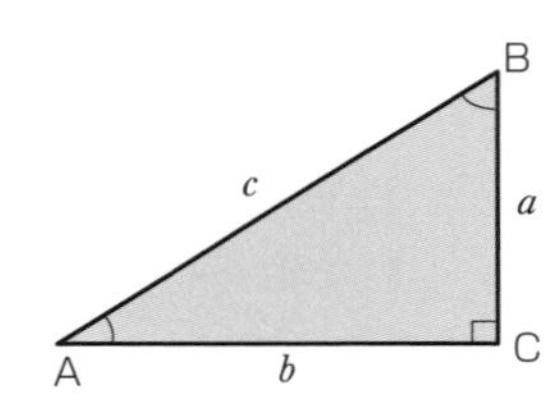

Ⅰ．$\sin A=$ 5. $\dfrac{a}{c}$ Ⅱ．$\cos A=$ 6. $\dfrac{b}{c}$

Ⅲ．$\tan A=$ 7. $\dfrac{a}{b}$

【三角関数の性質】

(1) $\tan\theta=\dfrac{\boxed{8.\ \sin\theta}}{\cos\theta}$ (2) $\sin^2\theta+\cos^2\theta=$ 9. 1

(3) $\sin\left(\dfrac{\pi}{2}-\theta\right)=$ 10. $\cos\theta$ (4) $\cos\left(\dfrac{\pi}{2}-\theta\right)=$ 11. $\sin\theta$

【順列】

➤n個の異なるものから異なるr個をとって1列に並べたもの。

$${}_nP_r = n(n-1)(n-2)\cdots\cdots(n-r+1)$$

$$= \frac{n!}{\boxed{12.\ (n-r)!}}$$

➤n個のうち，同じものがそれぞれp個，q個，r個……あるとき，これらn個のものを全部1列に並べたもの。

$$\frac{n!}{\boxed{13.\ p!\cdot q!\cdot r!}}$$

【組み合わせ】

n 個の異なるものから r 個のものを取り出す場合の，組み合わせの数。

$${}_nC_r = \frac{{}_nP_r}{r!} = \frac{n(n-1)(n-2)\cdots\cdots(n-r+1)}{r!}$$

$$= \frac{n!}{\boxed{14.\ r!(n-r)!}}$$

基本のカクニン

▷10人の中から，3人を選ぶ方法は何通りある？

$${}_{10}C_3 = \frac{\boxed{15.\ 10\times9\times8}}{3\times2\times1} = \boxed{16.\ 120}\ \text{（通り）}$$

基本のカクニン

▷袋の中に白球6個，赤球5個がある。その中から2個を同時に取り出すとき，2個とも白球である確率は？

$$\frac{{}_6C_2}{{}_{11}C_2} = \frac{\dfrac{\boxed{18.\ 6\times5}}{2}}{\dfrac{\boxed{17.\ 11\times10}}{2}} = \boxed{19.\ \frac{3}{11}}$$

•second try•

年 月 日（ ）

： ～ ：

( )

am・pm ℃

1.
2.
3.
4.
5.
6.
7.
8.
9.
10.
11.
12.
13.
14.
15.
16.
17.
18.
19.
20.
21.
22.
23.
24.
25.

•first try•

年 月 日（ ）

： ～ ：

( )

am・pm ℃

1.
2.
3.
4.
5.
6.
7.
8.
9.
10.
11.
12.
13.
14.
15.
16.
17.
18.
19.
20.
21.
22.
23.
24.
25.

プラスチェック！

□一次関数　$y=ax+b$

$a>0$のとき右上がりの直線

$a<0$のとき右下がりの直線

□二次関数　$y=ax^2$（aは比例定数）

原点（0，0）を頂点とする放物線

$a>0$のとき上に開き，$a<0$のとき下に開く

＊このページで覚えた知識を教師になってどう活かしたい？

＊あ！あれ何だっけ？　確認メモ！

chapter 75 ［物理］

道具を使っても仕事の量は変わらない

滑車の原理を理解し，つりあう力が求められるようにしよう。また，力のモーメントの公式について理解しておこう。ばね，圧力，浮力などの動く力についても確認しておこう。

力のつりあい，物体の運動—①

【滑車】

○力の加える 1. 方向 を変える
○力の 2. 大きさ は変わらない

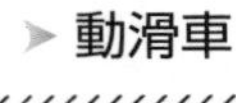

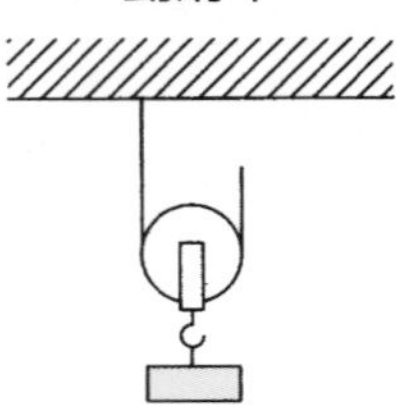

○加える力の大きさを 3. 半分 にする
○ひもを引く 4. 長さ が２倍になる

基本のカクニン

▷つりあうためには何N必要？（ただし，滑車の重さは無視する。）

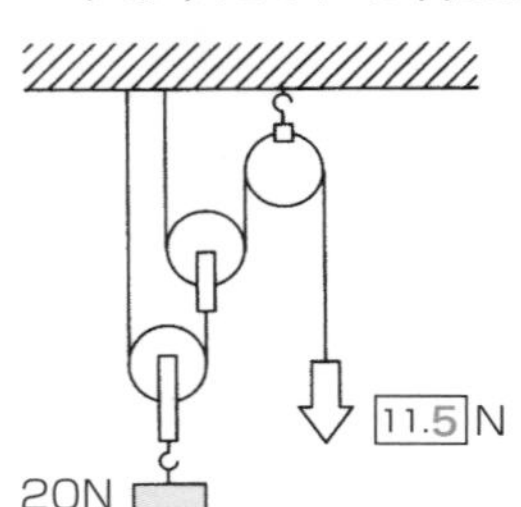

動滑車が 5. 2 台に定滑車が 6. 1 台。

動滑車は重さを 7. 半分 にし，定滑車は変わらない。

従って，$20 \times$ 8. $\frac{1}{2}$ $\times$ 9. $\frac{1}{2}$ $\times 1 =$ 10. 5 （N）

【力のモーメント（力のつりあい）】

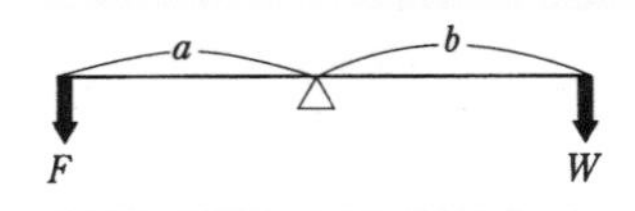

$F \times a = W \times b$

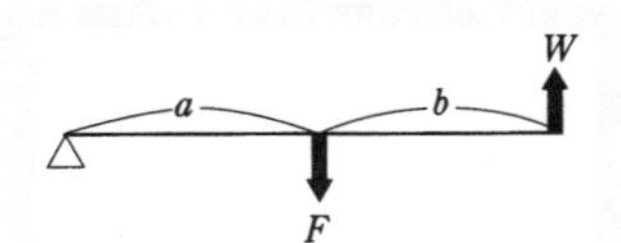

$F \times a = W$ （12. $a+b$）

基本のカクニン

▷つりあうためには何N必要？

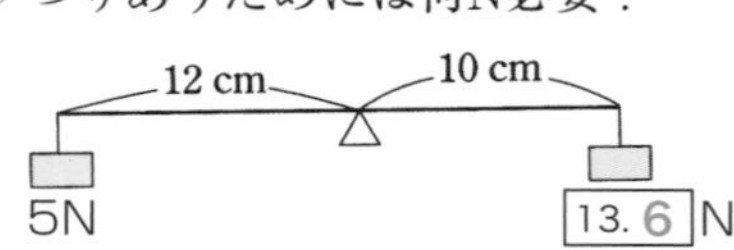

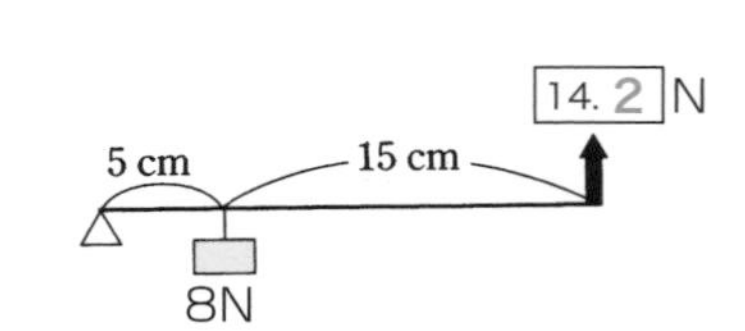

【ばね】

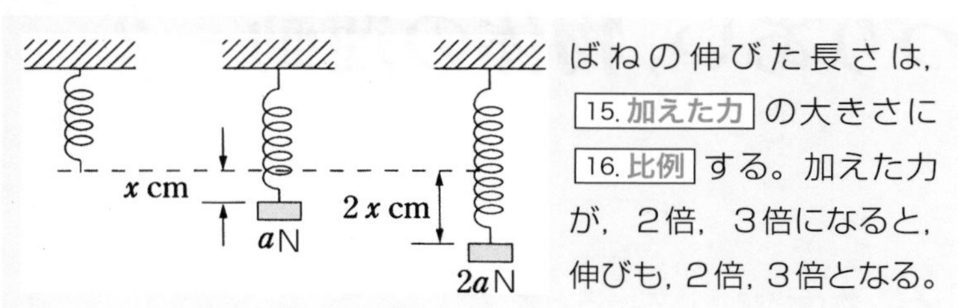

ばねの伸びた長さは，15.加えた力 の大きさに 16.比例 する。加えた力が，2倍，3倍になると，伸びも，2倍，3倍となる。

〈例〉50Nのおもりをつるすと全長が15cm，100Nのおもりをつるすと全長が18cmになるばねがある。このばねに150Nのおもりをつるすと全長が 17.21 cmになる。また，このばねのもとの長さは 18.12 cmである。

【圧力】

単位面積あたりに，働く力を圧力という。

単位１パスカル **（Pa）＝1 N/m²**

〈例1〉 5 m^{2}に120Nの力が働いているとき，圧力は，

19.120 ÷ 20.5 ＝ 21.24 (Pa)

〈例2〉下の図でつりあうためには何N必要？

22.192 N

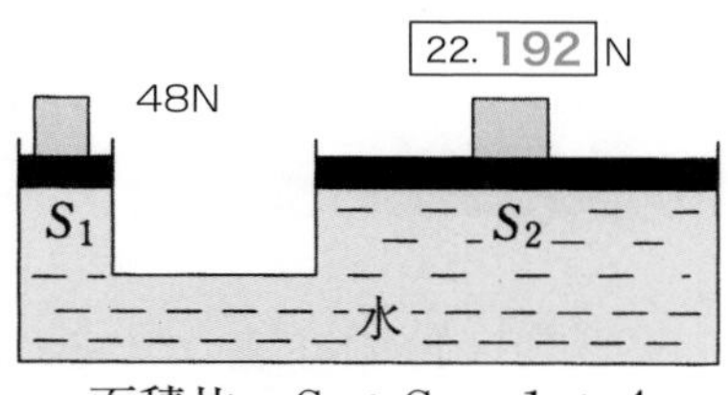

面積比　$S_1 : S_2 = 1 : 4$

【浮力】

水中では，その物体がおしのけた液体の質量の分だけ 23.軽く なる。これを浮力という。

〈例〉水中に，5 cm^{3}のおもりを入れると，5 cm^{3}の水をおしのける。水 5 cm^{3}の質量は 24.5 gであるので，おもりは 25.5 gだけ軽くなる。

•second try•

年　月　日(　)
：　〜　：
(　)
am · pm　℃

1.
2.
3.
4.
5.
6.
7.
8.
9.
10.
11.
12.
13.
14.
15.
16.
17.
18.
19.
20.
21.
22.
23.
24.
25.

•first try•

年　月　日(　)
：　〜　：
(　)
am · pm　℃

1.
2.
3.
4.
5.
6.
7.
8.
9.
10.
11.
12.
13.
14.
15.
16.
17.
18.
19.
20.
21.
22.
23.
24.
25.

プラスチェック！

□力の３要素…力の大きさ・方向・作用点。
□合力…２つ以上の力を１つに合成した力。
□分力…１つの力を２つ以上に分解した力。

＊このページで覚えた知識を教師になってどう活かしたい？

＊あ！あれ何だっけ？　確認メモ！

chapter 76 ［物理］

斜面方向・垂直方向・重力方向，違いに注意

斜面にある物体の力の分解，つりあいについて理解しよう。また，等速直線運動や等加速度直線運動の公式を確認しておこう。

力のつりあい，物体の運動—②

【斜面の物体】

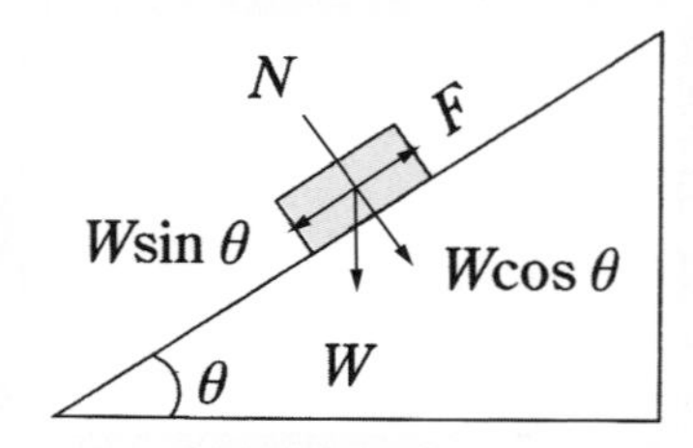

物体が静止しているとき，

Wsin θ＝ 1. F ，**Wcos θ＝** 2. N が成り立つ。

（W：重力，Wsin θ：斜面にそって落ちる力，
Wcos θ：斜面を垂直に押す力，N：垂直抗力，F：摩擦力）

基本のカクニン

▷下の図の物体は静止している。それぞれの力を求めると？

(1)

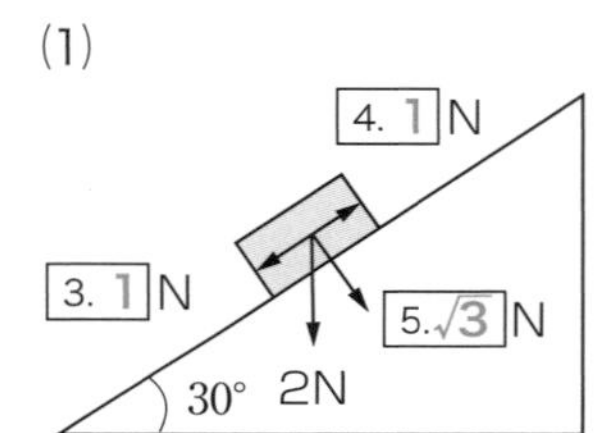

(2)

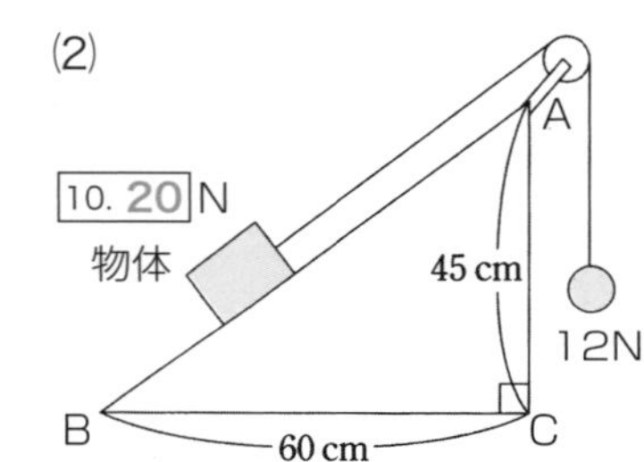

△ABCは 6. 3：4：5 の辺の関係だから，ABは 7. 75 cm。

ゆえに，12N× 8. $\frac{75}{45}$ ＝ 9. 20 N

【力のつりあい】

↓3力の大きさが 11. 等しい とき

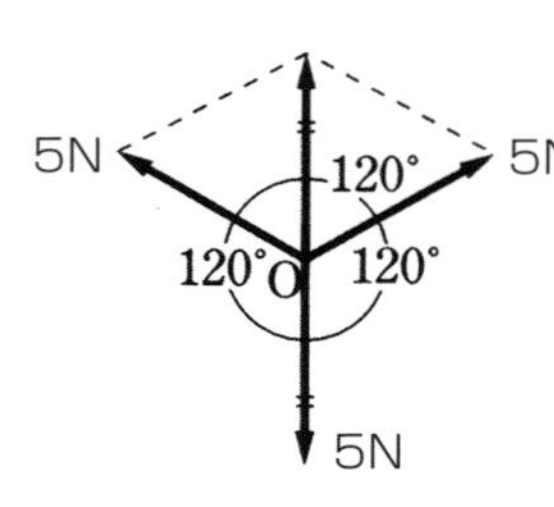

↓糸OAに働いている力は 12. 5 N

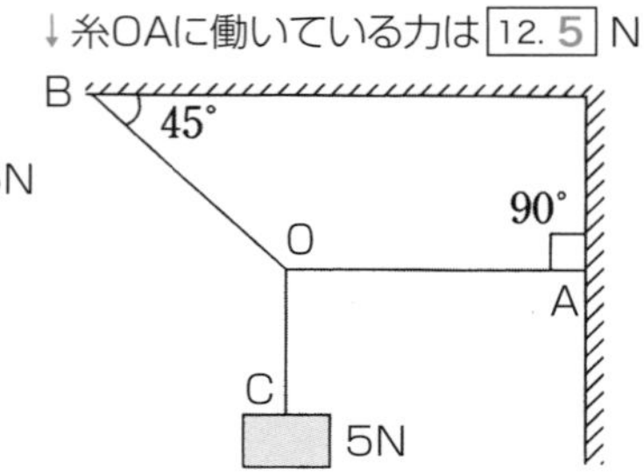

O
5N
5N
5N

【等速直線運動】

一直線上を一定速度 v で進む運動。

$\boldsymbol{a}=0$，$\boldsymbol{v}$＝一定，$\boldsymbol{x=vt}$　（a＝ 13. 加速度 ，x＝移動距離，t＝時間）

〈例〉時速90kmで走っている自動車が，3時間で移動する距離は， 14. 270 kmである。

【等加速度直線運動】

一直線上を一定の加速度 a で進む運動。

$$a=\text{一定},\quad v=v_0+at \qquad x=v_0t+\frac{1}{2}at^2 \quad v^2-v_0^2=2ax$$

〈例1〉静止していた自動車が一定の加速度で動き出し，２秒後，２m/sの速さになった。このときの加速度aは，

$v=v_0+at$より……［15. 1］m/s²である。

〈例2〉自動車が動き出してから一定の割合で加速し，４秒間に24m進んだ。このときの加速度aは，

$x=v_0t+\frac{1}{2}at^2$より……［16. 3］m/s²である。

〈例3〉10m/sの速さで進んでいる自動車が一定に加速し，50m進む間に15m/sの速さになった。このとき加速度aは，

$v^2-v_0^2=2ax$より……［17. 1.25］m/s²である。

【ニュートンの運動の３法則】

- 第一法則（慣性の法則）：外部から力が働かなければ，静止していた物体はいつまでも静止し，運動していた物体はその状態を続ける。
- 第二法則（運動の法則）：物体に生じる加速度は，方向は力の方向と同じで，大きさは力の大きさに比例し物体の質量に反比例する。

  運動方程式　$F=ma$

  （m=［18. 質量］，a=加速度，F=［19. 合力］）
- 第三法則（作用・反作用の法則）：物体Aが物体Bに力を及ぼすとき，物体Bは物体Aに対して［20. 大きさ］が等しく，［21. 向き］が反対の力を及ぼし返す。

※　力の単位として，N（ニュートン）を使う。

1kgf≒［22. 9.8］N

〈例1〉なめらかな水平面上に静止している質量２kgの物体に，水平方向に４Nの力を３秒間加えた。

○この物体の３秒間の速度の変化は，$F=ma$より［23. 2］m/s²

○初めから２秒後の速さは，$v=v_0+at$より［24. 4］m/s

○この３秒間に進んだ距離は，$x=v_0t+\frac{1}{2}at^2$より［25. 9］m

•second try•

年　月　日（　）
：　〜　：
am・pm　℃

1.
2.
3.
4.
5.
6.
7.
8.
9.
10.
11.
12.
13.
14.
15.
16.
17.
18.
19.
20.
21.
22.
23.
24.
25.

•first try•

年　月　日（　）
：　〜　：
am・pm　℃

1.
2.
3.
4.
5.
6.
7.
8.
9.
10.
11.
12.
13.
14.
15.
16.
17.
18.
19.
20.
21.
22.
23.
24.
25.

プラスチェック！

［さらにニュートン運動の例！］

□水平面上に静止している質量１kgの物体に３Nの力を加えた。物体の加速度は３m/s²である。また，この力を５秒間加えていると，速さは15m/sになる。

＊このページで覚えた知識を教師になってどう活かしたい？

＊あ！あれ何だっけ？　確認メモ！

chapter 77 ［物理］ 自由落下の加速度は，どんな物体でも9.8m/s²

重力による運動に関し，自由落下，鉛直投げ上げ，水平投射，斜方投射について，それぞれ公式を確認し，求める値について理解しておこう。

重力による運動

【自由落下】

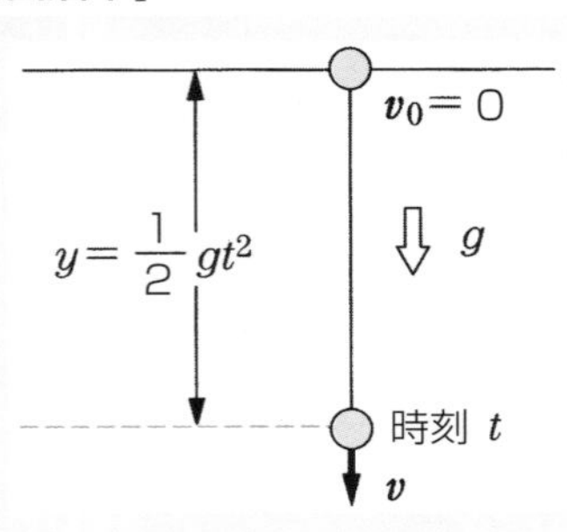

t秒後の速度をv〔m/s〕，そのときの位置をy〔m〕とすると，

$v=gt$　（重力加速度：$g≒9.8\text{m/s}^2$）

$y=\frac{1}{2}gt^2$

$v^2=$ 1. $2gy$

〈例1〉ある建物の屋上から小球を落とす実験をしたら，小球は2.0秒で地面にとどいた。地面から屋上までの高さは，$y=\frac{1}{2}gt^2$より 2. 19.6 mである。

〈例2〉次に，同じ位置から小球を下向きに投げおろしたら，1.5秒で地面にとどいた。小球にあたえられた初速度は，$y=v_0t+\frac{1}{2}gt^2$より 3. 5.7 m/sである。

〈例3〉井戸の深さを調べようとして，井戸へ小石を落としたら，3.0秒後に水音が聞こえた。井戸の深さは 4. 44.1 mである。（水面から音が聞こえてくるまでに要した時間は無視する。）

【鉛直投げ上げ】

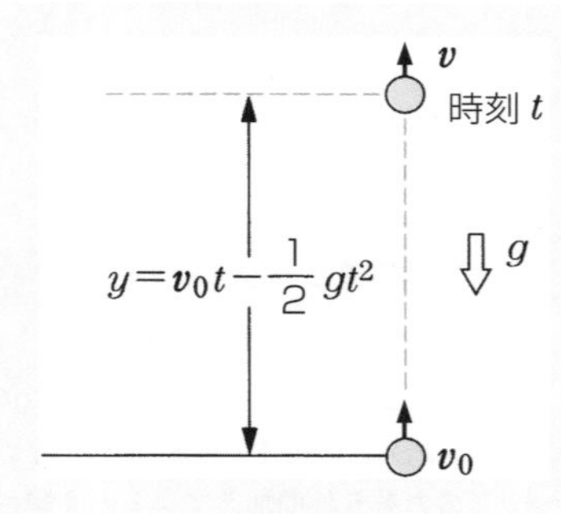

t秒後の速度をv〔m/s〕，そのときの位置をy〔m〕とすると，

$v=v_0-gt$

$y=$ 5. v_0t $-\frac{1}{2}gt^2$

$v^2-v_0^2=$ 6. $-2gy$

〈例〉小球を，初速度19.6m/sで鉛直に投げ上げた。

○最高点に達するまでに要する時間は，$v=v_0-gt$より 7. 2 秒後である。

○最高点は，$y=v_0t-\frac{1}{2}gt^2$より 8. 19.6 mである。

○投げてから1秒後の位置は 9. 14.7 m，速度は 10. 9.8 m/sである。

○高さが4.9mのところを通過するのは，投げてから 11. $2-\sqrt{3}$ 秒後と 12. $2+\sqrt{3}$ 秒後である。

【水平投射】

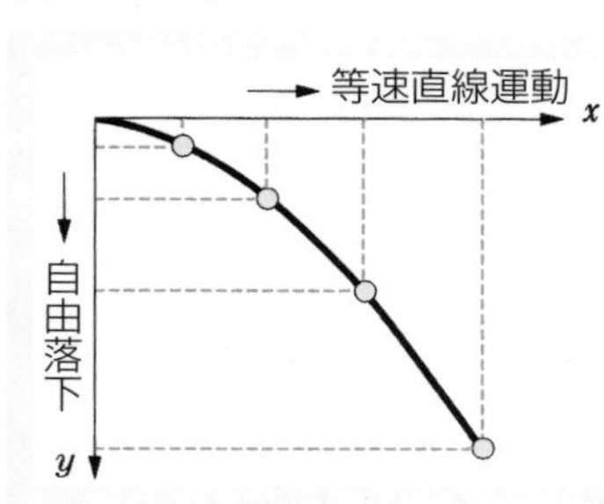

◎水平投射の場合

➤水平方向：等速直線運動

$v_x = v_0 \quad x = v_0 t$

➤鉛直方向：自由落下

$v_y = gt \quad y = \frac{1}{2} gt^2$

〈例１〉 地上20mの高さの屋上から水平方向に14m/sの速さで小石を投げた。地面に着くまでの時間は，$y = \frac{1}{2} gt^2$より，13. $\frac{10\sqrt{2}}{7}$ ≒ 14. 2.02 秒である。投げた地点から着地点までの水平距離は，$x = v_0 t$より，15. $20\sqrt{2}$ ≒ 16. 28.3 mである。

〈例２〉 海面から10mの高さの崖の上から水平方向に小石を投げたら，水平距離で30m離れた場所に落ちた。

○海面に落ちるまでの時間は 17. $\frac{10}{7}$ 秒である。

○海面に落ちたときの鉛直方向の速さは 18. 14 m/sである。

○水平方向の速さは 19. 21 m/sである。

【斜方投射】

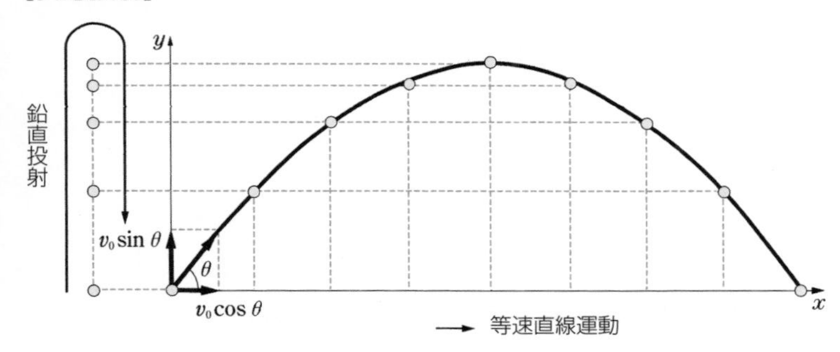

◎斜方投射の場合

➤水平方向：等速直線運動

$v_x = v_0$ 20. $\cos\theta$ $\quad x = v_0 \cos\theta \cdot t$

➤鉛直方向：投げ上げ

$v_y = v_0$ 21. $\sin\theta$ $- gt \quad y = v_0 \sin\theta \cdot t \frac{1}{2} - gt^2$

•second try•

年 月 日( )
： ～ ：
( )
am・pm ℃

1.
2.
3.
4.
5.
6.
7.
8.
9.
10.
11.
12.
13.
14.
15.
16.
17.
18.
19.
20.
21.
22.
23.
24.
25.

•first try•

年 月 日( )
： ～ ：
( )
am・pm ℃

1.
2.
3.
4.
5.
6.
7.
8.
9.
10.
11.
12.
13.
14.
15.
16.
17.
18.
19.
20.
21.
22.
23.
24.
25.

プラスチェック！

［さらに斜方投射！］

□最高点… $v_y = 0$より，

到達時間 $t_m = \frac{v_0 \sin\theta}{g}$，高さ $y_m = \frac{v_0^2 \sin^2\theta}{2g}$

□水平到達距離… $y = 0$より，

到達時間 $t_m' = \frac{2v_0 \sin\theta}{g}$，到達距離 $x_m = \frac{v_0^2 \sin\theta}{g}$

＊このページで覚えた知識を教師になってどう活かしたい？

＊あ！あれ何だっけ？ 確認メモ！

chapter 78 ［物理］

超伝導体は直流電流に対して抵抗がゼロ

オームの法則や電気抵抗の性質などから，いろいろな回路における電圧，抵抗，電流の値について求められるようにしよう。

電気

【電圧 V，抵抗 R，電流 I の関係】

オームの法則　　$V=IR$

〈例1〉 6 Ωの抵抗の両端に12Vの電圧をかけたとき，流れる電流の大きさは［1. 2］Aである。

〈例2〉 ある抵抗の両端に8 Vの電圧をかけたとき，4 Aの電流が流れた。この抵抗は［2. 2］Ωである。

【抵抗】

電気抵抗の大きさは，導線の［3. 断面積］に反比例し，導線の［4. 長さ］に比例する。

$R=$［5. $R_1+R_2+R_3$］

$\frac{1}{R}=$［6. $\frac{1}{R_1}+\frac{1}{R_2}+\frac{1}{R_3}$］

〈例1〉 4 Ωの抵抗を2倍に引きのばしたときの抵抗は［7. 16］Ωである。

〈例2〉 下図の回路がある。

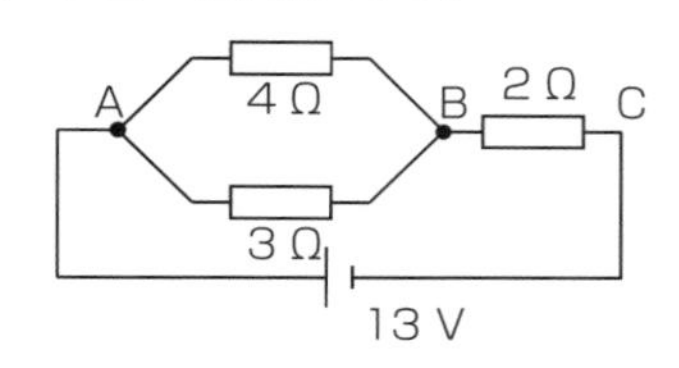

○AB間の抵抗は［8. $\frac{12}{7}$］Ωである。

○BC間の電圧は［9. 7］Vである。

○ 3 Ωの抵抗に流れる電流は［10. 2］Aである。

【電力】

電気の仕事率を電力といい，単位はワット（**W**）を用いる。

電力　$P=IV$

〈例1〉 100V－500Wの電熱器の抵抗値は［11. 20］Ωである。

〈例2〉 上の電熱器のニクロム線を2倍にしたときの電力は［12. 250］Wである。

▷右図の回路がある。

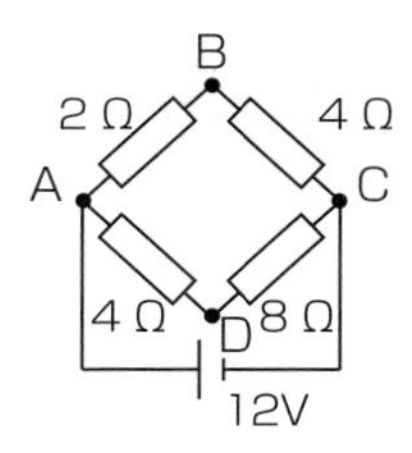

○AC間の抵抗は？

$$\frac{1}{R}=\frac{1}{\boxed{13.\ 2+4}}+\frac{1}{\boxed{14.\ 4+8}}$$

$$=\frac{1}{6}+\frac{1}{12}=\frac{3}{12}=\frac{1}{4}$$

∴ 15. 4 Ωである。

○AB間の電圧は？

ABと 16. BC の 17. 抵抗 比は，2：4

∴ ABにかかる電圧は，$12\text{V}\times\frac{1}{2+1}=$ 18. 4 Vである。

○D点を流れる電流は？

ADにかかる電圧は，$12\text{V}\times\frac{1}{\boxed{19.\ 1+2}}=4\text{ V}$

∴ D点に流れる電流は，4V÷4 Ω＝ 20. 1 Aである。

【ジュールの法則】

Rオームの導線の両端にEボルトの電圧をかけたとき，
Iアンペアの電流が流れたとすると，
t秒間に発生する熱量Qジュールは次のように表すことができる。

$$Q=EIt=I^2Rt\ 〔\text{J}〕$$

〈例〉下図の配線がある。

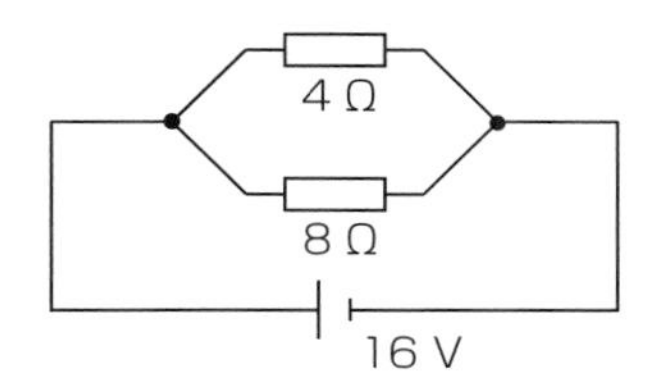

○合成抵抗は 21. $\frac{8}{3}$ Ωである。

○この抵抗に16Vの電圧をかけ，6分間電流を流したときに発生する熱量は 22. 34,560 Jである。

○上記の場合の消費電力は 23. 96 Wである。

•second try•	•first try•
年　月　日(　)	年　月　日(　)
：　〜　：	：　〜　：
(　　)	(　　)
am・pm　℃	am・pm　℃
1.	1.
2.	2.
3.	3.
4.	4.
5.	5.
6.	6.
7.	7.
8.	8.
9.	9.
10.	10.
11.	11.
12.	12.
13.	13.
14.	14.
15.	15.
16.	16.
17.	17.
18.	18.
19.	19.
20.	20.
21.	21.
22.	22.
23.	23.
24.	24.
25.	25.

プラスチェック！

［磁場（磁界）］

□磁石または電流によってつくられる。

□磁気力の作用する場所。

□右ねじの法則…磁場の向きは電流が流れる方向に向かって時計回り（右回り）。

＊このページで覚えた知識を教師になってどう活かしたい？

＊あ！あれ何だっけ？　確認メモ！

chapter 79 化学反応の前後で物質の質量の総和は等しい

［化学］

物質の構成や原子の構造について押さえよう。また，液体・気体・固体の媒体中に分散しているコロイド粒子の性質，また，気体にみられる法則について確認しておこう。

物質の構成，物質の性質—①

【純物質と混合物】

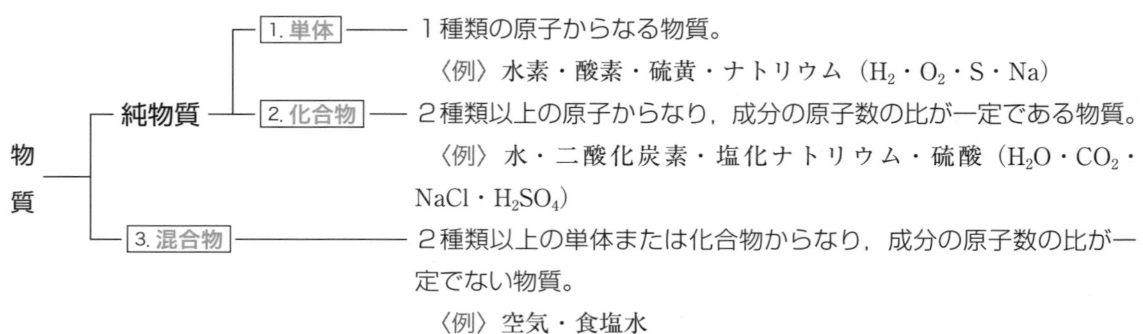

【電子殻】

元素名	原子番号	K殻	L殻	M殻	N殻
C	6	2	4		
Ne	10	2	8		
Mg	12	2	8	2	

元素名	原子番号	K殻	L殻	M殻	N殻
Se	34	2	8	18	6
Kr	36	2	8	18	8

【原子の構造】

➤原子はその中心に 4. 原子核 があり，これは陽電気を帯びた 5. 陽子 と電気を帯びていない 6. 中性子 からなる。また原子核の周りには陰電気を帯びたいくつかの 7. 電子 が存在する。 8. 原子核 に含まれる 9. 陽子 の数を 10. 原子番号 という。

元素名	元素記号	原子番号	陽子数	核外電子の数	中性子数	質量数
窒素	11. N	7	7	7	7	14
ナトリウム	Na	11	11	11	12	23
塩素	12. Cl	17	17	17	18	35
カリウム	K	19	19	19	21	40

【化学反応式（例）】

(1) $2Na + 2H_2O \longrightarrow 2NaOH + H_2$

(2) $N_2 + 3H_2 \longrightarrow 2NH_3$

(3) $CaCO_3 + 2HCl \longrightarrow CaCl_2 + H_2O + CO_2$

(4) $H_2SO_4 + 2NaOH \longrightarrow Na_2SO_4 + 2H_2O$

(5) $Cu + 4HNO_3 \longrightarrow Cu(NO_3)_2 + 2H_2O + 2NO_2$

(6) $2Al + 6HCl \longrightarrow 2AlCl_3 + 3H_2$

【化学反応(例)】

➤一酸化炭素COが燃焼すると，二酸化炭素CO_2ができる。

$$2CO + O_2 \longrightarrow 2CO_2$$

➤塩化アンモニウムと水酸化カルシウムの混合物を加熱するとアンモニアが発生し，水と塩化カルシウムができる。

$$2NH_4Cl + Ca(OH)_2 \longrightarrow CaCl_2 + 2H_2O + 2NH_3$$

➤塩素酸カリウムと二酸化マンガンの混合物を加熱すると塩化カリウムと酸素ができる。なお，二酸化マンガンは反応の前後で変化がなく，反応を速くする物質（触媒）である。

$$2KClO_3 \longrightarrow 2KCl + 3O_2$$

➤アセチレンC_2H_2を完全燃焼すると二酸化炭素と水ができる。

$$2C_2H_2 + 5O_2 \longrightarrow 4CO_2 + 2H_2O$$

【コロイド】

➤直径が10^{-7}～10^{-5}cmくらいの大きさの物質の粒子を 13.コロイド 粒子という。

➤少量の電解質水溶液で沈殿するコロイドを 14.疎水コロイド といい，この現象を 15.凝析 という。

➤多量の電解質で沈殿するコロイドを 16.親水コロイド といい，この現象を 17.塩析 という。

➤コロイド溶液の特性として，コロイド粒子が小さい穴を通れないことを利用してコロイド溶液から不純物を除く 18.透析 や， 19.チンダル現象 のように光がコロイド粒子によって 20.散乱 される現象，コロイド溶液から粒子を 21.沈殿 させる現象がある。

【気体に関する法則】

➤ 22.アボガドロ の法則……すべての気体は等温・等圧・等体積中に同数の分子を含む。どんな気体でも1molの占める体積は0℃・1atmで22.4Lで，この中には 23.6.02×10^{23} 個の分子が含まれる。

➤ 24.ボイル の法則……一定量の気体の体積は，温度が一定のとき圧力に反比例する。

➤ 25.シャルル の法則……一定量の気体の占める体積は，圧力が一定のとき絶対温度に比例する。

➤気体反応の法則……反応する気体の体積は等温・等圧においては簡単な整数比になる。

•second try•

年　月　日(　)

：　～　：

(　)

am・pm　℃

1.
2.
3.
4.
5.
6.
7.
8.
9.
10.
11.
12.
13.
14.
15.
16.
17.
18.
19.
20.
21.
22.
23.
24.
25.

•first try•

年　月　日(　)

：　～　：

(　)

am・pm　℃

1.
2.
3.
4.
5.
6.
7.
8.
9.
10.
11.
12.
13.
14.
15.
16.
17.
18.
19.
20.
21.
22.
23.
24.
25.

プラスチェック！

□物質が一様に溶けている液体を溶液といい，均一な溶液になる現象を溶解という。

□溶ける物質を溶質といい，溶質を溶かす物質を溶媒という。

□チンダル現象時にコロイド粒子が不規則に動く状態をブラウン運動という。

＊このページで覚えた知識を教師になってどう活かしたい？

＊あ！あれ何だっけ？　確認メモ！

chapter 80 [化学]

物質の融点や沸点も化学結合に関係している

溶液の体積と溶質の物質量との関係を表すモル濃度や，イオン結合など化学結合の性質，無機物質の典型元素・遷移元素について確認しておこう。

物質の構成，物質の性質—②

【溶液の濃度】

◎**重量百分率**……溶液100g中に含まれる溶質の質量〔g〕で表す。
（パーセント濃度）

$$重量百分率〔\%〕=\frac{\boxed{2.溶質}の質量〔g〕}{\boxed{1.溶液}の質量〔g〕}\times 100$$

◎**容量モル濃度**……溶液１L中に含まれている溶質のモル数で表す。
（モル濃度）

$$容量モル濃度〔mol/L〕=\frac{\boxed{4.溶質}の量〔mol〕}{\boxed{3.溶液}の体積〔L〕}$$

◎**重量モル濃度**……溶媒１kgに溶けている溶質のモル数で表す。

$$重量モル濃度〔mol/kg〕=\frac{\boxed{6.溶質}の量〔mol〕}{\boxed{5.溶媒}の質量〔kg〕}$$

【化学結合と性質】

➤イオンの間に電気的な引力が働き，互いに引き合って結晶をつくるような結合を［7.イオン］結合といい，一般に，金属元素と非金属元素の結合で生じる。その際つくられる結晶は［8.イオン］結晶という。

➤互いに電子を出し合い，電子を共有して結び付く結合を［9.共有］結合といい，［10.共有］される２個の電子を［11.共有電子対］という。

➤金属性の原子が価電子を出して，陽イオンとなって整然と並び，原子から離れた電子が［12.自由電子］となって全体を強く結び付ける結合を［13.金属］結合という。

➤ドライアイス（CO_2）や氷（H_2O）のように，分子が集まってできる結晶を［14.分子］結晶という。分子同士の結合はきわめて弱い力で結ばれており，融点が［15.低］い。

【結晶の種類とその性質】

	［16.分子］結晶	［17.イオン］結晶	［18.金属］結晶	［19.共有結合］結晶
実　例	硫黄S_8 固体炭酸CO_2 尿素（NH_2）$_2CO$	塩化ナトリウムNaCl ヨウ化カリウムKI	ナトリウムNa 鉄Fe チタンTi	ダイヤモンドC カーボランダムSiC 水晶SiO_2
結合力	分子同士の間の弱い力	陰・陽のイオン間に働く電気的な引力	金属の陽イオンと電子雲との間の金属結合の力	強固な共有結合の力
機械的性質	柔らかく，もろい	かたく，もろい	展性・延性に富む	きわめてかたい
融　点	最も低い	かなり高い	相当に高い	きわめて高い
水への溶解性	一般に小さい	大きい	ほとんどない	ほとんどない
有機溶媒への溶解性	一般に大きい	小さい	ほとんどない	ほとんどない

【元素の金属性と非金属性】

➤元素は 20. 典型 元素と 21. 遷移 元素とに大別される。典型元素の単体は，**金属**元素と**非金属**元素とからなるが，遷移元素はすべて金属元素である。

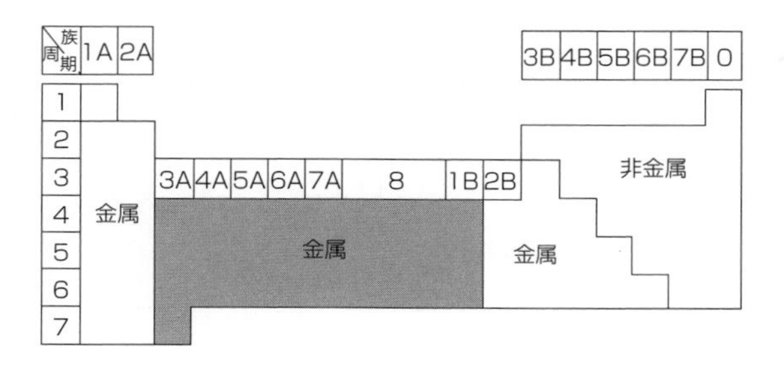

図のうち，中央の濃い部分にある元素は**遷移**元素で，それ以外の元素は，**典型**元素である。

一般に，金属性は同じ周期では**左**側ほど，同じ族では**下**側ほど強くなる。これに対して非金属性は，金属性と反対の関係にある。

【ハロゲン】

➤いずれも**7**個の**価電子**をもつため，電子1個をとり入れて1価の陰イオンになろうとする傾向が強く， 22. ハロゲン の単体は強い酸化力を示す。酸化力は 23. フッ素 が最も強く，原子番号が大きくなるにつれて**弱**くなる。

➤酸化力の強さ……$F_2 > Cl_2 > Br_2 > I_2$

【炎色反応】

アルカリ金属
- Li ： 24. 赤 色
- Na：黄色
- K ：赤紫色

アルカリ土類金属
- Ca：橙赤色
- Sr：深赤色
- Ba：緑色
- Cu： 25. 青緑 色

• second try •

年 月 日( )
： ～ ：
( )
am・pm ℃

1.
2.
3.
4.
5.
6.
7.
8.
9.
10.
11.
12.
13.
14.
15.
16.
17.
18.
19.
20.
21.
22.
23.
24.
25.

• first try •

年 月 日( )
： ～ ：
( )
am・pm ℃

1.
2.
3.
4.
5.
6.
7.
8.
9.
10.
11.
12.
13.
14.
15.
16.
17.
18.
19.
20.
21.
22.
23.
24.
25.

プラスチェック！

[物質の三態]

☐温度や圧力により固体，液体，気体の状態となる。

☐固体→液体…融解（融解する温度は融点）。液体→固体…凝固（凝固する温度は凝固点）。液体→気体…蒸発。気体→液体…凝縮。固体⇔気体…昇華。液体が沸騰する温度は沸点。

＊このページで覚えた知識を教師になってどう活かしたい？

＊あ！あれ何だっけ？　確認メモ！

chapter 81

［化学］

水素イオンは水溶液中でオキソニウムイオンに

化学平衡の移動について，ルシャトリエの原理を確認しよう。酸と塩基について，その性質や，酸や塩基の強弱と電離度の大小との関係などについて確認しよう。

物質の変化—①

【化学反応と化学量】

➤化学反応式で表わされる気体の体積関係は，反応物質の**モル数の比**と同じ体積比になる。

	CH_4	+	$2O_2$	⟶	CO_2	+	$2H_2O$
モル数	1 mol		2 mol		1 mol		2 mol
体　積	22.4L		2×22.4L		22.4L		2×22.4L
体積比	1		2		1		2

【化学平衡と移動の法則】

➤可逆反応において，条件を一定に保つと，反応が停止したように見える状態を 1.化学平衡 状態（平衡状態）という。

➤ 2.ルシャトリエ の平衡移動の法則……平衡状態にある反応に，平衡に影響のある条件を変化させると，その条件の変化を打ち消すような方向に平衡が移動して，新しい平衡の状態になる。

○温度を上げる（下げる）⟶ 吸熱（発熱）の方向へ進む。

○圧力を増す（減らす） ⟶ 気体のモル数が減少（増加）する方向へ進む。

○濃度を増す（減らす） ⟶ その物質の濃度が減少（増加）する方向に進む。

【酸と塩基】

➤**酸**……すっぱい味をもち，**青色**リトマス紙を**赤**くしたり，いろいろな金属と反応して水素を発生させるなどの性質〔 3.酸性 〕をもつ。水に溶かしたときH_3O^+（ 4.オキソニウム イオン）を生ずるような水素原子をもつ化合物。電離度が 5.1 に近い酸を**強酸**（塩酸，硫酸，硝酸など），電離度が小さい酸を**弱酸**（酢酸，フェノール(石炭酸)，硫化水素など）という。 6.水 と反応して酸を生ずる酸化物を 7.酸性酸化物 という。

➤**塩基**……**赤色**リトマス紙を**青**くしたり，酸の水溶液の酸性を打ち消すなどの性質〔 8.アルカリ性 または 9.塩基性 〕をもつ。 10.OH^- を含む化合物である（NaOH，KOH，$Ca(OH)_2$など)。また，他の物質から水素イオンを奪う性質をもち，その性質の強いものを 11.強塩基 （NaOH，KOH，$Ca(OH)_2$など)，弱いものを弱塩基（$Fe(OH)_3$，$Cu(OH)_2$，NH_3など）という。

➤水と反応して 12. 塩基 を生ずる酸化物を 13. 塩基性酸化物 という。

○電離度の大きい酸；**強酸**，電離度の大きい塩基；**強塩基**

○電離度の小さい酸；**弱酸**，電離度の小さい塩基；**弱塩基**

➤酸の分類（他の物質に与えることのできる 14. H^+ の数で酸を分類する）……**1**価の酸（一塩基酸），**2**価の酸（二塩基酸），**3**価の酸（三塩基酸）

➤塩素の分類（1個の分子や 15. イオン を受け入れることのできるH^+の数で塩基を分類する。水酸化物では，水酸化物イオンの数で分類する）……**1**価の塩基（一酸塩基），**2**価の塩基（二酸塩基），**3**価の塩基（三酸塩基）

【水素イオン指数】

$$pH = \log \frac{1}{[H^+]} = -\log [H^+]$$ 〔H^+〕の単位：mol/L

16. 酸 性のとき 〔H^+〕$>1.0\times10^{-7}$mol/L$>$〔OH^-〕pH<7

17. 中 性のとき 〔H^+〕$=1.0\times10^{-7}$mol/L$=$〔OH^-〕pH$=7$

18. アルカリまたは塩基 性のとき

〔H^+〕$<1.0\times10^{-7}$mol/L$<$〔OH^-〕pH>7

〔H^+〕が$\frac{1}{10}$になるごとにpHは 19. 1 ずつ大きくなる。

【塩の水溶液の性質】

塩の水溶液は，中性塩であっても必ずしも中性にはならず弱酸性，弱塩基性を示す場合がある。

➤強酸と弱塩基からなる塩の水溶液は 20. 酸 性である。
（NH_4Cl，$(NH_4)_2SO_4$，$ZnCl_2$など）

➤弱酸と強塩基からなる塩の水溶液はほとんど 21. アルカリ(塩基) 性である。
（Na_2CO_3，$NaHCO_3$，CH_3COONaなど）

➤弱酸と弱塩基からなる塩の水溶液はほとんど 22. 中 性である。

•second try•

年 月 日( )
: 〜 :
( )
am・pm ℃

1.
2.
3.
4.
5.
6.
7.
8.
9.
10.
11.
12.
13.
14.
15.
16.
17.
18.
19.
20.
21.
22.
23.
24.
25.

•first try•

年 月 日( )
: 〜 :
( )
am・pm ℃

1.
2.
3.
4.
5.
6.
7.
8.
9.
10.
11.
12.
13.
14.
15.
16.
17.
18.
19.
20.
21.
22.
23.
24.
25.

プラスチェック！

□触媒…反応の前後において変化せず何らかの作用を与えて反応の速さを変化させる物質。

□反応の速さを増加させる作用のあるものを正触媒，反応の速さを減少させる作用のあるものを負触媒という。

＊このページで覚えた知識を教師になってどう活かしたい？

＊あ！あれ何だっけ？ 確認メモ！

chapter 82 酸化と還元は電子の授受によることを理解しよう

［化学］

おもな金属を陽イオンになりやすい順番に並べたものが金属のイオン化列。水素は金属ではないが陽イオンになれる物質のため，列に入るとした場合の位置が示されている。

物質の変化—②

【酸化・還元】

➤**酸化**……ある物質が酸素と結び付くか，水素を失うか，［1. 電子］を放出するとき，その物質は［2. 酸化］されるという。そのとき生成する物質を［3. 酸化物］という。

➤**還元**……ある物質が酸素を失うか，水素と結び付くか，あるいは電子を得るとき，その物質は［4. 還元］されるという。

○ $2Na + Cl_2 \longrightarrow 2NaCl$

$2Na \longrightarrow 2Na^+ + 2e^-$ ……電子を失い，**酸化**される。

$Cl_2 + 2e^- \longrightarrow 2Cl^-$ ……電子を得て，**還元**される。

○ $2KI + Cl_2 \longrightarrow 2KCl + I_2$

$2I^- \longrightarrow I_2 + 2e^-$ ……電子を失い，**酸化**される。

$Cl_2 + 2e^- \longrightarrow 2Cl^-$ ……電子を得て，**還元**される。

【酸化数の定義】

①単体中の原子の酸化数は［5. 0］とする。

②［6. イオン］結合の化合物は，その電荷に等しい。

③［7. 共有］結合の化合物では，電子を引き付ける能力の大きい原子に電子対が属したとしたときの電荷に等しい。

④化合物中の各原子の酸化数の総和は［8. 0］とする。

＊過酸化物中の酸素の酸化数は［9. −1］。

【イオン化傾向】

➤金属のイオン化列

（大）←→（小）

	Li K Ca Na	10. Mg　Al　Zn　11. Fe	Ni Sn Pb（12. H_2）Cu Hg	Ag Pt	13. Au
水との反応	常温で反応する	高温の水蒸気と反応する	反応しない		
酸との反応	薄い酸で水素を発生して溶ける			酸化性のある酸（硝酸など）には溶ける	王水だけに溶ける
空気との反応	常温でただちに酸化される	強熱すると燃える	強熱すると酸化される。Hgは沸点近くまで熱すると酸化物を生ずるが，分解しやすい	酸化されない	

一般に，金属が電子を失って陽イオンになろうとする傾向は金属の種類によって違い，イオンになりやすい金属はイオン化傾向が**大きい**といい，またイオンになりにくい金属はイオン化傾向が**小さい**という。

➤イオン化傾向が 14. 大きい 金属

──➤ 陽イオンになりやすく，酸化されやすい。

➤イオン化傾向が 15. 小さい 金属

──➤ 陽イオンになりにくく，酸化されにくい。

【電気分解の法則】

➤ 16. ファラデー(F) の法則……①陰極または陽極で変化するそれぞれの物質の量は通じた電気量に比例する。　②それぞれの物質1グラム当量を生成させるのに要する電気量は，物質の種類に関係なく一定である。

➤電気分解で，1グラム当量の化学変化を起こさせるのに要する電気量，すなわち電子1molの電気量を1 17. ファラデー(F) という。

＊1ファラデー(F)＝ 18. 96500 クーロン

➡ 電子1molがもつ電気量。

＊ファラデー定数　9.65×10^4 [C/mol（クローン／モル)]

＊クーロン＝〔アンペア〕×〔秒〕

➡1アンペアで1秒間流れたときの電気量。

【金属のイオン化傾向と電池】

➤イオン化傾向の違う2種類の金属を，電解質溶液に離して浸すと，イオン化傾向の**大き**な金属が 19. 負 極になり，**小さ**な金属が 20. 正 極になった 21. 電池 ができる。

➤ 22. ボルタ の電池……**亜鉛**と**銅**を希硫酸に浸してつくった電池。1800年頃，イタリアのボルタによって発明された。

➤ 23. 乾 電池………**炭素**（黒鉛）棒を正極にし，亜鉛の容器を負極にした電池。

➤ 24. 鉛蓄 電池………比重1.2〜1.3の希硫酸に，鉛Pbの極と二酸化鉛PbO_2の極を浸した電池で，鉛が**負**極に，二酸化鉛が**正**極になる。

•second try•

年　月　日(　)
：　〜　：
(　　)
am・pm　℃

1.
2.
3.
4.
5.
6.
7.
8.
9.
10.
11.
12.
13.
14.
15.
16.
17.
18.
19.
20.
21.
22.
23.
24.
25.

•first try•

年　月　日(　)
：　〜　：
(　　)
am・pm　℃

1.
2.
3.
4.
5.
6.
7.
8.
9.
10.
11.
12.
13.
14.
15.
16.
17.
18.
19.
20.
21.
22.
23.
24.
25.

プラスチェック！

□酸化剤……相手の物質を酸化する物質（自身が還元されやすい物質)。オゾン，塩素，過酸化水素，硝酸など。

□還元剤……相手の物質を還元する物質（自身が酸化されやすい物質)。水素，二酸化硫黄，硫化水素など。

＊このページで覚えた知識を教師になってどう活かしたい？

＊あ！あれ何だっけ？　確認メモ！

chapter 83 ［生物］

1665年，フックにより顕微鏡で細胞が発見される

生物の共通性として，細胞が基本的な単位であること，遺伝物質としてのDNAがあり自己複製すること，エネルギーを利用すること，があげられる。

細胞の構造とはたらき

【細胞の構造】

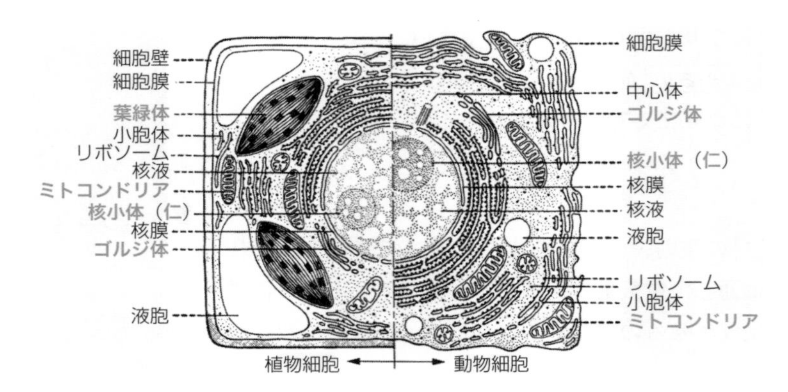

➤生物のからだをつくっている基本単位。……1. 細胞

➤**細胞膜**，**細胞質**，**核**からできており，主成分は 2. 水 とタンパク質である。……3. 原形質

➤球状で染色液によく染まる部分。**遺伝子**の存在する場所として，次代に遺伝形質を伝えるのに重要であるばかりでなく 4. DNA をもとにして，タンパク質，とくに**酵素**の合成を支配する機能をもち，細胞の分化や生活活動の**調節**の中心となっている。……5. 核

➤タンパク質と脂質とでできた薄い膜で，細胞の外側を包み，細胞の内外を区分する**境**となっている。……6. 細胞膜

➤動物細胞と藻類・菌類などの植物細胞に見られる。**細胞分裂**の際に重要な役割をする。……7. 中心体

➤扁平で中空の袋が数個平行に並び，まわりに大小さまざまな小胞を伴い網状になっている。はたらきは物質の貯蔵・分泌をすることで，袋の中に分泌物がたまると球状に変形して移動し，細胞外に出される。……8. ゴルジ体

➤おもに**RNA**とタンパク質とからできており，細胞内で**DNA**の指示にもとづいて一定の構造をもったタンパク質を**アミノ酸**から合成する。……9. リボソーム

➤細胞内に多数散在する棒状ないし球状の小体である。酸素呼吸とATP生成にあずかる酵素を含んでいて**エネルギー発生**の役割をもつ。……10. ミトコンドリア

➤１枚の膜で包まれた袋で内部には無機塩類・糖・有機酸などの水溶液を含む。11. アントシアン などの色素を含んでいるものもある。……12. 液胞

➤**光合成**を行う植物細胞に見られ，**緑色**の 13. クロロフィル ，黄～だいだい色の**カロチノイド**などの色素を含み，光を吸収して糖やデンプンをつくる。……14. 葉緑体

➤植物細胞の細胞膜の外側にあり， 15. セルロース でできている厚い膜。……16. 細胞壁

□

□

【葉の断面】

➤ 17. 道管 ……死んだ細胞がつつ状になり，上下につながり，境目の仕切りがなくなったもので，**根毛**で吸収した水や養分を茎を通り**葉**へ運ぶ。

➤ 18. 師管 ……生きている細胞が上下につながり，つつ状になったもので，光合成でつくられたデンプンは**ブドウ糖**に変えられここを通って運ばれる。

【植物の組織】

➤植物には，それ自体は特殊化しないで，常に分裂をくり返し，新しい細胞をつくり出している細胞群，すなわち 19. 分裂組織 がある。植物が一生を通じて茎と根の先端で伸長するのは，それぞれの先端に 20. 成長点 とよばれる分裂組織があるためである。また茎が太くなることができるのは，茎に， 21. 形成層 とよばれる分裂組織があるからである。

【動物の神経系】

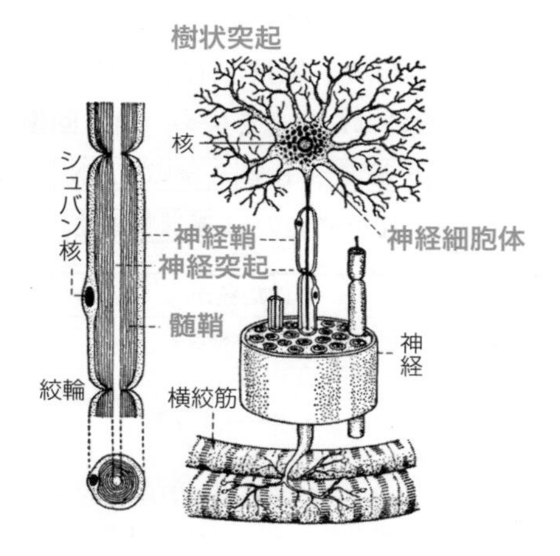

➤神経系は神経組織によって構成されている。神経組織をつくっている基本の単位は，**神経細胞体**・ 22. 神経突起 ・ 23. 樹状突起 からなり，これを1個の神経細胞として捉え，これを神経単位（ 24. ニューロン ）とよぶ。

➤**神経突起**は多数集合して束をつくり，結合組織によって結びつけられて神経を形づくっている。脊ツイ動物の中枢神経の神経突起は，大部分が 25. 髄鞘 でおおわれ，その外面はさらに**神経鞘**とよばれる薄い膜でつつまれている。

•second try•

年　月　日(　)
:　〜　:
am・pm　℃

1.
2.
3.
4.
5.
6.
7.
8.
9.
10.
11.
12.
13.
14.
15.
16.
17.
18.
19.
20.
21.
22.
23.
24.
25.

•first try•

年　月　日(　)
:　〜　:
am・pm　℃

1.
2.
3.
4.
5.
6.
7.
8.
9.
10.
11.
12.
13.
14.
15.
16.
17.
18.
19.
20.
21.
22.
23.
24.
25.

プラスチェック！

□植物細胞の吸水力＝浸透圧－膨圧

□1つのニューロン（神経細胞）から他のニューロンの樹状突起への連絡部をシナプスという。

□興奮は両側に伝導されるが，シナプスでは一方向に伝達される。

＊このページで覚えた知識を教師になってどう活かしたい？

＊あ！あれ何だっけ？　確認メモ！

chapter 84 ［生物］

生物は呼吸や光合成を行いエネルギーを獲得する

生体内の物質交代（化学反応）が段階的にスムーズに進行するのは，様々な酵素が働いているからである。エネルギーの交代や酸素呼吸のしくみなどについて理解しておこう。

物質交代とエネルギー交代

【エネルギー交代】

➤生物と外界との間のエネルギーの出入り，生物体内でのエネルギーの変化や移動を［1. エネルギー交代］という。すべて物質の化学的な変化，すなわち［2. 物質交代］に伴って起こる。生物がエネルギー交代をするとき，そのなかだちをしているのが**ATP**（［3. アデノシン三リン酸］の略）である。

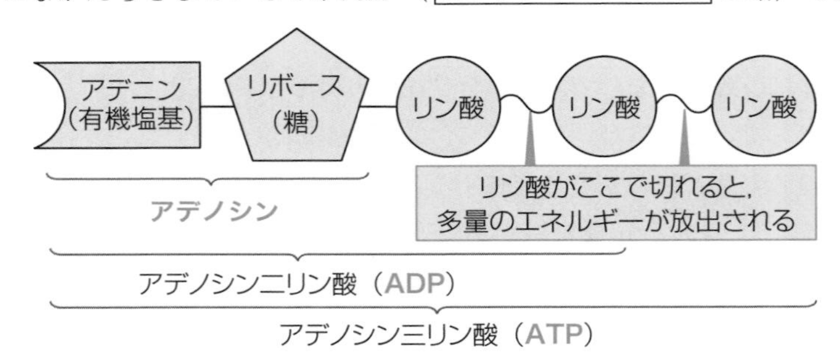

【酵素】

➤酵素は反応を**促進**させるはたらきをもつが，酵素自体は反応の前後で変化しない。したがって一種の［4. 触媒］である。**水**の存在するところだけで作用をあらわす，微量で有効な物質であるが，**熱**に［5. 弱］く，多くはおよそ70～80℃に熱すると破壊されてそのはたらきを失い，再び**回復**しない。

➤酵素が化学反応A ⟶ Bの進行を促すとき，Aを酵素の［6. 基質］，Bを［7. 反応生成物］（反応産物）という。ある酵素が作用する基質は厳密に決まっている。これを酵素の［8. 基質特異性］という。

酵素の型	酵素の種類	はたらき
酸化還元酵素	脱水素酵素（デヒドロゲナーゼ）， カタラーゼ	基質から水素をとって，他の物質へ移す。 H_2O_2（過酸化水素）⟶H_2O+〔O〕
加水分解酵素	炭水化物分解酵素 タンパク質分解酵素 脂肪分解酵素 ATPアーゼ	〈例〉アミラーゼ　デンプン＋水⟶麦芽糖 （グリコーゲン） 〈例〉ペプシン　タンパク質＋水⟶ポリペプチド 〈例〉リパーゼ　脂肪＋水⟶グリセリン＋脂肪酸 ATP＋水⟶ADP＋リン酸
その他	アミノ基転移酵素 （トランスアミナーゼ） 脱炭酸酵素 （カルボキシラーゼ）	基質からアミノ基（$-NH_2$）をとって，他の物質へ移す。 基質のカルボキシル基（−COOH）を分解して，CO_2を発生させる。

【呼吸】

➤エネルギー源となる物質は，細胞に取り込まれたブドウ糖・アミノ酸・脂肪酸・グリセリンなどであり，これらが細胞内で複雑な過程を経て分解され [9. ATP] が生成される。完全に分解されると，最後にアンモニア・二酸化炭素・水などになる。これらのエネルギー源の完全な分解には，空気中から取り入れた [10. 酸素] が用いられる。この全過程が [11. 呼吸] であり，生物が肺に空気を出し入れする [12. 外呼吸] と，細胞内での酸化の過程である [13. 内呼吸] とがある。

また細胞内で物質が酸化されるとき，直接に酸素を必要としない [14. 無気呼吸] と酸素を必要とする [15. 酸素呼吸] がある。

【酸素呼吸のしくみ】

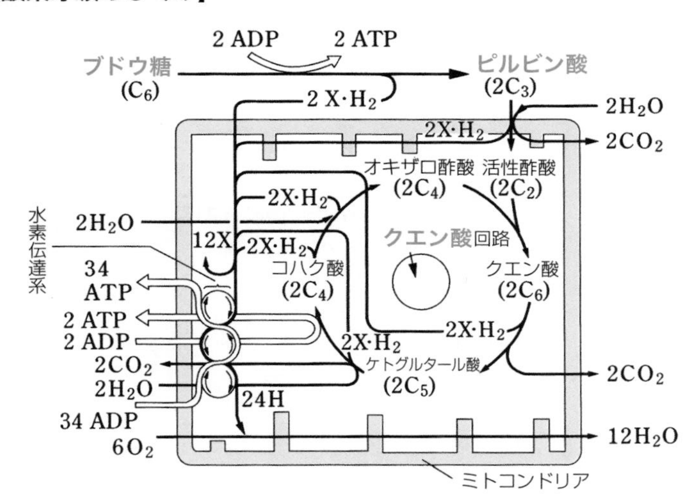

[16. $C_6H_{12}O_6$] $+ 6O_2 + 6H_2O \longrightarrow 6$ [17. CO_2] $+ 12H_2O +$ エネルギー（最大38ATP）

【光合成】

➤緑色の植物は，糖などの有機化合物を，光のエネルギーを用いて，自分の体内で無機物から合成することができる。このような作用を [18. 光合成] とよぶ。

$6CO_2 + 12H_2O +$ [19. 光エネルギー] $\longrightarrow$ [20. $C_6H_{12}O_6$] $+ 6H_2O + 6O_2$

➤光合成の反応には，大きく分けて光を吸収して行われる [21. 明反応] と，光を必要としない [22. 暗反応] とがあり，この2つの反応は連続して行われる。

•second try•

年　月　日(　)
：　～　：
am · pm　℃

1.
2.
3.
4.
5.
6.
7.
8.
9.
10.
11.
12.
13.
14.
15.
16.
17.
18.
19.
20.
21.
22.
23.
24.
25.

•first try•

年　月　日(　)
：　～　：
am · pm　℃

1.
2.
3.
4.
5.
6.
7.
8.
9.
10.
11.
12.
13.
14.
15.
16.
17.
18.
19.
20.
21.
22.
23.
24.
25.

プラスチェック！

□生活エネルギーはATP（アデノシン三リン酸）の化学エネルギーをもとにいろいろなエネルギーに転換している。

＊このページで覚えた知識を教師になってどう活かしたい？

＊あ！あれ何だっけ？　確認メモ！

chapter 85 ［生物］

ヒトの体には異物を排除する防御機構がある

ホルモンは，ごく微量で体の特定の部分の働きに大きな影響をおよぼす物質である。おもなホルモンの働きについて把握しよう。また，脳や心臓などの働きについて理解しよう。

恒常性と調節

【恒常性】

➤生物のからだは，さまざまな小さな変化をしながらも，全体としてみると，生命の維持に必要な条件を満たした秩序を保っている。この秩序の維持を**恒常性**または［1. ホメオスタシス］という。

【脊ツイ動物の腎臓】

➤脊ツイ動物は腎臓の［2. 腎小体(マルピーギ小体)］と［3. 細尿管］で尿が生成される。**腎小体**は毛細血管でできている［4. 糸球体］を［5. ボーマン嚢］が包んだ構造をしている。腎臓には，心臓から送り出される血液のおよそ$\frac{1}{3}$が送りこまれる。血液が糸球体内を通るとき，血球やタンパク質以外の成分は血管の壁を通してこしとられ，**ボーマン嚢**をへて**細尿管**に送られる。生じた尿は［6. 腎う(腎盤)］に集まり，［7. 輸尿管］を経て**膀胱**にたまり，尿道から体外に出される。

【脊ツイ動物の代表的なホルモン】

分泌器官		ホルモンの名称		ホルモンのおもな作用
視床下部		脳下垂体前葉ホルモンの放出因子・抑制因子		脳下垂体前葉ホルモンの分泌を促進・抑制
脳下垂体	前葉	生殖腺刺激ホルモン		卵巣・精巣の成熟を促進
		黄体形成ホルモン		排卵の誘起，黄体の形成
		黄体刺激ホルモン		黄体の刺激，乳腺の発達
		甲状腺刺激ホルモン		甲状腺ホルモンの分泌を促進
		副腎皮質刺激ホルモン		副腎皮質ホルモンの分泌を促進
		成長ホルモン		骨の発達，からだ一般の成長
	中葉	色素胞刺激ホルモン		黒色素粒の分散，黒色色素の合成
	後葉	子宮収縮ホルモン		子宮筋の収縮，乳汁の分泌
		血圧上昇ホルモン		水分・塩類の再吸収，血圧の上昇
甲状腺		チロキシン		物質交代の促進，両生類の変態を促進
副甲状腺		パラトルモン		血液中のCa量の増加
副腎	髄質	アドレナリン		血糖量の増加
	皮質	糖質コルチコイド		アミノ酸からブドウ糖を生成，炎症を抑制
		鉱質コルチコイド		血液中のNa，K濃度の調節，炎症を促進
すい臓		インシュリン		血糖量の減少，組織での糖の酸化を促進
		グルカゴン		血糖量の増加
生殖腺	精巣	雄性ホルモン		雄の第二次性徴の発現，筋肉の発達
	卵巣	雌性ホルモン	卵胞ホルモン	雌の第二次性徴の発現
			黄体ホルモン	妊娠の成立と維持

【免疫現象】

➤**病原体**が体内に侵入すると，血液中に病原体やその病原体の生成するタンパク質などの高分子化合物（毒素）に対抗する物質 8.抗体 が生じ，あとから侵入してくる病原体を溶解または凝着させたり，毒素を中和して無毒にしたりして**発病**を抑える。このように特定の病原体または毒素に対する**抵抗性**ができることを 9.免疫 という。**抗体**を形成させる原因となった物質 10.抗原 と**抗体**との間には高い特異性が見られ，両者の間の反応を 11.抗原抗体 反応という。抗体は血清中の 12.グロブリン とよばれるタンパク質である。

予防接種は，人工的に 13.免疫 性を獲得させるもので，このために用いる**抗原**が 14.ワクチン である。

【脊ツイ動物の神経系】

➤大脳 { **皮質**（灰白質）……随意運動・感覚・精神作用 / **髄質**（白質）………興奮の伝達 }

➤ 15.間脳 ……自律神経の中枢，体温中枢

➤ 16.中脳 ……姿勢の維持，眼球運動

➤小脳……からだの運動の調節

➤ 17.延髄 ……呼吸・心臓の運動の調節

【血液循環】

18.大静脈 → 19.右心房 →右心室→肺動脈
↑　　　　　　　　　　↓
毛細血管　　　　　　　肺
↑　　　　　　　　　　↓
大動脈← 21.左心室 ←左心房← 20.肺静脈

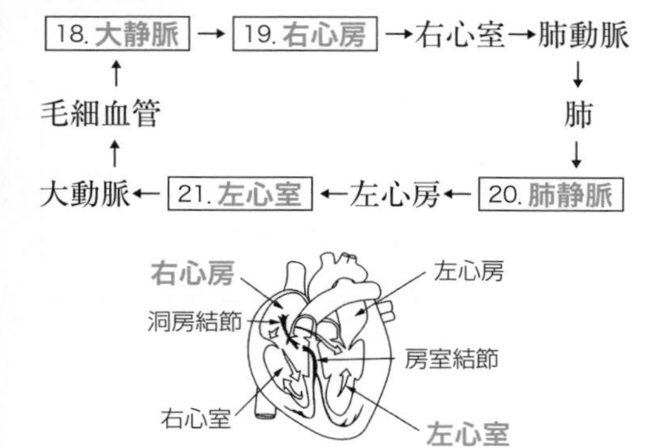

〈血液の成分〉

◎**血しょう**：液体成分で血液の55～65％。

◎**赤血球**：骨髄でつくられる。ヘモグロビンを含み酸素を運搬。

◎**白血球**：核をもち，骨髄でつくられる。

◎**血小板**：凝固に関係。

➤ 22.動脈血 ……肺でガス交換を終えた血液。**鮮紅色**で多量の**酸素**を含む。

➤ 23.静脈血 ……静脈によって心臓に送られ，さらに肺動脈を介して肺に運ばれる血液。酸素の量が少なく，**二酸化炭素**に富み，ヘモグロビンは還元されて**暗紅色**を呈する。肺で，**動脈血**にかわる。

•second try•

年　月　日(　)
：　～　：
am・pm　℃

1.
2.
3.
4.
5.
6.
7.
8.
9.
10.
11.
12.
13.
14.
15.
16.
17.
18.
19.
20.
21.
22.
23.
24.
25.

•first try•

年　月　日(　)
：　～　：
am・pm　℃

1.
2.
3.
4.
5.
6.
7.
8.
9.
10.
11.
12.
13.
14.
15.
16.
17.
18.
19.
20.
21.
22.
23.
24.
25.

プラスチェック！

［日照時間の影響］

□長日植物……１日の暗期が一定時間以下になると花芽を形成（ホウレンソウ，コムギ等）

□短日植物……１日の暗期が一定時間以上になると花芽を形成（アサガオ，キク，ダイズ等）

□中性植物……光周性のない植物（トマト，ハコベ等）

＊このページで覚えた知識を教師になってどう活かしたい？

＊あ！あれ何だっけ？　確認メモ！

chapter 86 ［生物］

遺伝子の本体はDNA

現存の多様な生物は，過去の生物が長い時間の経過の中で変化して生じてきたといえる。生命の連続性について，受精卵の細胞分裂，遺伝の規則性の面から確認しておこう。

生命の連続

【細胞分裂】

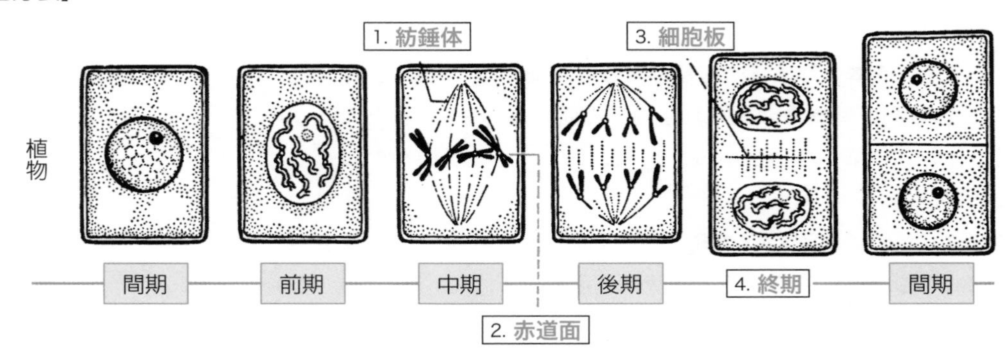

➤**前期**……核の中に分散したDNA-タンパク質複合体の細い糸は，数本ずつ寄り集まったうえで，らせん状に巻いて 5. 染色糸 となり，さらに二重または三重に巻いて，太く短い染色体をつくる。このころ染色体は縦に裂け，おのおのが２本の 6. 染色分体 になっている。

➤**中期**……染色体が赤道面に並んだ時期。 7. 紡錘体 を極のほうから見ると，その細胞の染色体の数とそれぞれの染色体がよくわかる。

➤**後期**……各染色分体は紡錘糸によって引かれるようにして，両極へ移動する。

➤ 8. 終期 ……両極近くに達した染色体は，前期の過程を逆にたどるようにしてDNA-タンパク質複合体の状態にもどる。同時に，小胞体がこれら全体を包んで核膜となり，新しい 9. 核 ができあがる。

【卵の種類】

卵の種類	卵黄の量と分布	生　物　例
等黄卵	卵黄が少なく，均等に分布	ウニ類・ホ乳類など
端黄卵	卵黄が多く，偏って分布	魚類・両生類・ハ虫類・鳥類など
心黄卵	卵黄が多く，中央部に分布	甲殻類・昆虫類など

【受粉】

➤被子植物の花粉の形成は，動物の精子形成の場合とよく似ている。おしべの 10. やく の中にある 11. 花粉母 細胞（$2n$）が 12. 減数 分裂を行って４個の花粉をつくる。花粉の核（n）はまもなく 13. 花粉管 核（n）と**生殖**核（n）に分裂する。

➤花粉がめしべの 14. 柱頭 につくことを 15. 受粉 という。受粉して花粉が**発芽**すると，**花粉管**核は伸びていく花粉管の先端部に位置する。雄原細胞はあとに続き，分裂して２個の 16. 精細胞 （n）になる。

【胞胚・嚢胚】

➤卵は卵割を繰り返すと，多くの割球が集まった 17.桑実胚 になる。さらに発生が進むと，中央に**卵割腔**という空所をもつ 18.胞胚 となる。やがて，胞胚の植物極側が増殖し，さらに**陥入**が著しく進むと 19.嚢胚 になる。この陥入の入口の部分を**原口**，陥入して袋状になった部分を**原腸**とよぶ。二重の壁の外側の細胞層が 20.外胚葉，内側の層が 21.内胚葉，そしてこれら２つの細胞層の間に 22.中胚葉 が分化してくる。

【遺伝】

メンデルは，エンドウを材料とした研究から，遺伝の基礎となる法則を発見した。

➤ 23.顕性 の法則……遺伝子には**顕性**のものと**潜性**のものとが存在する。

➤ 24.分離 の法則……生殖細胞ができるときには，対立する遺伝子はそれぞれ分離して各配偶子に入る。

➤ 25.独立 の法則……２つ以上の対立する遺伝子を取り扱う場合，それぞれの遺伝子は他の遺伝子に無関係に対立して各配偶子に入る。

【複対立遺伝子】

➤ヒトのABO式血液型は，この遺伝の例である。この３つの遺伝子の２つずつの組み合わせで血液型が決められる。

血液型（表現型）	遺伝子型
A型	AA，AO
B型	BB，BO
AB型	AB
O型	OO

•second try•

年　月　日(　)
：　〜　：
(　　)
am・pm　℃

1.
2.
3.
4.
5.
6.
7.
8.
9.
10.
11.
12.
13.
14.
15.
16.
17.
18.
19.
20.
21.
22.
23.
24.
25.

•first try•

年　月　日(　)
：　〜　：
(　　)
am・pm　℃

1.
2.
3.
4.
5.
6.
7.
8.
9.
10.
11.
12.
13.
14.
15.
16.
17.
18.
19.
20.
21.
22.
23.
24.
25.

プラスチェック！

□端黄卵でもカエル，イモリでは卵黄は比較的少なく全不等割である。

□鳥類，ハ虫類などの端黄卵は，細胞質分裂は不十分で盤割という部分割になる。

□心黄卵は，細胞質は省略され表割となる。陥入は植物極側から起こるが，卵割腔は生じない。

＊このページで覚えた知識を教師になってどう活かしたい？

＊あ！あれ何だっけ？　確認メモ！

chapter 87 ［地学］

惑星としての地球のすがたを知る

引力や自転の遠心力など，地球に関わる物理的な情報について確認しよう。また，地球内部の層構造やエネルギーについて，地震波について把握しよう。

地球の構成，地球内部等の変動—①

❶ 地球の構成

【地球の引力】

地球の質量をM，地球の中心からの距離をr，万有引力定数をGとするとき，

質量mの物体に働く地球の引力Fは，$\boldsymbol{F=G\frac{mM}{r^2}}$となる。

地表の物体に働く地球の引力は，［1. 緯度］の**高低**で変わらない。

【自転の遠心力】

地球の自転角速度をωとし，地軸からの距離をrとするとき，

質量mの物体に働く地球の遠心力は$\boldsymbol{mr\omega^2}$となる。

遠心力は，**赤道**で最も大きく，**極**では［2. ゼロ(0)］になる。

【地表】

- **重力**は，地球の［3. 引力］と自転の［4. 遠心力］の合力で，**緯度**が高いほど大きくなる。
- 地磁気の３要素は，**偏角**，**伏角**，**水平分力**である。磁極は伏角［5. ±90°］の地点。地磁気の強さや磁極の位置は変化している。
- 地球は赤道半径が極半径より**長**い回転楕円体に近く，このことは，子午線の緯度１°の長さが［6. 赤道］で最大，［7. 極］で最小であることからわかる。
- 地表がすべて海であると仮定したときの平均海面で囲まれた曲面体を［8. ジオイド］という。重力の方向に対して**垂直**で，地下の密度分布と地形に影響される。

❷ 地球内部等の変動

【地球内部】

- 地表から内部に向かって，［9. 地殻］（上層は花こう岩質，下層は玄武岩質），［10. マントル］（かんらん岩質），**外核**，**内核**（核は鉄やニッケル）となる。
- 地殻とマントルの境界を［11. モホ面］（**モホロビチッチ不連続面**）という。

赤道半径：$a=6378$km

極半径：$b=6357$km

扁平率：$\dfrac{a-b}{a}=\dfrac{1}{298}$

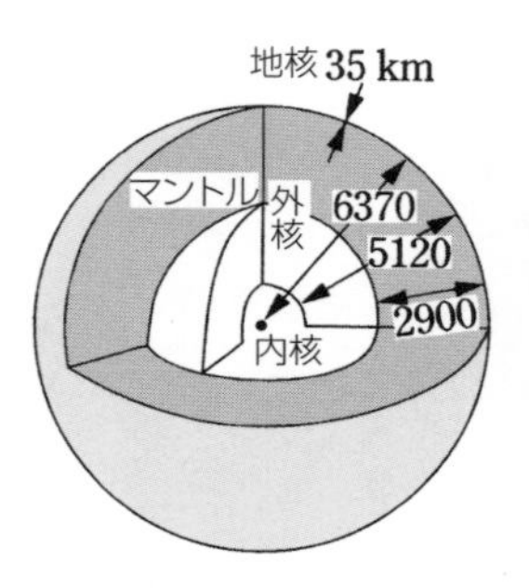

地球内部の構造

【地球内部のエネルギー】

➤地下にいくにつれて**増温**し，その**地下増温率**（**地温勾配**）は，地表近くで平均約3.0℃ /100mである。

➤地球内部から上昇してくる熱量の大きさを 12. 地殻熱流量 といい，地球上では平均1.5 H.F.U.である。中央海嶺や火山帯などでは大きく，海溝では小さい。

【地震】

➤地震波

◎**P**波……地表付近で6～8km/sの速度で早く伝わる波。13. 縦波 で**粗密波**または**弾性波**といわれる。一般に物体の体積の変化が伝わる波で，固体・液体・気体中を伝わる。

◎**S**波……P波よりは遅く，地表付近で3～4km/sの速度で伝わる波。14. 横波 で**高低波**または**変形波**といわれる。一般に物体の形の変化が伝わる波で，15. 固体 中しか伝わらない。

※　地震波をみると深さ2,900km以深には**S**波が伝わっておらず，その部分は液体で構成されていると考えられる。

➤**震度**……ある地点の地震動の強さを表わす尺度をいう。その揺れの相対的な強さは，震度0，1，2，3，4，5弱，5強，6弱，6強，7の10段階に区分される。

➤**マグニチュード**……震源における地震の 16. 規模 ，地震そのものの 17. エネルギー をいう。マグニチュードが1大きくなると，地震によるエネルギーは約 18. 32 倍になり，振幅は 19. 10 倍になる。

➤**震央**……震源の真上の 20. 地表点 をいう。

〈震源距離の算出〉

早く伝わるP波，遅く伝わるS波の速さをそれぞれ，V_p，V_sとし，測定された 21. 初期微動継続時間 （22. P－S時間 ）をtとするとき，

震源（までの）距離Dは，$\boldsymbol{D}=\dfrac{\boldsymbol{V_p}\times\boldsymbol{V_s}}{\boldsymbol{V_p}-\boldsymbol{V_s}}\times\boldsymbol{t}$

で求められる。

•second try•	•first try•
年　月　日(　)	年　月　日(　)
：　～　：	：　～　：
(　　)	(　　)
am・pm　℃	am・pm　℃
1.	1.
2.	2.
3.	3.
4.	4.
5.	5.
6.	6.
7.	7.
8.	8.
9.	9.
10.	10.
11.	11.
12.	12.
13.	13.
14.	14.
15.	15.
16.	16.
17.	17.
18.	18.
19.	19.
20.	20.
21.	21.
22.	22.
23.	23.
24.	24.
25.	25.

プラスチェック！

□P波のPはPrimaryの頭文字。

□S波のSはSecondaryの頭文字。

＊このページで覚えた知識を教師になってどう活かしたい？

＊あ！あれ何だっけ？　確認メモ！

chapter 88 活動する地球について知る

［地学］

特徴的な地形，火山活動とマグマに関係する岩石，造山運動について確認しよう。大きな災害とも関連する分野である。

地球の構成，地球内部等の変動—②

【マグマの性質と火山活動】

マグマの性質	溶岩の状態	噴火型式	火山形態	火山例
玄武岩質	高温・粘性小	溶岩流出 静穏	溶岩台地 楯状火山	アイスランド， ハワイ，大島三原山
安山岩質	（中間）	小爆発	成層火山	富士山，桜島
流紋岩質	低温・粘性大	大爆発	鐘状火山 溶岩円頂丘	昭和新山，有珠山

【造山運動】

厚い地層を形成している 1. 地向斜 という沈降性の海ができる
→ そこに陸上からの**堆積**ができる　→ 一定限度になると**マグマ**の貫入や変成活動が始まる
→ **地向斜**が隆起する　→ **山脈**ができる

➤**しゅう曲山脈**……山脈に大規模な圧力や熱が作用し，しゅう曲や多くの断層が形成されたもの。

➤**楯状地**…… 2. 先カンブリア代 の造山運動で形成されたものが， 3. 侵食 により楯のような台地となったもの。カナダ，アマゾン，バルト，エチオピア，インド，オーストラリアなどにみられる。

➤**プレートテクトニクス**……粘性の下部マントル上に浮かんだ地殻と上部マントルのプレートが，海嶺で上昇し海溝で沈降するマントル対流の作用により少しずつ移動するなど， 4. プレート の運動によって様々な**地殻変動**が起こると捉える理論。

【地殻変動を示す地形】 ＊隆起・沈降は地殻変動が主原因の場合，海進・海退は極地の氷解が主原因の場合の概念。

場所	地殻変動	地殻変動の証拠	説明	実例
海岸地方	隆起（海退）	5. 海岸平野	平らな海底が隆起して平野化した。海岸線は単調。	千葉県九十九里海岸
		海岸段丘	海岸地域でみられる階段状地形。隆起が断続して形成された。	阿武隈山地の東海岸，琉球諸島の各地域
	沈降（海進）	6. リアス海岸	海岸線の出入りがノコギリの歯のような地形。	三陸海岸，スペインの北西岸
		おぼれ谷	陸地に発達していた深い谷が沈降して海底に沈んだときにできる。	富山湾海底
内陸地方	隆起	河岸段丘	河川の河岸にある階段状地形。	荒川，利根川，信濃川，天竜川
		7. 隆起準平原	長い間の侵食作用で平らになった土地が隆起し高原状態になっている地形。	岡山県や広島県北部の高原
	沈降	8. 埋積谷	谷が埋積され山地がすぐに沖積地におしせまっている地形。	山形県赤湯，栃木県佐野
海洋	沈降	サンゴ礁	サンゴ礁のみが海面やその付近に認められる。	琉球諸島各地域
		ギヨー（平頂海山）	ギヨーが深い海底にある場合。	アラスカ湾

❸ 鉱物と岩石

【鉱物】

鉱物は，結晶をなして一定の化学組成を有する。鉱物の集合体が 9. 岩石 である。

➤**多形（同質異像）**……同一の元素から構成されている鉱物間で，10. 結晶構造 が異なる現象。

➤**鉱物の硬さ（モース硬度）**……鉱物などの硬さの示し方。最軟1（タルク（滑石））～最硬10（ダイヤモンド（金剛石））までの10段階の 11. 基準鉱物 の硬度との**比較**で求められる。

【岩石】

➤ 12. 火成岩 ……火山活動によって，地殻下部やマントル上部の構成物質が溶解した 13. マグマ が**冷却**してできた岩石。

➤ 14. 堆積岩 ……岩石が，風化・侵食・運搬・堆積・続成の過程を経て形成される。石炭，岩塩，石灰石，砂岩，泥岩などがある。

➤ 15. 変成岩 ……温度や圧力の変化で， 16. 固体 のままで変化した岩石をいう。たとえば結晶質石灰岩（大理石）は**接触変成岩**，片岩と片麻岩は**広域変成岩**という。

色	特に濃	濃	中	淡
比　　重	特に大（約3.2）	大（約3.0）	中（約2.8）	小（約2.6）
SiO_2の量	40%前後（塩基性岩）	50%前後	60%前後（中性岩）	70%前後（酸性岩）
火　山　岩		玄武岩	安山岩	流紋岩
深　成　岩	かんらん岩	斑れい岩	閃緑岩	花こう岩
おもな造岩鉱物（無色鉱物／有色鉱物）	かんらん石	輝石，斜長石	角閃石，斜長石	黒雲母，カリ長石，石英

second try　年　月　日（　）

first try　年　月　日（　）

am・pm　℃

1.
2.
3.
4.
5.
6.
7.
8.
9.
10.
11.
12.
13.
14.
15.
16.
17.
18.
19.
20.
21.
22.
23.
24.
25.

プラスチェック！

□大陸移動説を唱えたのは，ドイツの気象学者ウェゲナー。

□大陸移動や造山運動はマントル対流が原因で，プレートは中央海嶺で誕生し海溝で消滅すると考えられている。

＊このページで覚えた知識を教師になってどう活かしたい？

＊あ！あれ何だっけ？　確認メモ！

chapter 89 ［地学］

ともに生きていく地球

自然界・宇宙における地球の科学的認識を得ることも地学習得の目標といえる。地球をめぐる自然環境の保全など課題は多い。大気，水について大きな視点から捉えて確認しておこう。

大気と水と宇宙

【大気成層区分（高度・気温分布による）】

分類		高度（概数値）	気温分布（概数値）
対流圏		地表～12km	0.5～0.6℃/100mの割合で低下（12kmで−55℃）
成層圏		12～50km	数km等温の後，0.2～0.3℃/100mの割合で上昇（50kmで0℃）
超高層	中間圏	50～80km	0.2～0.3℃/100mの割合で低下（80kmで−95℃）
	電離圏	80～400km	急激に上昇（200kmで1000℃）
	外気圏	400km～	急激に上昇（500kmで1200℃以上）

➤**対流圏**と**成層圏**との間に［1. 圏界面］があり，高度は赤道で約［2. 16］km，極では約［3. 8］kmで，気温は約−50℃である。

➤**成層圏**では，空気の対流はほとんど起こらない。上部には，酸素分子（O_2）が太陽からの紫外線で化学変化を起こして生じた［4. オゾン］層があり，この層は太陽からの紫外線をよく吸収するのでこの付近の気温は比較的［5. 高］い。

➤大気はほとんど，［6. N_2］（約78%）と，［7. O_2］（約21%）である。N_2：O_2≒４：１

【大気の熱収支】

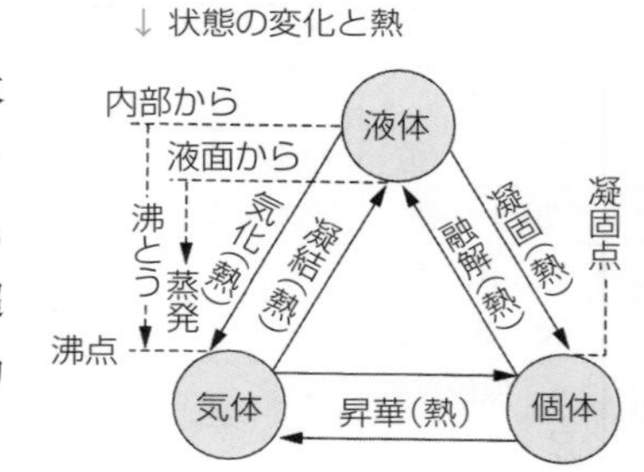

➤**太陽放射**……太陽はあらゆる方向に［8. 電磁波］の放射線を出す。大気の外縁に到達する太陽放射の98%は，**紫外線**（波長0.25～0.4μm），**可視光線**（波長0.4～0.7μm），**赤外線**（波長0.7～3.0μm）。残りの２%は波長の短い超紫外線，γ線，X線，より波長の長い超赤外線，［9. 電波］である。太陽エネルギーの約45%が可視光線，約45%がさらに長い波長の電磁波，残りの10%は［10. 紫外線］。

➤［11. 太陽定数］……**1.37 kW/m²**

地球が太陽から平均距離だけ隔たっているとし，地球の大気圏外で太陽光線に直角な単位面積が1単位時間に受けるエネルギー量。

【大気の温度】

➤空気塊温度が周囲の気温より
- **高**いとき →空気塊は［12. 上昇］，不安定
- **低**いとき →空気塊は［13. 下降］，安定。

➤地表付近の風は地表の摩擦力のため，等圧線に斜めに，［14. 低圧］側に向かって吹く。

➤大気の循環は次のように吹く。

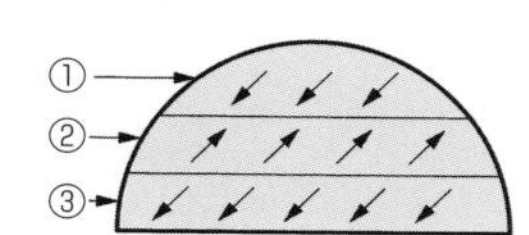

①**極（偏）東**風（高緯度低圧帯）
②**偏西**風（中緯度高圧帯）
③**貿易**風（低緯度低圧帯）

➤**地衡風**……上空では摩擦力が作用しないため，風は気圧傾度力と転向力とが均衡し等圧線に平行に吹く。北半球では，地衡風を背にするとき左手が 15. 低圧部 となる。

➤高気圧では 16. 下降 気流が生じ，北半球地表では**右回り**（**時計回り**）の風が吹き出す。

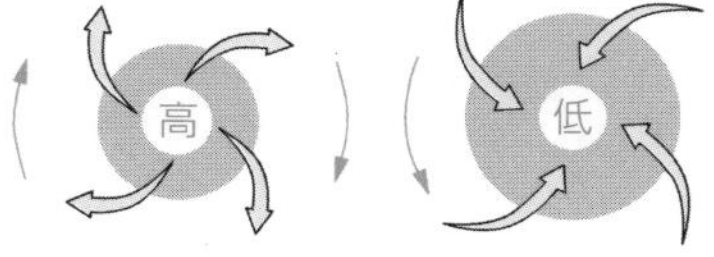

➤低気圧では 17. 上昇 気流が生じ，北半球地表では，**左回り**の風が吹き込む。

【海流】

➤ 18. 寒流 ……高緯度から低緯度へ向かい（**親潮**など）低温，不透明，プランクトンが多く魚が豊富。

➤ 19. 暖流 ……低緯度から高緯度へ向かい（**黒潮**など）高温，透明，プランクトンが少なく魚が少ない。

➤**大潮**……月と太陽と地球が 20. 一直線 になる新月と満月のとき起こる。

➤**小潮**……月と太陽とが地球から見て 21. 直角 （上弦月・下弦月）のとき起こる。

【惑星】

➤**地球の自転周期**……約23時間56分4秒。北極側からみて反時計回り。

➤**ケプラーの法則**

- **第一法則**：惑星の軌道は 22. 太陽 を1つの焦点とするだ円軌道。
- **第二法則**：太陽と惑星を結ぶ線分が等時間に描く面積は等しい。
- **第三法則**：惑星の公転周期の**2**乗は，軌道半径の3乗に比例する。（調和の法則）。

➤ 23. 順行 ……惑星の位置が天球上で**西**から**東**へ移動すること。**逆行**は，東から西へ移動すること。

➤ 24. 合 ……惑星が**太陽**と同じ方向に見えるとき。 25. 衝 は，反対方向に見えるとき。

•second try•

年　月　日（　）
：　〜　：
（　　）
am・pm　℃

1.
2.
3.
4.
5.
6.
7.
8.
9.
10.
11.
12.
13.
14.
15.
16.
17.
18.
19.
20.
21.
22.
23.
24.
25.

•first try•

年　月　日（　）
：　〜　：
（　　）
am・pm　℃

1.
2.
3.
4.
5.
6.
7.
8.
9.
10.
11.
12.
13.
14.
15.
16.
17.
18.
19.
20.
21.
22.
23.
24.
25.

プラスチェック！

□気圧…ある地点の上空の空気の重みで，1気圧は水銀柱76cmの圧力で1013 hPaに当たる。

□2006年の国際天文学連合総会による採決で，冥王星は太陽系の惑星から外され，準惑星（矮星）のグループに分けられている。

＊このページで覚えた知識を教師になってどう活かしたい？

＊あ！あれ何だっけ？　確認メモ！

new runner's supplementary materials

巻末クイック資料

都道府県名の由来①

都道府県	名の由来
北海道	郡県制をしく際，松前武四郎が6つの名称を提案した。その中の「北加伊」が採用されたが，その後，加伊を海として改め，語尾に道がつけられ，現在の「北海道」という名が誕生した。
青森県	1624（寛永元）年開港にあたり，湾頭に青々とした松林があり古来この森を青森と呼んでいたので青森港にしたという。1871（明治４）年９月23日太政官布告により弘前藩から青森県に改めた。
岩手県	いくつかの説がある。平城天皇の御代にみちのくの国から鷹が献上されたおりに，天皇がその鷹に「岩手」と名付けたことに始まるといわれ，あるいは，「夫木集」に収められた一首に由来するともいわれている。
秋田県	約1300年前には，鰐田（あぎた）と呼ばれており，その後「秋田」となり，現在に至る。
山形県	山形の名は「和名抄」に見える古代の山方郷によるとされている。すなわち野方，里方に対する山方で，「山形」はその当て地で，古くは最上川流域を「山方」と呼んでいたという。
宮城県	仙台城（青葉城）のあった郡名「宮城郡」からとったといわれている。かつて宮城郡内には，塩竈神社，志波神社があり，神聖なところということで，「宮城」とつけられたようである。
福島県	県制発足のときに県庁が置かれた福島町の名をとっている。福島の名の出所は諸説あるが，阿武隈川，荒川，松川にはさまれた島状の形に縁起のいい福の字をはめ込んだといわれているのがもっともポピュラーである。
栃木県	県内を流れる巴波（うずま）川には，昔，河原や湿地があり，栃の木が多く茂っていた。住民はこの栃の実を食糧とし，採集に出かけるときは「とちのき」に行くといっていた。これが自然に地名になったといわれている。
群馬県	良馬の産地であったことに由来したとの説もあるが，昔，この地域の支配者が車持君であったことから，「くるま」のあて字として「群馬」が使われたという説もある。
茨城県	古代黒坂命が賊をほろぼし，茨で城を築いたことから「茨城」の名がついたといわれている。
千葉県	３つの説がある。池田郷の池の蓮の花の美しく咲いたさまを千葉と表現したことからというもの。２つ目は千葉石という隕石に由来するという説。もうひとつは千葉を歌った万葉の歌に由来するといわれる説。
埼玉県	行田市埼玉にある前玉神社に由来し，語意は幸魂であるという説と，行田地方は当時国府のあった多摩方面から見ると前（先）多摩と呼ばれ，前玉と書かれ，後「埼玉」になったとする説がある。
東京都	1868（慶応４）年７月17日「自今江戸を称して東京とせん」との詔による。すなわち江戸は従来の宮城の地である京都から見て東方にあることから東の京の意味で「東京」と名づけられたもの。
神奈川県	現在の横浜市神奈川区に流れていた（昭和４年に埋め立てられた）上無川から由来したといわれている。
新潟県	「新潟」という地名が出てくるのは今から400年以上前。その意は，「新しくできた潟」からきたと思われる。
石川県	1872（明治５）年に県庁が石川郡美川町に移されたときの県庁所在郡名を採用したことに始まる。
富山県	前田富山藩10万石の居城，富山城から。富山にはアイヌ人が住んでいたといわれ，「トヤマ」とはアイヌ語で沼，水の意。この地方に川，沼が多いところからこう呼ばれたともいわれている。
福井県	昔は北ノ庄（キタノショウ）と称されていたが，北ノ庄の北が「敗北」に通じていることから1624（寛永元）年「福居」と改められ，さらに元禄（1688～1704年）の頃から「福井」と書くようになった。

都道府県	名の由来
岐阜県	織田信長が稲葉城を陥落させた後，尾張政秀寺の開山沢彦宗恩の考案である「岐阜，岐山，岐陽」の３つの地名から選び出し，井口から「岐阜」と改称した。
長野県	1870（明治３）年，中野県（現・長野県の一部）出張所が長野村に置かれ，その後，北信濃一円を合併して，長野県と命名された。
山梨県	甲斐４郡のひとつ山梨郡からとったもの。語源は２つあり，土地が平らで山がなかったため「山無」と呼ばれたという説と，山梨の木が多いところからこの名が起こったという説がある。
静岡県	駿河国府中（駿河）藩の藩名が不忠に通ずるとして，賤機（しずはた）山にちなんで静岡藩と改称した。その藩名を継承して静岡県となった。
愛知県	県名は愛知郡に由来するが，古くは「アイチ，アユチ」と発音されていた。語意は諸説あるが，年魚（アユ）の市の意とか，アユは湧き出る意で湧水に富む所という説などがある。
三重県	東国平定を終え，現在の亀山能褒野へ向かう途中疲れた日本武尊が「わが足三重に匂りなして，いと疲れたり」と語り，以後この地を「三重」と呼んだということが「古事記」に伝えられている。
滋賀県	郡名からきており，元は「志賀」と書かれていたようだ。シガとは古い代名詞のシ（其）で「それ」という意味であり，古代，臨湖の一大中心地であった志賀の地が「それ，そこ」という意味で理解されていたと考えられる。
奈良県	「なら」とは草木を踏みならし，平らにするという意味からきたと考えられている。
京都府	京都は本来「天子の居城のある土地」という普通名詞で，平安京は一般的には「京（きょう）」または「京（みやこ）」と呼ばれていた。「京都」が固有名詞化するのは院政期以降のことである。
和歌山県	紀伊藩を廃して和歌山，田辺，新宮の三藩を置き，その後三藩はそのまま県となったが，三県が合併して和歌山県となった。
大阪府	戦国時代は大坂，小坂，尾坂，お坂などと書かれ，上町台地にあった石川本願寺とその一帯を指す地名であった。江戸時代には「大坂」が定着し，「大阪」に統一されたのは明治10年頃からである。
兵庫県	兵庫津に県庁を置いたことから始まる。兵庫津は，昔，武器庫が置かれていたため「兵庫」と呼ばれるようになった。
鳥取県	奈良朝の昔，いまの鳥取市の付近は湖や沼が多く，水鳥が多く生息しており，この鳥を取ることを仕事にしていた鳥取部が住んでいたことから，この辺りを「鳥取」と呼ぶようになったといわれている。
島根県	県庁所在地が古くは島根郡に属していたところからつけられた。「島根」という名称は，出雲風土記の「島根と号づくる所以は国引き座せる八束水臣津野命の詔り給いて名を負ひき，故島根といふ」によるとされている。
岡山県	岡山市の中心部を流れる旭川の右岸に天神山，石山，岡山という３つの丘陵があり，この「岡山」をとり，県名となった。
広島県	毛利輝元が広島城を築いた頃，現在の広島市の中心部は太田川の広大な三角州だったところから「広島」と呼ばれたという説がある。
山口県	「この地に山口氏という豪族が古城山に城を構えていたので」という説と，「長門の国の方へ行く山道の入り口に，また，鉱山の入り口にあたるから山口と里の人がいいはじめた」という説がある。現在は後者が定説視されている。
徳島県	阿波藩の城下町徳島から由来する。この地は吉野川と園瀬川の三角州にあたり，川にはさまれた島のようになっていたため，これに徳の字を冠して「徳島」となったという説がある。

都道府県名の由来③

都道府県	名の由来
愛媛県	古事記に「此島は身一つにして面四つあり。面海に名あり。かれ，伊予国は愛比売と謂ひ」とあり，「愛比売」のヒメに才色兼備の媛の字をあてたものである。
香川県	香東川からきたといわれている。香東川の流れるところを香川郡といい，香川郡を中心とする讃岐一円を香川県と呼ぶようになった。
高知県	山内一豊は河中島に築城し，鏡川と江ノ口川の間を郭中として家臣を住まわせた。ここを二代藩主忠義は「河中」の字を五台山竹林寺の空境上人の意見で「高智」と改め，やがて「高知」と書くようになった。
福岡県	旧藩主であった黒田氏の縁故の地である備前国邑久郡福岡（現在の岡山県瀬戸内市長船町）の名を城下町につけ，これが県名となった。
長崎県	長崎氏の姓から出たという説と現在の県庁のところまで長い岬があったところから「ナンカサキ」，それが「長崎」になったという説がある。
佐賀県	肥前風土記に「日本武尊が御巡狩のとき，樟樹の栄え繁る有様を御覧になり，この国は『栄の国』と呼ぶとよかろうと申され，その後『栄の都』といい，改めて佐嘉郡と呼ぶようになった」と記されていることが由来とされ，明治維新後，「佐賀」に改められた。
熊本県	古くは「隅本」とも書き，一説には1607（慶長12）年，加藤清正の築城の際に「熊本」に改めたといわれている。
大分県	豊後風土記に景行天皇が，この地形をみて「ひろく大きなるかも，この郡は碩田（おおきた）と名づくべし」といったと記され，それが変化して「大分」となったといわれている。
宮崎県	神武天皇の宮居の崎（端）ということから「宮崎」と名づけられたともいわれている。
鹿児島県	県名は県庁所在地の名をとるもので，その由来は「日本書紀」神代紀に見える彦火火出見尊にまつわる神話の「無目籠（まなしかたま）」の小舟から出たとする説と，「天鹿児矢」からとする説がある。
沖縄県	昔々，那覇港沖のリーフ（漁場）を「おきなば」といっていたのが変化したというのが現在のところもっとも有力な説である。また「沖縄」という漢字が使われるようになったのは江戸時代中期以降のことである。

～ 教えること・模範 ～

- Better untaught than ill taught.
  ……悪い教育を受けるより教育されない方がましだ。
- In every art it is good to have a master.
  ……あらゆる技芸において，先生をもつことはよいことだ。
- Practice is better than theory.
  ……実践は理論にまさる。
- Practice what you preach.
  ……自分の説くところをまず自分で実行せよ。
- Teaching others teaches yourselves.
  ……他人に教えることは自分に教えることだ。
- To teach is one thing, to know is another thing.
  ……教えることと知っていることとは別のことだ。
- Example is better than precept.
  ……実例は説教にまさる。

～ 時・好機・無常 ～

- Make hay while the sun shines.
  ……好機を逃がすな。
- Strike while the iron is hot.
  ……鉄は熱いうちにうて。
- The early bird catches the worm.
  ……早起きは三文の得。
- Time and tide wait for no man.
  ……歳月人を待たず。
- Time flies like an arrow.
  ……光陰矢の如し。
- Pleasant hours fly fast.
  ……楽しい時は早く飛んでいく。
- Time is money.
  ……時は金なり。
- Art is long, and Time is fleeting.
  ……学の道は遠く，光陰は矢のごとし。

格言・名句でつづる人生・教育論②

～ 紆余曲折・牛歩・着実 ～

- He that goes far hath many encounters.
  ……遠くへ行く者は多くのものに出会う。
- Slow and steady wins the race.
  ……ゆっくり着実にやれば競争に勝つ。急がば回れ。
- Rome was not built in a day.
  ……ローマは一日にして成らず。

～ 志・大望・意志 ～

- "Impossible" is a word to be found only in the dictionary of fools.
  ……「不可能」という語は愚人の辞書にだけある単語だ。
- Boys, be ambitious.
  ……少年よ，大志を抱け。
- First deserve and then desire.
  ……まず実力を養い，それから希望せよ。
- Great hopes make great men.
  ……大望は偉人をつくる。
- Where there is a will, there is a way.
  ……精神一到何事か成らざらん。
- Will is power.
  ……意志は力である。

～ 遊びと勉強・学習 ～

- Work while you work, play while you play.
  ……よく学び，よく遊べ。
- What youth learns age does not forget.
  ……若い頃に学んだことは，年をとっても忘れない。
- Never too old to learn.
  ……学ぶのに年をとりすぎたということはない。
- There is no royal road to learning.
  ……学問に王道なし。
- Experience without learning is better than learning without experience.
  ……学問なき経験は，経験なき学問にまさる。(結局は経験こそだ)

～　問いと恥 ～

- A man becomes learned by asking questions.
  ……人は質問することによって知識を得る。
- He who is afraid of asking is ashamed of learning.
  ……質問することを恐れる人は，学ぶことを恥じる人だ。

～ なすことによって学ぶ ～

- By falling, we learn to go safely.
  ……転ぶことによって，安全に歩くことを学ぶ。
- In doing we learn.
  ……やりながら私たちは学ぶ。
- It is the first step which is troublesome.
  ……厄介なのは第一歩である。

～ 失敗はどんな人にもある ～

- Even Homer sometimes nods.
  ……弘法も筆の誤り。
- It is no use crying over spilt milk.
  ……覆水盆に返らず。
- Look before you leap.
  ……転ばぬ先の杖。

～ 友・友情・同類 ～

- A friend in need is a friend indeed.
  ……まさかの時の友こそ真の友である。(まさかの友は真の友)
- A friend to all is a friend to none.
  ……すべての人の友はだれの友でもない。(八方美人)
- Birds of a feather flock together.
  ……類は友を呼ぶ。
- Out of sight, out of mind.
  ……去る者日々に疎し。

～ 母・子 ～

- Necessity is the mother of invention.
  ……必要は発明の母。
- The child is father of [to] the man.
  ……三つ子の魂百まで。

格言・名句でつづる人生・教育論④

〜 万物の霊長なれど弱きもの汝の名は人間・考える葦 〜

● All men are created equal.
　……人間はすべて平等に創造されている。

● To err is human, to forgive divine.
　……過ちは人の常，これを許すは神。

● They say best men are moulded out of faults.
　……最高の人も欠点でつくられているという。

● No one sees his own faults.
　……人はだれでも自分の欠点を見ない。

● Man is the lord of the creation.
　……人間は万物の霊長である。

● Man is the creature of the age.
　……人間は時代の子である。

● Men are not always what they seem to be.
　……人間は見かけによらないものだ。

● Old men are twice children.
　……老人は子供にかえる。

● Several men, several minds.＝So many men, so many minds.
　……人の心はみなちがう。（＝十人十色）

〜 今をひたすら 〜

● A bird in the hand is worth two in the bush.
　……明日の百より今日の五十。

● A rolling stone gathers no moss.
　……転石苔を生ぜず。

● Count not your chickens before they are hatched.
　……捕らぬタヌキの皮算用。

● Do in Rome as the Romans do.
　……郷に入っては郷に従え。

〜 人生 〜

● Life is voyage.
　……人生は航海である。

● Life is sweet.
　……人生は楽しい。

● No life without pain.
　……苦痛のない人生はない。

日にち	名　称	祝日の意味
1.1	元　日	年のはじめを祝う
1月の第2月曜日	成人の日	おとなになったことを自覚し，みずから生き抜こうとする青年を祝いはげます （1999年までは1月15日だった）
2.11	建国記念の日	建国をしのび，国を愛する心を養う
2.23	天皇誕生日	天皇の誕生日を祝う
春分日	春分の日*	自然をたたえ，生物をいつくしむ
4.29	昭和の日	激動の日々を経て，復興を遂げた昭和の時代を顧み，国の将来に思いをいたす。 （1989年まで「天皇誕生日」，2006年まで「みどりの日」）
5.3	憲法記念日	日本国憲法の施行を記念し，国の成長を期する
5.4	みどりの日	自然に親しむとともにその恩恵に感謝し，豊かな心をはぐくむ （2007年より5月4日となる）
5.5	こどもの日	こどもの人格を重んじ，こどもの幸福をはかるとともに，母に感謝する
7月の第3月曜日	海の日	海の恩恵に感謝するとともに，海洋国日本の繁栄を願う （2002年までは7月20日だった）
8.11	山の日	山に親しむ機会を得て，山の恩恵に感謝する
9月の第3月曜日	敬老の日	多年にわたり社会につくしてきた老人を敬愛し，長寿を祝う （2002年までは9月15日だった）
秋分日	秋分の日*	祖先をうやまい，なくなった人々をしのぶ
10月の第2月曜日	スポーツの日	スポーツにしたしみ，健康な心身をつちかう （1999年までは10月10日。2020年より「体育の日」から名称変更）
11.3	文化の日	自由と平和を愛し，文化をすすめる
11.23	勤労感謝の日	勤労をたっとび，生産を祝い，国民たがいに感謝しあう

＊春分の日は３月20日～３月21日，秋分の日は９月22日～９月23日あたりの間で毎年変化するため，前年２月の官報に暦要項を掲載することで発表している。

2026年度版　一般教養 新ランナー

（2023年度版　2021年12月24日　初版　第１刷発行）
2024年９月25日　初　版　第１刷発行

編著者　東京教友会
発行者　多田敏男
発行所　ＴＡＣ株式会社　出版事業部
（TAC出版）

〒101-8383
東京都千代田区神田三崎町3-2-18
電話 03(5276)9492（営業）
FAX 03(5276)9674
https://shuppan.tac-school.co.jp

組版　朝日メディアインターナショナル株式会社
印刷　日新印刷　株式会社
製本　株式会社　常川製本

ISBN 978-4-300-11236-6
N.D.C. 370

のご案内

『人物重視の選考に、人物重視の対策を』

TACでは「ここを覚えてください」ではなく、「なぜ」「どうして」といった、理解中心の本質的な講義を展開します。理解して覚えるためのノウハウを盛り込んだ充実の講義は最終合格に結びつき、その後の学校現場にもつながっていきます。

授業では**実践的に使える知識を身に付ける**ことができました。**学校現場での例や実践と繋げて説明があるため長期記憶で定着**しました。

朝川 眞名さん　東京都 特別支援学校音楽

様々な先生の視点から指導いただけるのは非常に有意義だと思います。**どんな面接官に対しても高評価をもらえるような解答を用意**することができました。

石原 俊さん　愛知県 中学校数学

TACは面接や論文のサポートが手厚く、面接対策では、**自身の希望する自治体に合わせた質問や形式を準備頂き、本番に近い状況で対策をすることができました。**

竹腰 皐生さん
東京都 中高地歴

鴨田 拓 講師 Kamota Taku
鎌田 潚子 講師 Kamata Syoko
竹之下 シゲキ講師 Takenoshita Shigeki
永平 一洋講師 Nagahira Kazuhiro

※各種本科生を対象とした合格体験記より抜粋。

自分に合った学習スタイルを！
選べる学習メディア

Web通信講座

いつでもどこでも
何度でも！
マルチデバイス対応
のオンライン学習

教室＋Web講座

教室でも、Webでも、
自由に講義を受けられる！

【開講校舎】
新宿校・横浜校・大宮校・名古屋校・梅田校・神戸校

各種資料のご請求・教員講座の受講や試験に関するご相談は

資料請求する

講座パンフレットを
ご自宅へお届けします

講義動画を視聴してみる

無料体験動画を公開中

オンラインで話を聞く

個別に学習や受講の
相談を承ります

TACカスタマーセンター 通話無料 **0120-509-117**（ゴウカク イイナ） 受付時間 平日・土日祝／10:00〜17:00

(2024年2月現在)

書籍のご購入は

1 全国の書店、大学生協、ネット書店で

2 TAC各校の書籍コーナーで

資格の学校TACの校舎は全国に展開!
校舎のご確認はホームページにて

資格の学校TAC ホームページ
https://www.tac-school.co.jp

3 TAC出版書籍販売サイトで

TAC 出版 で 検索

24時間
ご注文
受付中

https://bookstore.tac-school.co.jp/

新刊情報を
いち早くチェック!

たっぷり読める
立ち読み機能

学習お役立ちの
特設ページも充実!

TAC出版書籍販売サイト「サイバーブックストア」では、TAC出版および早稲田経営出版から刊行されている、すべての最新書籍をお取り扱いしています。
また、会員登録（無料）をしていただくことで、会員様限定キャンペーンのほか、送料無料サービス、メールマガジン配信サービス、マイページのご利用など、うれしい特典がたくさん受けられます。

サイバーブックストア会員は、特典がいっぱい! (一部抜粋)

通常、1万円（税込）未満のご注文につきましては、送料・手数料として500円（全国一律・税込）頂戴しておりますが、1冊から無料となります。

専用の「マイページ」は、「購入履歴・配送状況の確認」のほか、「ほしいものリスト」や「マイフォルダ」など、便利な機能が満載です。

メールマガジンでは、キャンペーンやおすすめ書籍、新刊情報のほか、「電子ブック版TACNEWS（ダイジェスト版）」をお届けします。

書籍の発売を、販売開始当日にメールにてお知らせします。これなら買い忘れの心配もありません。

書籍の正誤に関するご確認とお問合せについて

書籍の記載内容に誤りではないかと思われる箇所がございましたら、以下の手順にてご確認とお問合せをしてくださいますよう、お願い申し上げます。
なお、正誤のお問合せ以外の**書籍内容に関する解説および受験指導などは、一切行っておりません。**
そのようなお問合せにつきましては、お答えいたしかねますので、あらかじめご了承ください。

1 「Cyber Book Store」にて正誤表を確認する

TAC出版書籍販売サイト「Cyber Book Store」の
トップページ内「正誤表」コーナーにて、正誤表をご確認ください。

CYBER BOOK STORE TAC出版書籍販売サイト

URL:https://bookstore.tac-school.co.jp/

2 1の正誤表がない、あるいは正誤表に該当箇所の記載がない ⇒ 下記①、②のどちらかの方法で文書にて問合せをする

★ご注意ください★

お電話でのお問合せは、お受けいたしません。
①、②のどちらの方法でも、お問合せの際には、「お名前」とともに、
「対象の書籍名(○級・第○回対策も含む)およびその版数(第○版・○○年度版など)」
「お問合せ該当箇所の頁数と行数」
「誤りと思われる記載」
「正しいとお考えになる記載とその根拠」
を明記してください。
なお、回答までに1週間前後を要する場合もございます。あらかじめご了承ください。

① ウェブページ「Cyber Book Store」内の「お問合せフォーム」より問合せをする

【お問合せフォームアドレス】

https://bookstore.tac-school.co.jp/inquiry/

② メールにより問合せをする

【メール宛先　TAC出版】

syuppan-h@tac-school.co.jp

※土日祝日はお問合せ対応をおこなっておりません。
※正誤のお問合せ対応は、該当書籍の改訂版刊行月末日までといたします。

乱丁・落丁による交換は、該当書籍の改訂版刊行月末日までといたします。なお、書籍の在庫状況等により、お受けできない場合もございます。
また、各種本試験の実施の延期、中止を理由とした本書の返品はお受けいたしません。返金もいたしかねますので、あらかじめご了承くださいますようお願い申し上げます。

(2022年7月現在)